Philosophie
et rationalité

de la certitude au doute

Philosophie *et* rationalité

de la certitude au doute

Robert Paradis
Bernard Ouellet
Pierre Bordeleau

Professeurs de philosophie
Collège de l'Outaouais

ÉDITIONS DU RENOUVEAU PÉDAGOGIQUE INC.

5757, RUE CYPIHOT
SAINT-LAURENT (QUÉBEC)
H4S 1R3

TÉLÉPHONE : (514) 334-2690
TÉLÉCOPIEUR : (514) 334-1196
COURRIEL : info@erpi.com

SUPERVISION ÉDITORIALE ET RÉVISION :
Sylvain Bournival

ICONOGRAPHIE :
Chantal Bordeleau

SUPERVISION DE LA PRODUCTION :
Muriel Normand

MAQUETTE INTÉRIEURE ET COUVERTURE :
Alain Lapointe

INFOGRAPHIE :
Claude Bergeron

Dépôt légal : 2e trimestre 2001
Bibliothèque nationale du Québec
Bibliothèque nationale du Canada
Imprimé au Canada

ISBN 978-2-7613-0674-4   567890 TG   0987
                                20015 ABCD OF10

À JOHANNE
À HÉLÈNE ET MAGALI
À MARIE-JOSÉE, MARIE-ÈVE ET JÉRÉMIE

De la certitude au doute

Les premières choses qu'une personne apprend dans un nouveau domaine du savoir se présentent souvent à son esprit comme des certitudes, tandis qu'au contraire les spécialistes du domaine sont habités par le doute. Pourquoi donc? N'est-ce pas là le monde à l'envers? De toute évidence, le spécialiste ou le savant sait beaucoup plus de choses que l'amateur ou le débutant, et pourtant c'est avec beaucoup de prudence qu'il expose ses idées, tandis que l'ignorant avance le peu qu'il sait avec assurance et fermeté. N'y a-t-il pas un paradoxe dans le fait que l'approfondissement du savoir semble mener non à la certitude mais au doute?

N ous proposons dans ce manuel une démarche intellectuelle à la fois exigeante et fidèle à ce que la philosophie a de plus fondamental, à savoir la remise en question des certitudes non réfléchies qui nous habitent tous. Elle est exigeante parce qu'elle vous demandera un engagement et un effort. En d'autres termes, vous aurez à entreprendre personnellement une démarche intellectuelle, et non simplement être le témoin du cheminement de grands penseurs. Bien sûr, ceux-ci seront à l'étude, mais seulement dans le but de favoriser votre propre démarche. Kant, un philosophe du XVIIIe siècle, disait dans un texte d'introduction à la philosophie: «*Il n'y a pas de philosophie que l'on puisse apprendre; on ne peut qu'apprendre à philosopher[1].*»

Le cheminement qui va de la certitude au doute, des évidences au questionnement, a été tracé par Socrate. En suivant l'esprit de sa méthode, nous devrons délaisser les réponses toutes prêtes pour de nouvelles questions, et souvent les réponses trouvées mèneront à une impasse engendrant de nouvelles questions. Vous avez bien compris: les questions sont ici plus importantes que les réponses.

Voilà un cours qui se démarque des autres, n'est-ce pas? On a l'habitude, à l'école, de valoriser la réponse: le bon élève, c'est celui qui connaît *la* réponse; on lui donne de bonnes notes pour cela, et le professeur qui ne connaîtrait pas la bonne réponse serait un incompétent, n'est-ce pas? En tant que discipline scolaire, la philosophie se démarque des autres en ce qu'elle suppose que chaque élève doive élaborer par lui-même les réponses aux questions de sens qui lui sont posées. Encore ici, Socrate demeure le modèle de l'activité

---

1. Cité par D. Huisman et A. Vergez, *Philosophie,* tome 1: «L'action», Paris, Marabout, coll. «Marabout Savoir», 1994, p. 36.

philosophique : lorsqu'il discute avec ses interlocuteurs, il exige que ceux-ci élaborent des réponses acceptables à ses questions ; c'est-à-dire qu'ils doivent parcourir le chemin exigeant de la justification rationnelle. Eh bien oui, des réponses *acceptables*, cela signifie qu'on ne peut pas dire n'importe quoi parce qu'on est en philosophie. L'autonomie de la pensée n'implique pas que l'on puisse dire n'importe quoi, tout comme la liberté d'action n'implique pas que l'on puisse faire n'importe quoi. Philosopher, c'est exigeant.

La démarche philosophique heurte parfois nos habitudes de pensée : habituellement, nous désirons obtenir rapidement des réponses à nos questions, et nous préférons la tranquillité de la certitude à l'anxiété du doute. La tranquillité, ou plutôt la pseudo-tranquillité des certitudes, repose très souvent sur des réponses toutes faites d'avance ou des préjugés que véhicule notre culture. Pour penser par vous-mêmes, vous devrez avoir le courage de mettre entre parenthèses les réponses toutes faites et les préjugés, et essayer de redécouvrir les questions fondamentales que nous vous adressons. À défaut de répéter des réponses toutes faites, vous vous trouverez contraints de reprendre les questions à votre compte et de leur donner un sens, qui sera vôtre.

Pour soutenir cette démarche incontournable d'appropriation personnelle du sens, nous avons voulu que les penseurs étudiés vous servent de guides pour « penser par vous-mêmes », et cela de deux manières. D'abord, en tant qu'ils ont pour eux-mêmes parcouru le chemin du doute, ils sont des exemples de la démarche que nous vous proposons ; vous devrez donc prendre le temps de bien comprendre la leur, d'analyser fidèlement les réponses qu'ils ont données aux grandes questions. Ensuite, parce que nous avons choisi des auteurs dont les réponses aux questions posées divergent et s'opposent, vous disposerez d'une marge suffisante qui vous permettra de tracer votre propre chemin. Est-ce trop demander ? Nous ne le croyons pas. À votre niveau, vous pouvez, après avoir bien compris les auteurs, penser par vous-mêmes, si vous comprenez le sens des questions fondamentales.

L'organisation du manuel

En rédigeant ce manuel, nous avons voulu relever le défi de vous initier à la fois à des philosophies particulières et à la réflexion critique personnelle. Cela pose certaines exigences particulières.

Première exigence : Des questions qui vous sont directement adressées

Chaque chapitre commence par une question qui vous est adressée (voir le schéma ci-contre). Ces questions, que nous avons voulu signifiantes pour vous, s'engendrent les unes les autres de manière à vous permettre de progresser d'un chapitre à l'autre tout en suivant les débats qui se sont déroulés sur le même sujet dans l'Antiquité gréco-romaine. Nous nous sommes efforcés de vous expliquer les problèmes associés à ces questions, de sorte que vous puissiez sentir que ces problèmes n'ont pas été résolus une fois pour toutes et qu'il s'agit de problèmes qui vous concernent toujours aujourd'hui.

Dynamique des questions posées au début de chacun des chapitres

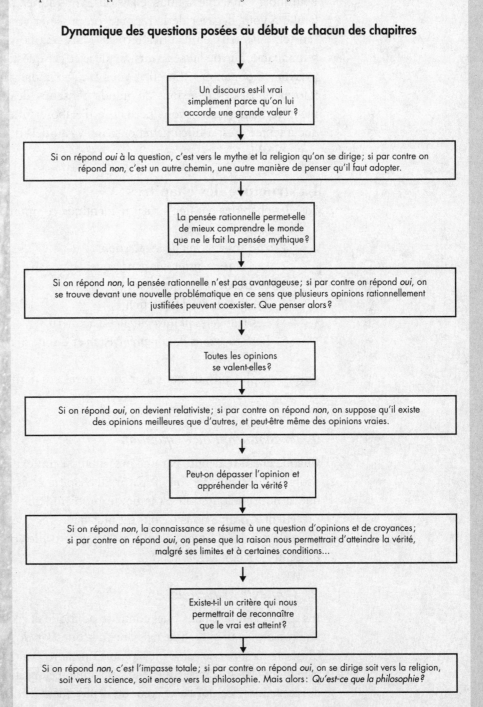

Un discours est-il vrai simplement parce qu'on lui accorde une grande valeur ?

Si on répond *oui* à la question, c'est vers le mythe et la religion qu'on se dirige; si par contre on répond *non*, c'est un autre chemin, une autre manière de penser qu'il faut adopter.

La pensée rationnelle permet-elle de mieux comprendre le monde que ne le fait la pensée mythique?

Si on répond *non*, la pensée rationnelle n'est pas avantageuse; si par contre on répond *oui*, on se trouve devant une nouvelle problématique en ce sens que plusieurs opinions rationnellement justifiées peuvent coexister. Que penser alors?

Toutes les opinions se valent-elles?

Si on répond *oui*, on devient relativiste; si par contre on répond *non*, on suppose qu'il existe des opinions meilleures que d'autres, et peut-être même des opinions vraies.

Peut-on dépasser l'opinion et appréhender la vérité?

Si on répond *non*, la connaissance se résume à une question d'opinions et de croyances; si par contre on répond *oui*, on pense que la raison nous permettrait d'atteindre la vérité, malgré ses limites et à certaines conditions...

Existe-t-il un critère qui nous permettrait de reconnaître que le vrai est atteint?

Si on répond *non*, c'est l'impasse totale; si par contre on répond *oui*, on se dirige soit vers la religion, soit vers la science, soit encore vers la philosophie. Mais alors: *Qu'est-ce que la philosophie?*

Deuxième exigence : Ne jamais donner de réponses toutes faites aux questions

Vous ne trouverez pas dans ce livre de réponses en bonne et due forme aux questions posées au début des chapitres et qui constituent le cœur du manuel. Pourquoi ? Parce que si nous le faisions, vous auriez probablement de la difficulté à vous dégager de la réponse proposée et vous auriez tendance à la répéter, au mieux en d'autres termes. Mais cela ne veut pas dire que vous serez abandonné ou laissé à vous-même avec ces questions, que vous pourriez trouver « étonnantes ». En effet, vous trouverez dans tous les chapitres des informations, des réflexions de grands penseurs, des débats, bref suffisamment de matière pour vous permettre d'élaborer une réponse cohérente et documentée, c'est-à-dire une réponse qui va au-delà de l'opinion spontanée et non réfléchie.

La structure des chapitres

Tous les chapitres ont une structure identique comportant 6 parties :

1. La *Présentation de la question*.
2. Le *Contexte historique* dans lequel est apparue la question de sens.
3. Le *Débat* sur la question.
4. Un *Retour sur la question*
5. Les *Habiletés philosophiques* à acquérir.
6. Des *Questions de compréhension* et des *Exercices*.

Voyons de plus près de quoi sont constituées ces parties.

1. Présentation de la question

Chaque chapitre débute par une présentation contextuelle de la question qui s'adresse directement à vous. À partir du chapitre 2, les présentations montrent que la nouvelle question est issue du problème qui a été étudié au chapitre précédent. Comme nous l'avons dit plus haut, ces questions forment le cœur de la démarche du manuel, et c'est à partir d'elles que vous êtes appelé à réfléchir de façon autonome.

2. Contexte historique

Il s'agit d'examiner dans quel contexte politique et social se sont posés jadis les problèmes qui ont donné naissance à la question de sens soulevée au début. L'histoire n'est pas envisagée ici comme un cadre extérieur à la question, mais bien comme le sol dans lequel elle s'enracine. Le questionnement sur la vérité des connaissances, qui est au cœur du déploiement de notre culture scientifique et technique, a une origine géographique et historique bien connue : l'Antiquité gréco-romaine. Cette section apporte donc la dimension de l'héritage culturel ; elle vous permettra de réaliser que certaines questions, qui ont leurs racines dans l'histoire de notre culture, ne peuvent être bien comprises qu'à la suite d'un examen des conditions de leur naissance et de leur développement.

3. Débat

Le « débat » met à contribution, en relation avec la question de départ, les idées concurrentes de divers auteurs (présocratiques, Socrate, Platon et Aristote) et écoles philosophiques (épicurisme et scepticisme) de l'Antiquité gréco-romaine. Il s'agit d'un témoignage vivant de l'activité philosophique qui vous aidera à mieux saisir la portée de la question et qui illustre le fait que les réponses trouvées en philosophie ne sont pas définitivement arrêtées, mais les étapes d'une démarche. Il n'existe de réponses que pour celui qui en construit.

4. Retour sur la question

Après le débat, une courte section en fait la synthèse et relance la question initiale. Vous êtes alors appelés à développer votre propre réponse en exerçant une habileté argumentative déterminée.

5. Habiletés philosophiques

C'est dans cette section sur les habiletés philosophiques que vous trouverez de l'aide pour élaborer votre propre réponse à la question débattue. Les habiletés philosophiques sont ramenées essentiellement à trois opérations distinctes de l'esprit, à savoir la problématisation, la conceptualisation et l'argumentation. Elles ne sont pas présentées comme tombant des nues ou comme des techniques imposées, mais bien comme des leçons de l'histoire, que vous pouvez vous approprier progressivement pour acquérir des compétences attachées à la rationalité.

6. Questions de compréhension et exercices

Dans le but de vous aider à vous approprier le contenu du chapitre, vous êtes invités à répondre à une série de questions. Ensuite, des exercices directement liés à la matière du chapitre vous aideront à développer les habiletés que vous venez d'acquérir.

Enfin, un mot à propos de la conclusion, intitulée « Qu'est-ce que la philosophie ? » Cela pourra paraître déconcertant aux yeux de qui aborde pour la première fois cette discipline. Pourquoi ne *commençons*-nous pas par définir la philosophie ? Parce que cela irait à l'encontre de notre démarche. Pour qu'elle soit signifiante pour vous, il est préférable que ce soit vous qui élaboriez cette définition. Si c'est nous qui vous la donnons, qui vous l'expliquons, il ne vous restera plus qu'à l'étudier et la comprendre, et il y a fort à parier que, faute d'y trouver un sens, vous l'oublierez, comme peut-être vous avez oublié de nombreuses démonstrations mathématiques que vous avez étudiées et comprises. Nous avons fait le choix — cela est plus facile à faire en philosophie qu'en mathématiques — d'exposer historiquement la pratique de la philosophie et de vous y exercer à un certain niveau avant de vous poser la question : D'après ce que vous avez appris, sauriez-vous cerner les caractéristiques de la philosophie ? C'est là une approche qui n'a rien de si extravagant, si on pense qu'on apprend bien à marcher avant de comprendre ce qu'est la marche, son rôle et ses fonctions.

Remerciements

Nos remerciements s'adressent d'abord à nos élèves, dont les réactions nous ont encouragé à persévérer dans notre travail.

Nous tenons également à remercier l'équipe de la maison d'édition, notamment Mylène Charpentier, pour avoir su nous persuader d'entreprendre ce projet ; Jean-Pierre Albert, pour ses tournées d'encouragements et son encadrement professionnel, qui ont facilité la réalisation du projet ; Sylvain Bournival, pour son expertise linguistique, la pertinence de ses commentaires et les débats constructifs ; et Janèle Vézeau, pour sa perspicacité et la rapidité avec laquelle elle a su saisir nos intentions.

Nous voulons aussi exprimer notre gratitude à nos collègues du département de philosophie du Collège de l'Outaouais, qui nous ont facilité la tâche à plusieurs reprises, ainsi qu'aux collègues dont les corrections et les remarques ont été grandement appréciées, particulièrement : Jean Dumont, Jean-Pierre Ouellet, Réal Roy et Frédéric d'Amours.

Nos remerciements s'adressent enfin à Danielle Tessier, qui a cru en notre projet.

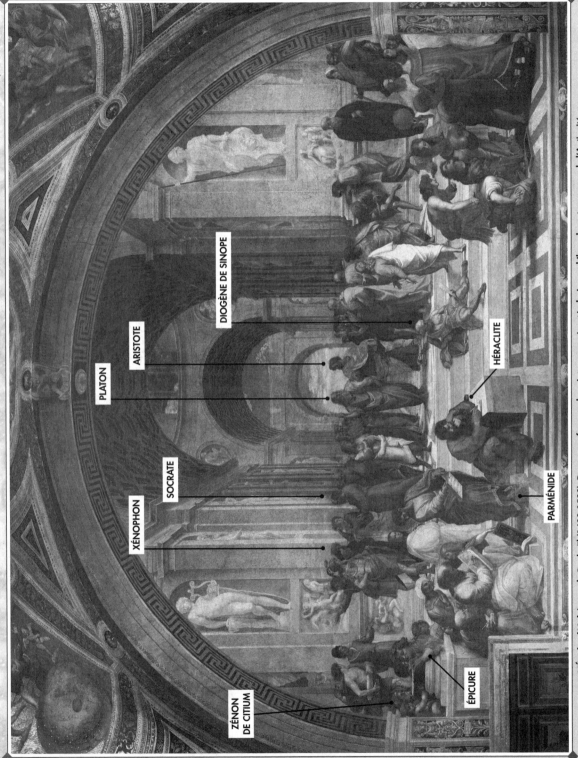

PLATON

ARISTOTE

DIOGÈNE DE SINOPE

XÉNOPHON

SOCRATE

ZÉNON
DE CITIUM

ÉPICURE

PARMÉNIDE

HÉRACLITE

L'École d'Athènes, de Raphaël (1483-1520). Dans cette fresque, le peintre a représenté plusieurs philosophes et penseurs de l'Antiquité grecque.

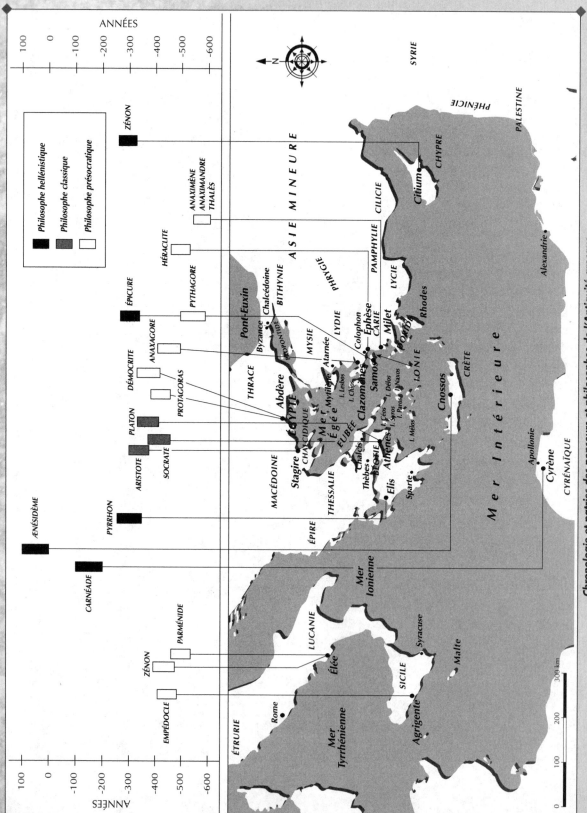

Chronologie et patries des penseurs et philosophes de l'Antiquité grecque

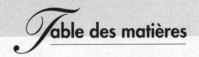
Table des matières

Discours mythique et vérité

ou Quand la «vérité» est racontée

Seul un horizon circonscrit par des mythes
confère son unité à une civilisation.

FRIEDRICH NIETZSCHE,
La naissance de la tragédie (1872).

Chapitre 1

1.1 Présentation de la question

Sans doute vous interrogez-vous sur la nature de votre premier cours de philosophie et sur la philosophie elle-même. Le premier objectif de ce cours consiste justement à vous initier à la philosophie, en vous permettant de distinguer celle-ci des autres discours qui prétendent à la vérité, c'est-à-dire les discours mythique, religieux et scientifique. Établir cette distinction entre les différents discours n'est pas chose facile. C'est pourquoi nous ne vous en donnerons pas de définitions abstraites ; nous vous les présenterons plutôt dans leur contexte social et historique.

Dans l'histoire, les différents discours ont tissé des liens entre eux, mais ont aussi connu des moments de rupture. De ce point de vue, il semble bien que les premières sociétés humaines ont privilégié le discours mythico-religieux dans leur recherche de la vérité. Mais les sociétés modernes, elles, imprégnées de la réussite de la science, ont eu tendance à considérer comme « dépassés », voire inutiles, les autres discours. Pourtant, contre toute attente, mythes et religions sont en train de connaître un retour marqué dans ce tournant de millénaire. Pensons aux millions de personnes qui vont à la rencontre du pape à chacun de ses voyages, aux sectes nouvelles qui prophétisent l'apocalypse, à l'engouement pour la religiosité orientale ou pour le « **nouvel âge** ». Ce sont ces adeptes du nouvel âge — de grands consommateurs de thérapies de toutes sortes — qui font que les rayons de nos librairies sont davantage remplis de livres consacrés aux anges ou aux extraterrestres qu'à la philosophie !

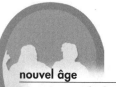

nouvel âge

Mouvement idéologique de redécouverte des anciennes formes de spiritualité issu du mouvement hippie des années soixante. Valorisant la spiritualité individuelle, la méditation et l'astrologie, le discours nouvel âge renoue avec la spiritualité orientale, le yoga, et est à l'origine de l'engouement pour les thérapies du moi et l'alimentation « santé ».

L'engouement marqué d'un nombre croissant de personnes pour les discours mythique et religieux nous incite à réfléchir aux *rapports que ces discours entretiennent avec la vérité*. Le problème est qu'ils se présentent comme détenteurs de « vérités », exigeant que nous acceptions celles-ci sur la simple base de la *croyance* ; or, le bon sens refuse une telle prétention. Bien qu'il faille respecter les gens et la grande valeur qu'ils accordent à leurs croyances, ne doit-on pas se questionner sur ces discours avant de leur donner notre assentiment ? En somme, la question essentielle que l'on devrait se poser face à la prétention à la vérité du mythe et de la religion pourrait se formuler ainsi : **Un discours est-il vrai simplement parce qu'on lui accorde une grande valeur ?**

Afin de vous aider à répondre à cette question, nous allons d'abord explorer le contexte historique dans lequel est apparu le discours mythique (section 1.2). Puis nous clarifierons la notion même de mythe (section 1.3.1). Enfin, nous présenterons deux positions opposées relativement à la question qui vous est posée (section 1.3.2), à partir desquelles vous pourrez élaborer votre propre position (section 1.4 et exercices).

1.2 Le contexte historique : Mythe et société

1.2.1 Tradition orale et tradition écrite

Le discours mythique a son origine dans les *sociétés de chasseurs-cueilleurs*, qui étaient répandues sur l'ensemble des continents il y a plus de 25 000 ans. Que ce soit en Afrique, en Océanie ou en Amérique, ces peuples avaient un mode de vie traditionnel, c'est-à-dire répétitif ou « anhistorique » ; ils vivaient en étroite relation avec la nature, leur subsistance quotidienne en dépendant. Dans ces sociétés, les fonctions sociales étaient organisées en fonction du sexe ; il s'agissait essentiellement de la chasse et de la cueillette, assurées respectivement par les hommes et par les femmes. Les inégalités y étaient pratiquement inexistantes, puisque chacun devait partager les produits de la chasse et de la cueillette selon des règles strictes assurant la survie du groupe. C'étaient des sociétés sans écriture, qui assuraient la transmission de leur culture de manière orale. Pour préserver leur mode de vie, elles avaient élaboré des *récits* relatant les « événements » qui leur avaient donné naissance : ce sont ces récits que nous appelons *mythes*.

Autour de ~10 000[1], dans la région entourant l'Irak actuel, se produisit une série de révolutions qui devait modifier de façon radicale l'histoire de l'humanité. Vivant près de fleuves qui rendaient leurs terres extrêmement fertiles, des groupes humains se sédentarisèrent : au lieu de suivre le mouvement des animaux, ils se mirent à en faire l'élevage. Puis ils protégèrent ces territoires et finalement en firent leur propriété. Ce qui était auparavant *la nature* devint progressivement *leurs terres*. L'adoption du *mode de vie sédentaire* améliora la survie des groupes et causa une véritable explosion des populations. Les groupes humains croissant sans cesse, ils s'organisèrent en villages de plus en plus populeux, qui finirent par former des villes. L'ensemble de la production et de la protection relevant des hommes, les femmes virent leurs fonctions se limiter à la maternité et à l'entretien de la maison : le *patriarcat* était né. Avec la propriété de la terre apparurent aussi les disputes de propriété, qui dégénéraient souvent en querelles, voire en guerres de conquêtes. Avec les siècles, ces conquêtes donnèrent naissance aux premiers grands empires de l'histoire humaine.

Mais l'invention qui marqua de façon décisive ce que nous nommons la « civilisation » fut celle de l'*écriture*. Les premiers signes écrits consistaient en symboles gravés dans la pierre et dont la combinaison formait un message compréhensible pour ceux qui possédaient la clef des symboles. Les vestiges d'écriture les plus anciens que l'on ait trouvés semblent avoir servi à une sorte de comptabilité que les rois de l'époque tenaient de leur production agricole et des surplus qu'ils pouvaient vendre. L'écriture symbolique a aussi été appliquée à la communication avec le divin, comme l'indiquent les **hiéroglyphes** trouvés dans

hiéroglyphes

Caractères symboliques de l'ancienne écriture égyptienne. Ces signes formaient des messages dont le code fut trouvé par Jean-François Champollion, au XIXe siècle.

---

1. Dans cet ouvrage, les chiffres précédés d'un tilde (~) représentent des années précédant l'ère chrétienne.

les chambres mortuaires de l'Égypte antique. Puis, l'écriture devint phonétique, c'est-à-dire liée à des sonorités. Les inventeurs de l'écriture phonétique semblent avoir été les Phéniciens, qui vivaient, vers ~2500, sur un territoire correspondant au Liban d'aujourd'hui. Vers ~850, les Grecs la modifièrent en lui ajoutant des voyelles, ce qui donna un système d'écriture comparable à celui que nous connaissons aujourd'hui. Désormais, la culture pouvait se transmettre de façon durable, et les récits mythiques furent consignés et transmis intégralement de génération en génération. Auparavant, leur transmission reposait uniquement sur la mémoire des chamans et des poètes. Même si ceux-ci s'efforçaient de les transmettre de la manière la plus fidèle possible, ils devaient se fier à la dernière version qu'on leur avait transmise; ainsi, les récits mythiques variaient constamment. Maintenant qu'on pouvait les conserver, on pouvait aussi les *unifier* en une version qui devint vite *la* version officielle. Les grands récits religieux allaient pouvoir naître. La Bible, qui est au confluent des traditions judaïque et chrétienne, en est un exemple.

Le tableau qui suit énumère les caractéristiques respectives des sociétés de tradition orale et des sociétés de tradition écrite.

Sociétés de tradition orale	Sociétés de tradition écrite
• Existent depuis plus de 25 000 ans. • Économie de chasse, de pêche et de cueillette, donc économie de survivance. • Division du travail selon le sexe. • Aucune distinction de classes sociales. • Mode de vie nomade ou semi-nomade (en fonction des déplacements saisonniers des animaux). • *Transmission orale de la culture.*	• Existent depuis environ 8000 ans. • Économie d'agriculture et d'élevage, donc économie de surplus. • Division du travail selon le sexe et la hiérarchie sociale (incluant l'esclavage). • Mode de vie sédentaire. • Création des villes. • *Vers le ~IVᵉ millénaire: invention de l'écriture symbolique (messages sur des tablettes d'argile). Vers ~2500, invention de l'écriture phonétique.*

1.2.2 **Les auteurs du discours mythique**

Contrairement à nos sociétés, où l'auteur est un individu bien identifié, jouissant même de droits, les *sociétés de tradition orale* n'ont pas d'auteurs en tant que tels. Ainsi, le discours mythique n'a pas d'auteur, puisque sa transmission de génération en génération se perd dans la nuit des temps, chaque conteur ayant reçu le récit de la bouche même d'un autre conteur.

Ce n'est que lorsque *l'écriture* apparaît, que l'auteur proprement dit apparaît. Mais encore ici, il n'invente pas totalement le récit qu'il écrit: il est plutôt celui qui condense dans une œuvre nouvelle les récits de la tradition orale; il est celui qui y apporte sa marque, son style, son *inspiration*. Prenons deux exemples bien

Homère (v. ~XIe siècle).

Hésiode (~VIIIe-VIIe siècles).

connus. Dans la tradition grecque, deux grands poètes, **Homère** et **Hésiode**, ont couché par écrit les récits qui racontaient les aventures des dieux. Homère opta pour le style épique ; Hésiode, lui, choisit plutôt de décrire ces mêmes aventures sous le mode d'une saga tissant les liens entre les dieux et les humains. Vingt-sept siècles plus tard, nous possédons toujours ces textes, alors que la tradition orale à partir de laquelle ils ont été rédigés s'est évanouie. Il en est de même dans la tradition chrétienne. Dans leur introduction à la lecture de la Bible, les autorités catholiques insistent sur ce point :

> Lorsqu'ils composaient les différents livres de la Sainte Écriture, les auteurs humains [...] travaillaient sous la poussée intérieure et toute spéciale de Dieu qu'on appelle inspiration. Les pensées et les idées qu'ils consignaient par écrit étaient les pensées et les idées mêmes que Dieu voulait qu'ils écrivent. Les auteurs inspirés écrivaient tout et seulement ce que Dieu voulait qu'ils écrivent[2].

Les apôtres qui ont rédigé les évangiles, même s'ils ne faisaient que rapporter la parole de Jésus, ont pourtant rapporté cette parole chacun à sa manière. Par exemple, *L'Évangile selon saint Jean* se démarque considérablement des trois autres évangiles par son insistance à prouver la nature divine de Jésus.

Maintenant que nous connaissons le contexte général au sein duquel est apparu le discours mythico-religieux ainsi que les conditions de sa transmission, nous pouvons tenter de présenter le débat portant sur la question du mythe et de la vérité.

Homère

Poète grec ionien du ~VIIIe siècle. Sous ce nom, les Grecs désignaient l'auteur de deux poèmes épiques considérés comme les premiers écrits de la culture occidentale : l'*Iliade* et l'*Odyssée*. On ne sait rien de sa vie. Il est possible qu'Homère n'ait pas existé, mais que sous ce nom se cachent plusieurs auteurs. Ses héros mythiques, surtout Ulysse, ont traversé les siècles et inspirent encore aujourd'hui dramaturges et cinéastes.

Hésiode

Paysan du ~VIIIe siècle qui, se disant inspiré des Muses, composa une généalogie des dieux (la *Théogonie*) et raconta comment Zeus mit de l'ordre dans un monde issu du chaos. Dans une autre œuvre (*Les travaux et les jours*), il traça le mythe de l'évolution humaine, de l'Âge d'or mythique jusqu'à son époque.

---

2. *La Sainte Bible,* trad. par Pirot et Clamer, Library publishers, États-Unis, 1956.

1.3 Le débat : Discours mythique et vérité

La vérité du mythe est une question fort débattue. Pour certains, le discours mythique est porteur de vérité ; pour d'autres, il n'est que pure illusion. Peut-être avez-vous déjà une opinion sur la question. Mais avant de vous prononcer, un détour obligé vous attend, car il y a désaccord sur la définition même du mot mythe. Dans les pages qui suivent, nous allons vous présenter deux définitions divergentes. Leur confrontation vous plongera au cœur du débat, à l'issue duquel vous serez mieux à même de prendre position.

1.3.1 Le débat sur la définition du mythe

Le discours mythique est tellement caractéristique des premières sociétés humaines — qu'elles soient de tradition orale ou écrite — que certains auteurs ont tendance à le définir uniquement en fonction des récits de ces premières sociétés. Pour d'autres, au contraire, il s'agit d'un mode de pensée fondamental et permanent, qui est toujours à l'œuvre dans la culture des sociétés actuelles. Dans les pages qui suivent, nous allons nous pencher sur cette controverse et tenter de clarifier les deux conceptions opposées du mythe.

Une définition externe du mythe

Si on demandait à des gens sur la rue s'ils connaissent l'expression « discours mythique », il est peu probable que l'on obtienne beaucoup de réponses affirmatives. Par contre, qui ne connaît pas les expressions suivantes : « c'est la fin d'un mythe », « ce n'était qu'un mythe » ou encore « du mythe à la réalité » ? En effet, le mot mythe revient de façon constante dans la vie quotidienne, dans les livres, dans les médias, comme synonyme de récit mensonger ou illusoire dont il faut se défaire pour parvenir à la vérité. Cette conception se retrouve partout, y compris dans les dictionnaires. Par exemple, dans un dictionnaire de philosophie réputé, le mythe est défini comme un récit irréfléchi et irréaliste, dont le sens demeure voilé : « [...] *récit fabuleux* d'origine populaire et *non réfléchi,* dans lequel des *agents impersonnels,* le plus souvent *des forces de la nature,* sont présentés sous forme d'êtres personnels dont les actions et les aventures ont un *sens symbolique*[3] ».

Ce sont les Grecs qui nous ont légué cette idée du mythe comme histoire fabuleuse. Le mot mythe vient du grec *muthos,* qui signifie « parole », « récit ». Les Grecs avaient l'habitude de l'opposer à *logos,* qui signifie aussi parole, mais parole « mesurée », « raisonnée », ou encore « théorie ». L'étymologie même du mot mythe est donc entachée de négativité, car dans la langue grecque la parole qui « raconte » n'a pas la même valeur que la parole qui « démontre ». C'est ce point de vue imbu de supériorité que les Grecs nous ont transmis dans le concept de *muthos.* Comme le souligne Jean-Pierre Vernant,

---

3. André Lalande, *Vocabulaire technique et critique de la philosophie*, Paris, P.U.F., 1968. C'est nous qui soulignons.

Par son origine et son histoire, la notion de mythe que nous avons héritée des Grecs appartient à une tradition de pensée qui est propre à l'Occident et où le mythique se définit par ce qui n'est pas lui, en un double rapport d'opposition au réel d'une part (le mythe est fiction), au rationnel ensuite (le mythe est absurde)[4].

Aristote, un grand philosophe de l'Antiquité grecque, reflète bien cette attitude définie par Jean-Pierre Vernant :

Mais les subtilités mythologiques ne méritent pas d'être soumises à un examen sérieux. Tournons-nous plutôt vers ceux qui raisonnent par la voie de la démonstration[5].

Plus près de nous, au XIXe siècle, un des fondateurs de l'anthropologie, E. B. Tylor, va même jusqu'à prétendre que le mythe est une sorte de démence de l'humanité primitive, et qu'il faut l'extirper des civilisations supérieures. Il faut, dit-il, œuvrer à

[...] vouer ces superstitions à une mort certaine. Cette œuvre, si elle est moins agréable, n'en est pas moins indispensable au bien-être de l'humanité[6].

Pourtant, cette conception du discours mythique a été contestée par divers penseurs et pour diverses raisons, dont les suivantes :

- Comme elle associe le discours mythique exclusivement à la culture des sociétés archaïques, elle laisse entendre que le discours mythique est *historiquement dépassé ou absent des sociétés plus évoluées*. Ce point de vue a été contesté par plusieurs, dont le philosophe **Friedrich Nietzsche**, qui a montré, dès la fin du XIXe siècle, que *toute* civilisation trouve sa force dans le récit qu'elle élabore autour de ses valeurs fondamentales, de son mythe fondateur.

- Elle semble dénier au mythe toute rationalité ou toute valeur de raison. Comme si le fait d'utiliser des symboles au lieu d'idées abstraites privait le discours mythique de toute « logique ». Or un anthropologue français de la deuxième moitié du XXe siècle, **Claude Lévi-Strauss**, a démontré dans de vastes études que les mythes utilisent, comme toute logique, des séries d'oppositions binaires. Mais celles-ci ne s'articulent pas au moyen d'opérateurs abstraits, comme le fait la logique formelle (positif/négatif, vrai/faux). Les opérateurs « logiques » des récits mythiques sont plutôt des éléments mêmes du monde naturel (animaux, végétaux, astres), voire des qualités de ce monde (couleurs, goûts ou odeurs).

Friedrich Nietzsche

Philosophe allemand (1844-1900) qui remit en question toute l'histoire de la philosophie à partir de la notion de « volonté de puissance ». Il se demanda ce que désignait la parole philosophique : un monde irréel qui nie la puissance de la réalité, selon lui. C'est à partir de deux personnages de la mythologie grecque, Apollon et Dionysos, que Nietzsche se représenta le conflit de l'humanité : celui du rationnel et de l'irrationnel. Sa philosophie est traversée par la création d'un mythe (l'éternel Retour) et celle d'un personnage mythique (le Surhomme).

Claude Lévi-Strauss

Anthropologue français (né en 1908) qui bouleversa l'étude des sociétés humaines en les mettant en rapport avec la linguistique. Selon lui, la structure selon laquelle s'élabore le langage reflète le fonctionnement même de l'esprit humain. Après avoir appliqué ce modèle linguistique aux structures de la parenté, il renouvela l'étude des mythes grâce à la même méthode.

---

4. Jean-Pierre Vernant et Pierre Vidal-Naquet, *Mythe et tragédie en Grèce ancienne,* Paris, Maspero, 1981, p. 195.

5. Aristote, *Métaphysique,* II, 1000a, 11-20, dans J.-P. Vernant, *op. cit.*, p. 202.

6. E. B. Tylor, *La civilisation primitive,* Paris, Barbier, 1873, p. 581.

• Finalement, elle passe sous silence la *dimension pratique* du discours mythique au sein de toute société. Les mythes sont des discours, mais des discours qui entraînent ceux qui y croient à *agir* conformément à leur croyance.

Une définition interne du mythe

Ces trois critiques de la conception étroite du discours mythique nous amènent à proposer une définition large du mythe, mieux susceptible de traduire la réalité de celui-ci. Ainsi, en comprenant mieux cette réalité, nous serons plus à même de juger de la valeur de vérité du mythe (voir la section 1.3.2).

Selon cette définition interne, *un mythe est un récit (oral ou écrit) par lequel un groupe humain illustre le sens qu'il donne à ses valeurs, en les rattachant à un moment fondateur, celui de leur origine. Ce récit engage les membres du groupe à agir dans le sens des valeurs qu'il véhicule*. Détaillons chaque élément de cette définition.

Le mythe est un récit

Malgré ses limites, la définition du mythe que nous avons héritée des Grecs n'en demeure pas moins juste sur un aspect essentiel : le mythe raconte, sa structure est celle d'un récit. Mais qu'est-ce qu'un récit ? *Au sens premier,* il consiste dans une relation de faits ou d'événements ordonnée selon une unité d'action : se pose d'abord une situation initiale, souvent problématique ; puis des événements surviennent qui la modifient ; enfin ces événements trouvent leur dénouement dans une situation finale qui clôt le récit.

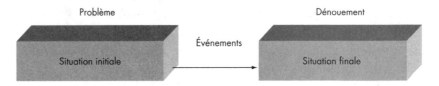

Structure fondamentale du récit

Un récit qui illustre le sens des valeurs collectives

En plus des événements qu'il relate, le mythe contient souvent un message dont le sens est saisi de façon plus ou moins consciente par ceux qui y adhèrent. Nous avons choisi deux exemples de récits issus de cultures radicalement différentes et qui n'ont pas de rapport entre eux. Mais ces deux récits contiennent un message assez semblable : chacun raconte à sa manière comment l'être humain, à cause de son insatisfaction chronique et de son égoïsme, est responsable du désordre et de la souffrance dans le monde.

> **Le mythe de Pandore, tel que raconté par Hésiode.** Zeus voulait se venger des hommes, car ceux-ci, en plus de lui avoir volé le feu, lui avaient offert en sacrifice les os et la graisse d'un bœuf alors qu'ils avaient caché les meilleures parties pour eux-mêmes. Pour punir une telle ingratitude, Zeus confectionna un être de beauté que les hommes ne connaissaient pas : la femme. Pour les « remercier » de leur sacrifice, il fit cadeau aux hommes de cette créature nommée Pandore,

à qui il remit un coffret qu'elle ne devait pas ouvrir. Incapable de résister à sa curiosité, Pandore ouvrit la boîte : alors les maladies et la mort qui y étaient cachées se répandirent parmi les hommes. Voyant le dégât qu'elle avait causé, Pandore referma la boîte, qui ne contenait plus que l'espoir. C'est ainsi que le malheur vint aux hommes par la femme et sa curiosité. Depuis, les hommes, bien qu'ils soient mus par l'espoir d'un monde meilleur, souffrent et meurent.

Pandore tenant la boîte aux calamités.
(Œuvre de Dante Gabriel Rossetti)

On devine bien que les Grecs voyaient dans cette histoire non seulement le « récit » des rapports entre Zeus et les hommes, mais surtout la justification de la domination qu'ils exerçaient sur les femmes en les excluant de toute vie publique.

Dans une culture totalement étrangère à celle des Grecs de l'Antiquité, chez les Attikameks du Nord québécois, un mythe suggère lui aussi que le désordre et la souffrance sont causés par les êtres humains qui refusent l'ordre des choses. On y raconte pourquoi, à cause d'un aîné qui refusait de vieillir, les humains doivent maintenant pagayer pendant des jours pour atteindre la destination de leur voyage.

L'origine de la rivière Saint-Maurice d'après un mythe attikamek. Comme il était coutume depuis des décennies, un vieil Indien, sentant venir la fin de ses jours, alla s'isoler dans les grands bois. Là, seul, il rencontrerait l'esprit de la mort.

Il était parti tôt le matin dans son canot et avait atteint, le soir, le lieu choisi par lui depuis longtemps. À la nuit noire, enveloppé dans une couverture, assis devant un feu qui lui aussi agonisait, il attendait.

Soudain il fut entouré par une bande de loups affamés qui attendaient que le feu se consume pour déchiqueter le vieillard. Alors, apeuré et regrettant ses forces perdues, il invoqua le mauvais manitou, offrant son esprit s'il lui rendait sa jeunesse et sa force. « Très bien, dit le manitou du mal, je te redonnerai ta vigueur de vingt ans, mais tourne la pointe de ton canot vers le soleil levant et pagaie à

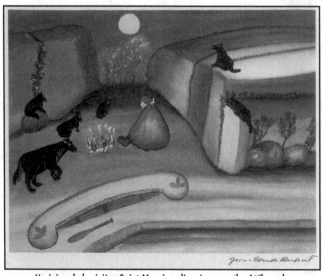

L'origine de la rivière Saint-Maurice, d'après un mythe Attikamek.
(Lithographie de Jean-Claude Dupont)

travers les terres qui s'ouvriront pour te laisser passer. Lorsque tu atteindras le fleuve Saint-Laurent, alors tu mourras. »

Il voyagea ainsi pendant deux lunes, mais quand il vit qu'il se rapprochait du grand fleuve, il commença à serpenter, pensant ainsi allonger sa vie. Dès qu'il atteignit le fleuve, son canot chavira, l'emportant dans la mort.

Voilà pourquoi la rivière Saint-Maurice fait tant de détours avant de se jeter dans le fleuve Saint-Laurent.

Pour les Attikameks, la vie est un cercle où chacun a sa place, et ce serait briser ce cercle que de permettre aux aînés d'avoir une seconde jeunesse, enlevant ainsi leur place aux plus jeunes.

Un récit qui rapporte les valeurs collectives à un moment fondateur

Comme l'exprime bien le philosophe Nietzsche dans l'exergue placé au début de ce chapitre, tous les grands élans civilisateurs ont eu besoin de mythes comme *force d'unification.* Cette force trace un horizon ou une limite qui permet au groupe de s'identifier et de se différencier.

Cet horizon, le discours mythique le trace en regard d'un moment fondateur, point d'ancrage à partir duquel les choses se sont ordonnées par la suite. On peut noter cette importance du moment fondateur dans certaines expressions récurrentes du discours mythique : « Dans les temps très anciens… », « Au commencement… », « C'était le temps avant le temps… », etc. Toutes ces expressions supposent *un temps sacré, originaire, où toutes choses ont pris le sens qu'on leur connaît aujourd'hui.* Dans les *sociétés archaïques,* ce temps sacré est celui des « ancêtres ». C'est un temps durant lequel ont été inventés les gestes qu'il faut répéter aujourd'hui. Pour les membres de ces sociétés, la récitation d'un mythe est une occasion de *revivre* les événements qui ont donné naissance au monde tel qu'ils le connaissent, de *réactualiser* les gestes que les Anciens ou les dieux ont faits « à l'origine » et surtout de *s'insérer* soi-même dans le processus qui a mené à la création des choses. Dans l'exemple qui suit, nous résumons un récit, tiré de la Bible, qui montre comment des gestes faits à l'origine deviennent « fondateurs » de la réalité humaine de maintenant. Il montre aux humains d'aujourd'hui pourquoi ils souffrent et comment ils peuvent s'insérer dans le processus du salut que propose la religion chrétienne.

Adam et Ève au pied de l'arbre défendu.
(Œuvre de Cranach (Lucas) dit l'Ancien)

Le mythe du péché originel selon la Bible. Après qu'il eut créé le premier homme, Adam, Dieu le mit dans un jardin où il avait tout ce qu'il fallait pour être heureux, sauf qu'il était le seul de son espèce. Dieu l'endormit et lui créa une compagne, Ève, à partir d'une de ses côtes. Il y avait, au milieu du jardin, un arbre dont ils ne pouvaient manger les fruits, car Dieu le leur avait interdit. Le serpent séduisit la femme en lui faisant croire que, s'ils en mangeaient, ils deviendraient pareils à Dieu. Ève mangea du fruit de l'arbre défendu et en donna à son compagnon. Aussitôt, Dieu découvrit leur faute ; il prononça une malédiction contre le serpent et condamna Ève à accoucher dans la douleur et Adam à travailler péniblement la terre pour sa subsistance. Car désormais il ne seraient plus immortels, mais devraient retourner à la poussière dont ils avaient été tirés.

Dans les *sociétés modernes,* le moment fondateur des mythes est plus facilement repérable : il s'agit de la naissance de la Nation. Dans la plupart des sociétés occidentales, cette naissance a nécessité une réorganisation, voire une révolution de l'ancienne société. Le récit de cette conquête a donné au mythe un terrain fertile : l'espace politique.

L'exemple le plus frappant de mythe moderne est sans doute celui des révolutionnaires français de 1789, qui, convaincus de vivre un moment *originaire* de l'histoire humaine — c'est-à-dire un nouveau début pour l'humanité —, décidèrent de réécrire l'Histoire. Ils abolirent le calendrier existant en rebaptisant les mois de l'année et recommencèrent le décompte des années à l'an 1 de la République, qu'ils venaient de fonder.

Aux États-Unis, ce sont deux grands événements historiques qui forment l'horizon mythique de cette nation. D'abord, le récit de la guerre de l'indépendance (terminée en 1781), par laquelle les Américains se défirent de la tutelle britannique et fondèrent la première république démocratique de l'histoire moderne. Ensuite, le récit de la conquête de l'Ouest[7], qui instaura l'esprit d'initiative individuel, dont les Américains sont encore les champions aujourd'hui. Dans le cas du Canada, il a été impossible à ce jour de s'entendre sur une « histoire nationale » qui décrirait l'origine de la nation, anglophones et francophones tenant chacun un discours différent sur les grands événements fondateurs du pays. Par exemple, Louis Riel a été vu comme le fondateur du Manitoba par les métis et les francophones, mais comme un criminel par les anglophones. Quant au récit présentant la création de la Confédération comme le moment originaire de notre pays, s'il a l'avantage de souder les « deux peuples fondateurs » dans un horizon commun, il a le désavantage d'en exclure les premiers occupants du territoire. Pour les nations autochtones, en effet, ce récit sur les deux « peuples fondateurs » est une illustration parfaite du discours mythique en tant qu'histoire fabuleuse, que récit illusoire[8].

Un récit qui engage à agir dans le sens des valeurs qu'il véhicule

Les mythes sont des récits qui influencent ceux à qui ils s'adressent. Ils se servent de figures ou de héros pour être agissants.

---

7. Entre 1840 et 1850, les États-Unis d'Amérique conquirent l'ensemble des territoires à l'ouest du Mississippi, que des vagues d'immigrants peuplèrent rapidement. La découverte d'or en Californie en 1848 accéléra le mouvement.

8. Stéphane Paquin a écrit un essai intéressant sur la question, justement intitulé *L'invention d'un mythe. Le pacte entre les deux peuples fondateurs démystifié* (Montréal, VLB éditeur, 1999). Il traite de la question en utilisant le mot mythe au sens externe (mensonge, illusion), mais en ayant recours aussi au concept d'« idée-force », qui correspond au sens interne du mythe.

Médecin argentin (1928-1967),
compagnon d'armes de Fidel
Castro lors de la révolution cubaine
(1959). En 1965, il abandonne ses
fonctions de ministre pour aller
« allumer » la révolution dans
d'autres pays d'Amérique latine.
Capturé en Bolivie en 1967, il est
assassiné. Son image demeurera
celle du révolutionnaire idéal et
inspirera non seulement le peuple
cubain, mais aussi toute une partie
de la jeunesse de l'époque.

Dans l'Antiquité grecque, Alexandre le Grand s'était identifié à Hercule afin d'entraîner ses soldats à la conquête du monde. Et que dire de la figure médiatisée du commandant **Ernesto « Che » Guevara**, qui a inspiré la Révolution cubaine et les jeunes contestataires occidentaux des années 70, et à qui les enfants cubains prêtent serment encore aujourd'hui ? (« *Seremos con el Che* » : « Nous serons comme le Che. »)

Ernesto « Che » Guevara (1928-1967).

N'a-t-on pas vu le fabriquant de cigarettes Marlboro associer le récit mythique de la conquête de l'Ouest et son fameux cow-boy avec la supposée liberté que procure la fumée de cigarette, et réussir ainsi à faire fumer toute une génération de jeunes ? On voit des femmes suivre diète sur diète pour tenter de se donner une apparence corporelle conforme aux modèles de minceur que leur proposent les vedettes d'Hollywood. Les figures mythiques sont ainsi parmi les plus puissants moteurs de l'action humaine ; en présentant les valeurs collectives sous l'aspect de figures hors de l'ordinaire, elles poussent les individus à agir dans un sens donné.

Maintenant que nous avons détaillé la définition du mythe au sens large, nous comprenons mieux que le discours mythique ne saurait être assimilé seulement à un ramassis d'histoires fabuleuses racontées par des « primitifs » et mettant en scène des créatures imaginaires ou des forces de la nature ! Le mythe est aussi un discours lié à la structure même de la conscience humaine, présent dans toute société, et par lequel un groupe, une société ou une civilisation *donne sens* à ses pratiques quotidiennes, tant politiques que spirituelles. Cela étant admis, il reste maintenant à examiner la question de la vérité du discours mythique.

Le mythique cowboy de Marlboro.

1.3.2 Le débat sur la vérité du mythe

Les éclaircissements qui précèdent à propos de la nature du mythe et de son sens devraient vous aider à comprendre la question de la vérité du discours mythique. Selon qu'on se place du point de vue de la définition externe ou de celui de la définition interne, la possibilité de parler de vérité à propos du mythe varie considérablement. En effet, du point de vue de la première de ces définitions, qui correspond à un regard extérieur porté sur le mythe, celui-ci est complètement exclu du champ de la vérité. Mais, du point de vue de la définition interne, qui considère le mythe de l'intérieur, il est plus facile de comprendre les raisons pour lesquelles le mythe se prétend détenteur de la vérité.

Du point de vue de la définition externe du mythe

À partir du moment où on définit le discours mythique comme une production imaginaire, un récit absurde, un mensonge ou, même, à l'extrême, un délire de la conscience humaine à un stade primitif de son développement, tout rapport d'un tel discours avec la vérité est naturellement exclu. Il y a donc nécessairement unanimité du côté des tenants de la définition externe pour affirmer que les rapports entre le mythe et la vérité s'opposent et s'excluent l'un l'autre.

Comme nous l'avons dit au début de ce chapitre, ce sont les Grecs qui, les premiers, auraient procédé à cette critique virulente du discours mythique. Et, parmi eux, celui qui le fit de la manière la plus radicale s'appelait Xénophane (vers ~540), un poète et philosophe originaire de la ville de Colophon (voir la carte historique, p. XIV). Xénophane déclencha une véritable polémique sur le discours mythique. D'abord, il s'étonnait que les dieux fussent dépeints dans les mythes sous une forme humaine; il se moquait de cette projection absolument injustifiée :

> Oui, et si les bœufs, les chevaux et les lions avaient des mains, et si, avec leurs mains, ils pouvaient peindre et produire des œuvres d'art comme les hommes, les chevaux peindraient les formes des dieux pareilles à celles des chevaux, les bœufs pareilles à celles des bœufs, et ils feraient leurs corps chacun selon son espèce propre[9].

De plus, ayant beaucoup voyagé autour de la Méditerranée et s'étant rendu compte de la multiplicité des religions, il se demandait pourquoi les dieux grecs mériteraient, plutôt que ceux des autres cultures, d'être qualifiés de *vrais* dieux. Question à laquelle il n'y a pas de réponse, puisque chacun croit que *ses* dieux sont les vrais. La critique de Xénophane fait apparaître les limites de la croyance et des croyants. Xénophane déclare à ceux-ci que la vérité leur échappe radicalement :

> Il n'y a jamais eu et il n'y aura jamais d'homme qui ait une connaissance certaine des dieux […] Même si, par hasard, il disait la parfaite vérité, il ne s'en rendrait pas compte lui-même[10].

Du point de vue de la définition interne du mythe

Lorsque l'on considère le discours mythique du point de vue de la définition interne, qui est plus proche de l'intention propre du mythe lui-même, il devient plus facile de comprendre ceux qui prétendent que celui-ci peut exprimer la vérité. D'abord, ce ne sont plus des détails du récit lui-même dont les croyants se préoccupent, mais du message qui est porté par le mythe. Selon eux, le mythe révèle par son message la dimension la plus fondamentale de l'être humain, sa relation avec le « sacré ». On comprend que ceux qui adhèrent au message du mythe ont

---

9. Cité dans J. Burnet, *L'aurore de la philosophie grecque*, Paris, Payot, 1970, p. 133.
10. Id., p. 134.

pu y voir une expression de la vérité dans ce qu'elle a de plus universel : « La validité du récit mythique se situe hors du temps et de l'espace ; elle vaut partout et toujours[11]. » De plus, le mythe peut leur sembler vrai par l'importance des événements qu'il raconte (la naissance des valeurs fondamentales du groupe à son origine). La force qui se dégage d'un tel récit est propice à convaincre de sa véracité ceux qui l'écoutent. Finalement, le fait que ces récits soient racontés par des personnages prestigieux (chamans, prêtres, intellectuels, politiciens) vient ajouter un élément de persuasion de plus.

1.4 Retour sur la question

Nous nous sommes interrogés dans ce premier chapitre sur les rapports que le discours mythique entretient avec la vérité. Au premier abord, il est apparu que mythe et vérité s'excluaient. La notion même de mythe est, depuis l'Antiquité grecque, associée à celles de mensonge, d'erreur ou d'illusion. Toutefois, en élargissant la définition même du mot mythe, nous avons découvert que le propre du discours mythique réside ailleurs, dans l'effet qu'il produit : créer une unité de sens qui est fondatrice des valeurs d'une société en projetant ces valeurs sur un moment fondateur. Dans les sociétés archaïques, cette unité réside dans des récits, transmis de génération en génération, comme la description des exploits des ancêtres au début des temps. Chez les Grecs, il s'agit avant tout de l'ordonnance du monde par Zeus, ordonnance qui donne à l'humanité la possibilité de prospérer. Pour les grandes religions issues de l'écriture, le récit d'origine relate, dans des livres dits « sacrés », la naissance et les paroles d'un prophète. Avec l'avènement des sociétés modernes, le récit mythique raconte plutôt les événements qui ont donné naissance à l'histoire de ces sociétés, qui ont constitué la Nation. Pourtant, même si on s'entend sur le fait que les récits mythiques, quel que soit le stade d'évolution de la société où on les envisage, sont porteurs du sens originaire, une question demeure : *Ces récits peuvent-ils être porteurs de vérité ?*

Cette question demeure toujours vivante pour toute personne qui s'interroge sur la croyance : elle va droit au cœur du discours mythique, celui-ci étant essentiellement fermé sur lui-même dans sa prétention à détenir la vérité. Claude Lévi-Strauss avait une belle expression pour exprimer l'impossibilité du discours mythique de trouver un point d'appui hors de lui-même pour prouver qu'il dit vrai : « La terre de la mythologie est ronde ». En d'autres termes, on ne peut justifier la véracité d'un mythe qu'en faisant appel à un autre mythe ou en accordant une grande valeur aux événements qu'il raconte. Ce qui nous ramène à la question du début : **Un discours est-il vrai simplement parce qu'on lui accorde une grande valeur ?**

---

11. Ananda K. Coomarswamy, *Bouddhisme et Hindouisme,* Paris, Gallimard, 1992, p. 18.

Clarifier le sens des mots

une habileté à développer

> *[...] le langage est fort ambigu, et le rôle du philosophe, comme le dit Aristote, doit commencer par chercher les différents sens d'un terme.*
>
> LAMBROS COULOUBARITSIS,
> *Aux origines de la pensée européenne.*

La première habileté qu'il importe d'acquérir en philosophie est la capacité de clarifier le sens des mots en les situant dans le contexte approprié. Par exemple, lorsque vous parlez d'*une droite,* le contexte est déterminant pour savoir s'il s'agit d'une ligne en géométrie ou de la main droite; de même, lorsque vous parlez de *la gauche,* parlez-vous de votre main gauche ou d'une tendance politique?

Bien évidemment, ce qui vaut pour des mots d'usage aussi courant vaut encore bien plus pour des mots lourdement chargés de sens d'un point de vue historique ou philosophique. Pensez à un terme aussi central dans votre vie que celui de bonheur. Il serait surprenant que vous n'y ayez pas songé au moins une fois en pensant à votre avenir ou à ceux que vous aimez. Pourtant, si vous ouvrez un dictionnaire, vous serez peut-être surpris de constater que dans certains cas il signifie chance («par bonheur»); dans d'autres, il signifie hasard («au petit bonheur»). Bien sûr, le sens principal est celui que vous vous représentez spontanément: celui d'un état particulier de la conscience. Mais cet état de la conscience, il faut bien le qualifier. Il vous faudra donc continuer à chercher d'autres éclaircissements lorsque vous penserez au bonheur: s'agit-il de la satisfaction de vos désirs ou au contraire de l'absence de tout désir, comme le préconise le bouddhisme? S'agit-il du sentiment du devoir accompli ou de la recherche des plaisirs? Vous le voyez, la recherche du sens des mots peut vous amener très loin dans la précision de votre pensée.

Ainsi, dans la section 1.3.1, nous avons vu comment peuvent coexister deux définitions bien différentes du mot mythe. D'un côté, une définition externe qui limite le discours mythique aux récits fabuleux des sociétés archaïques et qui lui dénie toute vérité; de l'autre côté, une définition interne qui fait du mythe un récit porteur d'idées-forces dans toute société. La différence entre les deux, nous l'avons vu, est considérable. En effet, le fait d'élargir, comme nous l'avons fait, la définition externe du mythe nous a amené à envisager la possibilité que le mythe soit porteur de «vérités». Mais s'agissait-il, dans les deux cas, du même sens du mot vérité?

Avant de répondre à toute question qui vous est soumise, vous devez donc en clarifier les mots importants. Nous vous suggérons une démarche simple qui vous permettra de vous approprier la question. Lisez attentivement celle-ci et séparez les mots d'usage courant qu'elle contient des autres termes, qui ont besoin d'être clairement définis et qui sont les mots significatifs de la question. Quand vous aurez bien cerné ces termes, consultez un dictionnaire usuel ou philosophique afin d'en déterminer le sens *en accord avec le contexte de la question*. Enfin, reformulez la question en tenant compte des définitions que vous venez de trouver. Il y a gros à parier qu'après avoir fait cela la question vous semblera plus claire qu'elle ne l'était dans sa première formulation. C'est à cette démarche que vous convient les exercices qui suivent.

Questions *et exercices*

Questions de compréhension

1. Quels sont les véritables auteurs du discours mythique?

2. Quelles conceptions opposées du mythe s'affrontent dans le débat qui porte sur la vérité de celui-ci?

3. Quelles sont les principales différences entre la définition externe du mythe et sa définition interne?

4. Y a-t-il encore des mythes dans nos sociétés?

5. Pour quelles raisons Xénophane critiquait-il le discours mythique?

6. Pourquoi certaines personnes adhèrent-elles au discours mythique?

7. Quels avantages y a-t-il à clarifier le sens des mots?

Exercice 1.1 *Clarification de la question inaugurale du chapitre*

En suivant les quatre étapes décrites ci-dessous, clarifiez le sens de la question inaugurale du chapitre 1: «Un discours est-il vrai simplement parce qu'on lui accorde une grande valeur?»

Principales étapes de la clarification du sens des mots d'une question:

1. Cernez les mots (ou les expressions) importants de la question et notez-en le sens sur la base de vos impressions.

2. Approfondissez la signification de la question en cherchant dans un dictionnaire et dans le texte que vous avez lu le sens des mots significatifs de la question. Tenez toujours compte du contexte de celle-ci.

(Dans un dictionnaire, on trouve à chaque entrée des informations relatives à l'étymologie et à l'histoire du mot, et plusieurs acceptions, c'est-à-dire les sens particuliers du mot admis et reconnus par l'usage. Chaque acception est précisée et illustrée d'exemples. Il faut donc lire l'ensemble des informations et choisir ce qui convient en fonction du contexte. Il n'est pas rare qu'il faille consulter d'autres mots du dictionnaire, notamment les synonymes et les antonymes. Cela ne doit pas vous décourager ; au contraire, il faut y voir un avantage, car au fil de vos recherches vos connaissances s'accroissent.)

3. Précisez et formulez, dans vos propres mots, le sens des principaux termes (ou des expressions) de la question en fonction du contexte.

4. Finalement, reformulez la question en utilisant le sens que vous avez donné aux principaux mots (ou aux expressions) de la question et assurez-vous que la nouvelle formulation ne change pas le sens de la question initiale.

Exercice 1.2

Expliquez ce que signifie cette affirmation du philosophe Friedrich Nietzsche :
« Seul un horizon circonscrit par des mythes confère son unité à une civilisation. »

Pensée rationnelle et vérité

ou Les origines du questionnement philosophique

[…] celui qui ne sait pas tirer les leçons de trois mille ans
vit au jour le jour et je ne tiens pas à ce que tu fasses
partie du lot. Je fais mon possible pour te faire découvrir
tes racines historiques. C'est à ce prix seulement que tu seras
un être humain, c'est-à-dire que tu seras autre chose
qu'un singe nu et que tu cesseras de flotter dans le vide.

JOSTEIN GAARDER, *Le monde de Sophie.*

Chapitre 2

2.1 Présentation de la question

Nous nous sommes demandés, au chapitre précédent, si les récits mythiques étaient porteurs de vérité. Nous avons constaté qu'il n'était pas facile, quand on touche aux convictions profondes des individus ou aux croyances largement partagées d'une société, de trancher de façon radicale dans un débat toujours vivant. On ne sait peut-être pas avec certitude si les récits mythiques sont ou non porteurs de vérité, mais on peut affirmer sans risque de se tromper qu'ils sont porteurs de sens. Par exemple, le mythe de la Genèse qui raconte la création du monde en sept jours ne doit pas être compris au premier niveau ; la Bible n'étant pas un manuel d'histoire, il ne s'agit pas de savoir si le ciel a été créé avant ou après les eaux ; ce qui importe, c'est le sens ou le message qui découle du récit de la Genèse, à savoir que le monde a été créé. Le récit de la Genèse, en révélant que le monde a été créé, donne un sens au monde, et cette révélation est présentée comme une vérité à laquelle il faut croire. Du point de vue de la pensée mythico-religieuse, les croyances n'ont pas besoin d'être fondées par la raison, elles se suffisent à elles-mêmes ; le récit est là pour faire comprendre l'essentiel du message. Bref, le récit mythique est un éclaircissement et une illustration des croyances ancrées dans une culture.

Le récit mythique, en tant que manière traditionnelle de penser, a représenté pendant longtemps dans l'Antiquité l'unique moyen de comprendre et d'expliquer le monde. Mais, comme nous le verrons dans le présent chapitre, les choses changèrent en Grèce au ~VIe siècle. De nouvelles capacités intellectuelles, propices à l'avènement des sciences et de la philosophie, virent alors le jour. La nouvelle manière de penser ne fera pas disparaître la pensée mythique, mais elle la délogera, lentement, très lentement, de sa position dominante.

Avec l'écriture des mythes, les incohérences internes du récit et aussi celles entre différents récits sont devenues plus visibles, voire choquantes. Ce que la parole réussissait à camoufler, le texte le révélait. Alors, une exigence nouvelle s'imposa : celle d'une plus grande rigueur dans l'organisation du discours écrit. C'est ainsi que des penseurs se sont mis à questionner les mythes qui expliquaient l'origine du monde, celle des humains, celle de la vie en société, etc. Ils ont mis en doute le fait que des êtres surnaturels puissent être la cause de ce qui existe ici-bas. Par exemple, ils ont cessé d'attribuer à Ouranos et à Gaïa la formation du ciel et de la terre, ou à Zeus la responsabilité des phénomènes naturels comme les éclipses. L'étrangeté du monde a cessé de les éblouir et a mobilisé leur intelligence. C'est comme s'ils demandaient désormais aux récits mythiques de prouver ce qu'ils avancent. Ils ont ainsi commencé d'innover dans leur façon de comprendre et d'expliquer le monde. De nouvelles conceptions du monde naîtront de cette transformation de la pensée, et elles seront radicalement différentes des précédentes. Mais attention ! Si nous allons nous attarder, dans ce chapitre, à ces penseurs, ce n'est pas à cause de leurs découvertes. C'est leur manière de penser qui nous intéresse ici, et cela parce qu'ils ont « [...] osé étudier la nature pour elle-même, [parce] qu'ils ont, pour la première fois, affronté l'étude de la nature en se servant d'une manière de faire et d'une méthode qui deviendront la manière de faire et la méthode de la science et de la philosophie[1] ».

La confrontation des manières de penser qui se joue sur la scène de l'Antiquité grecque permet de dégager une question controversée que nous allons examiner dans ce chapitre : **La pensée rationnelle permet-elle de mieux comprendre le monde que ne le fait la pensée mythique ?** Nous ne formulerons pas une réponse en bonne et due forme à cette question ; nous préférons vous présenter des éléments qui vous aideront à formuler votre propre réponse.

2.2 Le contexte historique : L'essor des cités et la naissance de la démocratie

Pourquoi une nouvelle manière de penser est-elle née en Grèce au ~VIe siècle ? Que s'est il passé de si particulier en Grèce, à cette époque, pour que la philo-sophie, les sciences, les arts et les genres lit-téraires apparaissent ? Une double révolution. Sociale et politique d'abord : la naissance de la démocratie. Intellectuelle ensuite : l'exercice de la démocratie a favorisé en Grèce un essor de qualités intellectuelles que l'on peut qualifier de révolutionnaire. C'est dans cette optique que nous allons examiner, dans les sections qui suivent, la naissance de la démocratie en Grèce.

2.2.1 Une révolution sociale et politique : la démocratie

Des cités nouvelles

La naissance d'une société démocratique sup-pose des changements sociaux importants qui n'apparaissent pas de façon immédiate, mais qui se développent plutôt de façon lente et progressive. Pour bien comprendre ce moment fort de l'histoire de la Grèce, qui marquera l'histoire de l'Europe et plus tard celle de leurs colonies, il faut remonter au ~VIIIe siècle. À cette époque, la Grèce sort d'une période sombre de son histoire, l'invasion dorienne, qui lui imposa un long « Moyen Âge » entre le ~XIIe

Fresque créto-mycénienne des jeunes enfants boxant (île de Théra, v. ~1500).

---

1. J. Barnes, « Les penseurs préplatoniciens », dans M. Canto-Sperber (dir.), *Philosophie grecque*, Paris, P. U. F., coll. « Premier cycle », 1997, p. 5.

et le ~VIIIe siècle. En bref, l'organisation sociale et économique mise en place par la civilisation créto-mycénienne[2] fut détruite par l'invasion dorienne, et on assista à l'abandon de l'architecture de pierre et de l'écriture. On comprendra que peu de chose de cette période nous soit parvenu. Jusqu'au ~VIIIe siècle, la civilisation grecque est restée simple et modeste.

Mais, à l'aube de ce siècle, la Grèce connaîtra une certaine « Renaissance », dont nous connaissons mal les causes. Les historiens supposent, sans pouvoir l'expliquer, une augmentation importante de la population. Celle-ci eut pour conséquence la mise en place d'une organisation sociale plus complexe et diversifiée, appelée *polis,* ou *cité-État*. La *polis* était une structure géopolitique qui visait à assurer la vie en commun par la prise en charge la survie des membres du groupe. Elle devait produire suffisamment de nourriture pour ses habitants et protéger ceux-ci contre les menaces venant de l'extérieur, dont les invasions de barbares. Initialement, on trouvait les cités-États des deux côtés de la mer Égée.

Tout au long des ~VIIIe et ~VIIe siècles, des vagues de colonisation donneront naissance à des cités-États sur des territoires nouveaux (voir la carte). Ces nouvelles cités sont indépendantes des métropoles, même si elles ont conservé certains traits culturels comme la langue, la religion ou les récits mythiques. La Grèce connaîtra, à travers le développement d'un commerce intercités, une certaine unité, sans toutefois que l'on puisse parler d'unité nationale telle que nous la connaissons aujourd'hui.

L'expansion grecque en mer Égée et en Anatolie

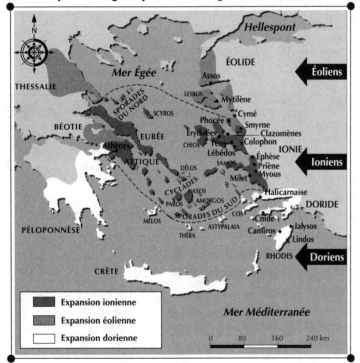

Quand les besoins essentiels de la vie sont satisfaits, la vie collective se complexifie rapidement. La cité-État développa, outre les fonctions économique et militaire, celles de centre religieux, de centre administratif et, bien sûr, de centre juridique et politique. Les fonctions obligent: dans le cadre de cette structure politique, les Grecs se remettront à écrire. L'écriture revient, mais elle est transformée. Elle n'est plus

> [...] l'apanage d'une caste de scribes, mais accessible à tous (tout au moins dans la classe commerçante aisée): il ne s'agit plus de gérer un domaine attaché à un palais ou un temple, mais de faire du commerce. C'est sans doute à cela qu'il faut

---

2. La guerre de Troie, racontée dans *L'Iliade* et *L'Odyssée,* appartient à cette époque.

rattacher son caractère pratique (phonétisme, petit nombre de signes ; donc facile à apprendre et s'adaptant à diverses langues) et sa plus grande souplesse[3] [...].

L'adoption d'une écriture phonétique, plus accessible, participe à l'effort de démocratisation et en est même une condition importante.

La fin de la monarchie

Au cours des ~VIIe et ~VIe siècles, on assiste à la disparition progressive de la royauté et à la prise du pouvoir par des groupes d'aristocrates et de riches propriétaires fonciers. L'instauration de gouvernements dits **oligarchiques** est le fruit d'un certain mécontentement exprimé par des citoyens assez riches pour jouer un rôle militaire important et qui voudront participer au pouvoir. Ce qui forcera la mise en place de conseils politiques. Le pouvoir, tout en étant réservé à la classe des privilégiés, se répartit désormais plus largement :

> La fonction royale n'a pas disparu, elle est devenue temporaire (dix ans, puis un an). Surtout le roi, devenu **archonte**-roi, n'est devenu qu'un magistrat. Il apparaît en fait comme le chef religieux de la cité, le grand responsable des cérémonies et de la juridiction relevant du sacré, fonction qui ne manque pas de lui conférer encore une aura prestigieuse. Néanmoins, il s'est vu flanqué, dans un premier temps, par deux autres magistrats. L'archonte éponyme (qui donne son nom à l'année) est chargé de diverses tâches à caractère judiciaire relevant généralement du droit familial et privé : il compose avec les *génè* et bénéficie d'une influence toujours croissante dans la cité. Quant au polémarque, il exerce la fonction de commandement militaire suprême. À la direction des armées en campagne s'ajoute la juridiction concernant les étrangers, pour des raisons de sécurité. Ces trois magistrats rejoignaient, au terme de leur mandat, une sorte de conseil aristocratique supérieur, la *boulè*, dont l'influence était grande sur les archontes en charge. À ces trois magistrats sont venus s'adjoindre ensuite six **thesmothètes**, aux compétences d'ordre législatif et judiciaire[4].

oligarchie (gouvernement oligarchique)
Régime politique dans lequel la souveraineté appartient à un petit groupe de personnes, à une classe restreinte et privilégiée (*Le Petit Robert*).

archonte
Titre des magistrats qui gouvernent les républiques grecques. Athènes en compte neuf : l'archonte-roi, l'archonte éponyme, l'archonte polémarque et six archontes thesmothètes.

génè
Lien qui réunit ceux qui se rattachent à un ancêtre commun. Il y a plusieurs *génè* dans une tribu.

boulè
Conseil politique formé, sous l'archontat de Solon, de 400 citoyens issus des familles de l'ancien régime.

thesmothètes
Archontes chargés de signaler les contradictions dans le domaine des lois. Ils ont la responsabilité de convoquer l'assemblée pour discuter et abroger les lois contradictoires.

Même si les archontes et les magistrats étaient élus uniquement au sein de la noblesse et de la bourgeoisie riche, il n'en demeure pas moins que le pouvoir politique se répartissait davantage, ce qui ajoutait à la démocratisation des cités-États.

Toutefois, les gouvernements oligarchiques avaient tendance à gérer en fonction de leurs propres intérêts, ce qui provoquait le mécontentement. À Athènes, par exemple, les inégalités sociales, l'appauvrissement de la population et les injustices seront tels qu'ils provoqueront des révoltes populaires. Aristote, dans un texte intitulé la *Constitution d'Athènes*, témoigne de cette situation en ces termes :

> [...] le régime politique était oligarchique en tout ; et, en particulier, les pauvres, les femmes et leurs enfants étaient les esclaves des riches. [...] Toute la terre était

---

3. A. Pichot, *La naissance de la science*, tome 2 : *Grèce présocratique*, Paris, Gallimard, coll. «Folio-Essais», 1991, p. 24.
4. C. Bonnet, *Athènes, des origines à 338 av. J.-C.*, Paris, P. U. F., coll. «Que sais-je?», 1997, p. 13-14.

dans un petit nombre de mains ; et, si les paysans ne payaient pas leurs fermages, on pouvait les emmener en servitude, eux et leurs enfants ; car les prêts avaient tous les personnes pour gages jusqu'à Solon, qui fut le premier chef du parti populaire. Donc, pour la foule, le plus pénible et le plus amer des maux politiques était cet esclavage ; pourtant, elle avait tous autres sujets de mécontentement ; car, pour ainsi dire, elle ne possédait aucun droit[5].

La réforme de Dracon

Le climat social était à ce point mauvais que certains dirigeants politiques finirent par reconnaître la nécessité de faire des réformes. C'est Dracon, alors thesmothète à Athènes vers ~621, qui entreprit de réformer la justice, source du plus grand mécontentement parce qu'entièrement entre les mains des aristocrates. Il voulut mettre un terme à une justice qui reposait sur le principe de la vengeance privée ou familiale. Il jeta les bases d'une véritable justice criminelle. D'abord, il a publié les lois, afin qu'on ne dépende plus d'une justice arbitraire. Ensuite, il a reconnu à chacun le droit d'être entendu en justice. Et, finalement, il a fait accepter que la culpabilité d'une personne ne rejaillisse plus sur sa famille : l'individu devenait seul responsable de ses actes. La grande nouveauté dans ces mesures tenait au fait que tout un chacun serait dorénavant traité également devant la loi publiée. Cette réforme a été une étape intermédiaire de l'évolution sociale vers un pouvoir politique plus démocratique. On conçoit aisément qu'*une loi écrite et rendue publique favorise le développement de la pensée critique,* du moins en ce qui a trait à son application, c'est-à-dire que les citoyens ont désormais les moyens d'exercer leur jugement critique face à l'administration de la justice.

Malgré la rigueur et la dureté de l'application des lois de Dracon (le qualificatif « draconien » vient de Dracon), la misère paysanne persista. Pierre Cabanes, historien de l'Antiquité grecque, décrit la situation paysanne en ces termes :

> [...] le paysan travaille, de l'aube au crépuscule, une terre ingrate pour gagner bien peu. [...] bien des paysans sont contraints à l'emprunt (en nature) et à l'endettement ; ils deviennent fermiers de leurs créanciers, [...] d'autres sont vendus en esclavage alors que la propriété de la terre se concentre en peu de mains[6].

Solon (v. ~640-558).

La réforme de Solon

Alors qu'à Athènes la révolte menaçait, les partis s'accordèrent, selon Aristote, pour élire Solon comme arbitre et archonte, vers ~594. Solon appartenait à la classe moyenne. Il croyait que l'endettement était la principale cause de la crise sociale ; il mit donc en place une série de réformes dans le but de soulager la misère. Il imposa une loi qui abolissait les dettes

5. Aristote, *Constitution d'Athènes*, Paris, Gallimard, coll. «Tel», 1996, p. 95-96.
6. P. Cabanes, *Introduction à l'histoire de l'Antiquité,* Paris, A. Colin, 1992, p. 106.

tant privées que publiques, affranchissait les endettés et interdisait le prêt prenant des personnes en gages. Pour la première fois, on assistait à l'instauration d'*un droit protégeant les personnes*[7] *contre l'asservissement, une condition essentielle à l'apparition d'une société démocratique.* Solon était imprégné d'un esprit humanitaire, qu'il ne faut pas confondre cependant avec l'esprit démocratique. Sa conception de la citoyenneté n'était pas démocratique dans le sens où nous l'entendons aujourd'hui : il divisa la société en quatre classes (en fonction du revenu) et attribua des droits et des devoirs différents selon l'appartenance à la classe. En jouant un rôle d'arbitre, il s'était fait des ennemis de toutes parts. Sa réforme avait fait naître chez les riches un sentiment de trahison et, chez les pauvres, de l'insatisfaction, parce qu'elle demeurait incomplète. Il dut s'expatrier.

La réforme de Clisthène

C'est Clisthène qui, environ 80 ans plus tard, instaurera ce qu'on appelle la démocratie athénienne. Tout en restant fidèle à la réforme de Solon, il réorganisa la vie civile de manière à briser le pouvoir aristocratique et à donner au peuple (*dèmos*) les moyens de prendre en main les rênes du pouvoir.

Le caractère démocratique de la réforme de Clisthène repose sur des changements sociaux favorisant une plus large participation aux décisions politiques. Entre autres, il a permis à des étrangers vivant à Athènes de devenir citoyens, ce qui leur conférait des droits politiques qu'ils n'avaient pas auparavant. Pour faciliter l'assimilation des nouveaux citoyens, il créa dix tribus en remplacement des quatre traditionnelles qui favorisaient les familles aristocratiques. Les tribus n'étaient pas distribuées géographiquement dans la ville ; les citoyens d'une même tribu se trouvaient dispersés dans la ville et les environs, de telle sorte que l'allégeance aristocratique, qui supposait un territoire, semblait brisée. Chaque tribu devait fournir, pour participer à la vie politique, un certain nombre de conseillers, d'**hoplites**, de cavaliers et un stratège. Clisthène créa aussi une centaine de circonscriptions, les *dèmes*. Chaque dème avait son **agora** (assemblée), son démarque (maire), ses finances, ses cultes ; il était le véritable lieu d'apprentissage de la démocratie pour les citoyens. Clisthène créa en plus un conseil de cinq cents citoyens (la **boulè**) constitué de cinquante bouleutes désignés par chacune des dix tribus et dont le rôle était d'expédier les affaires courantes en fonction de l'intérêt commun. La *boulè* examinait aussi les projets de lois avant de les soumettre à l'assemblée populaire (l'**ecclésia**), véritable instance décisionnelle. L'*ecclésia*, c'est l'assemblée du peuple qui discute, amende, approuve ou rejette les projets de lois ; qui établit la politique extérieure (décide de la guerre, de la paix, des traités à signer) ; qui délibère sur les impôts à payer ;

hoplite

Fantassin pesamment armé, dans l'Antiquité grecque (*Le Petit Robert*).

agora

Lieu associé aux dèmes : grande place, avec boutiques, tribunaux, etc., où siège l'assemblée plénière du peuple pour discuter de cas exceptionnels.

boulè

Voir la définition générale donnée à la page 23. Sous Clisthène, ce conseil politique se démocratise. Il est composé de 500 membres, soit 50 membres élus (souvent tirés au sort) par tribu.

ecclésia

Assemblée régulière du peuple tout entier où se discutent les questions politiques. La participation y est, en principe, obligatoire.

---

7. Il s'agissait de protéger les citoyens libres et leur famille, et non l'ensemble de la classe des esclaves, qui n'étaient pas considérés comme des personnes.

qui juge des affaires graves mettant en péril la sécurité de la cité-État, etc. Tous les citoyens libres étaient invités à participer à cette assemblée.

Ici, il importe d'apporter une précision : il ne faut pas confondre le citoyen libre athénien avec le citoyen libre d'aujourd'hui. Le droit de participer à la vie publique n'était pas accordé aux femmes, aux jeunes, ni bien sûr aux esclaves[8]. Ces exclus constituaient pourtant la très grande majorité de la population. L'exercice de la démocratie athénienne était donc réservé à une minorité.

Les transformations sociales et politiques qui ont mené en Grèce à l'instauration d'une forme de démocratie apparaissent comme les germes nécessaires de la révolution dans la manière de penser qui commençait à se produire.

2.2.2 Une révolution dans la manière de penser

Pour comprendre la révolution de pensée menée par les Grecs de l'Antiquité, les spécialistes remontent aux penseurs présocratiques. Nous ferons de même, non pour apprendre les théories des **présocratiques** en elles-mêmes, mais pour mieux saisir la nature de cette révolution.

présocratiques

Penseurs associés à l'histoire de la philosophie et des sciences qui ont précédé Socrate (~470-399) ou qui ont été ses contemporains. Ils étaient originaires d'Asie mineure, d'Italie du sud et de Sicile (la Grande Grèce), d'Abdère en Thrace ou d'Athènes ; d'autres étaient des penseurs itinérants.

L'étrangeté de la vie et du monde, l'irruption de la mort, les grandes questions sur le commencement de l'univers, sur la place de l'être humain dans la nature, tout cela et bien d'autres questions peuvent provoquer de l'émerveillement ou de la crainte chez ceux qui cherchent à comprendre. La crainte ou l'émerveillement peut se traduire par un recours au surnaturel pour expliquer les phénomènes ou pour répondre aux questions fondamentales. On reconnaît ici la manière de penser propre à la mythologie. C'est de cette mentalité que les premiers présocratiques, les Milésiens[9], ont su se détacher. Chez eux, *la crainte ou l'émerveillement s'est transformé en étonnement*. Il s'agit là d'un changement d'attitude fondamental dans la manière d'appréhender le monde environnant. En réfléchissant aux phénomènes qui suscitaient l'émerveillement ou la crainte, les penseurs milésiens se détachèrent des croyances naïves véhiculées par les mythes pour changer d'attitude à l'égard du monde : au lieu de se laisser impressionner par le monde, ils ont osé l'examiner, le questionner et proposer des réponses. En d'autres termes, ils ont posé un regard neuf et critique sur le monde dans lequel ils vivaient. Du même coup, ils donnaient naissance à l'étude de la nature.

De ce changement d'attitude, sont nées des explications nouvelles de l'origine du monde, de sa nature et de son évolution. Celles-ci ne se limitaient pas à raconter

---

8. Les Athéniens considéraient les esclaves comme des instruments animés utiles à l'économie familiale. (Voir Aristote, *La politique*, I, 3, 1253-1256.)

9. Il s'agit de Thalès, d'Anaximandre et d'Anaximène, qui ont vécu à Milet, une ville située sur la côte de l'Asie mineure (la Turquie actuelle) et qui était, au ~VIe siècle, la cité la plus populeuse et la plus active du monde grec : « C'était la métropole d'un vaste essaim de colonies situées sur les côtes de la mer Noire, et son commerce [...] s'étendait au loin sur toute la Méditerranée. Elle constituait un point de contact avec la civilisation encore vigoureuse de la Mésopotamie [...]. » (B. Farrington, *La science dans l'Antiquité*, Paris, Payot, coll. « P.B.P. », 1967, p. 31-32.)

le monde ; elles proposaient ce que nous appellerions aujourd'hui des *hypothèses,* qui furent soumises à l'examen critique de tout un chacun. Comme le souligne Jean-Pierre Vernant, désormais ces explications doivent « [...] se prêter à critique et à controverse. Les règles du jeu politique — la libre discussion, le débat contradictoire, l'affrontement des argumentations contraires — s'imposent dès lors comme règles du jeu intellectuel[10]. »

Les cités-États grecques, en raison de leur organisation, ont permis de dépasser les fonctions élémentaires de toute société (essentiellement, les fonctions économique et militaire) en imposant l'exigence démocratique. La recherche de la société juste repose sur une *réflexion critique* à propos des règles d'existence en commun. L'écriture des lois joue aussi un rôle important dans cette recherche en ce sens qu'elle impose la *rigueur* dans leur application, la recherche d'une certaine *universalité* et, bien sûr, la *critique* des applications arbitraires. Quant à l'interdiction de l'assujettissement des citoyens libres, elle fait de la liberté une valeur importante, condition *sine qua non* de la *réflexion autonome.* La mise en place de structures politiques où le peuple discute et débat de diverses questions favorise le développement d'une pensée convaincante, c'est-à-dire capable de *justifier* ce qu'elle avance, d'*argumenter.* Dans ce contexte, être convaincant, c'est avoir du pouvoir.

En résumé, c'est dans le cadre d'une société qui favorise la pensée libre, la pensée critique, la recherche de l'universel, l'art de convaincre et l'autonomie des personnes que les attitudes propices à la pensée scientifique et philosophique ont vu le jour. Les explications qu'ont proposées les présocratiques sont le produit d'un regard critique, mais aussi d'une pensée autonome soucieuse de rigueur et de justification rationnelle.

2.3 Le débat : De quoi le monde est-il fait ?

Deux cités d'**Ionie** ont été le berceau des premières représentations rationnelles de la nature : Milet et Éphèse. Les penseurs ioniens[11] ont refusé de faire appel au surnaturel pour expliquer la nature du monde. Ils sont plutôt partis à la recherche d'un *principe naturel* permettant d'expliquer comment le monde est venu à l'existence et de quoi il est fait. Comme nous l'avons déjà mentionné, nous allons examiner leurs conceptions non pas pour elles-mêmes, mais pour nous faire une idée de la valeur de cette nouvelle manière de penser. En d'autres termes, nous chercherons à savoir si les conceptions rationnelles, qui supposent la pensée critique, la rigueur, la justification et l'autonomie de la pensée, réussissent mieux à expliquer le monde que ne le font les conceptions mythiques.

Ionie

Ancienne région située sur la côte de l'Asie Mineure, en face de l'île de Samos. Elle est limitée au nord par Phocée et au sud par la célèbre cité d'Halicarnasse, où fut érigé le tombeau de Mausole (mausolée), l'une des Sept Merveilles du monde.

---

10. J.-P. Vernant, « Les origines de la philosophie », dans C. Delacampagne et R. Maggiori (dir.), *Philosopher,* tome 2, Paris, Presses Pocket, p. 185.
11. Il s'agit des premiers présocratiques.

2.3.1 Le monde expliqué par les Ioniens

Le monde est en perpétuelle transformation. Telle est l'une des constatations fondamentales à la source de la pensée des présocratiques. Tout comme nous, ils ont remarqué que l'automne se transforme en hiver, lequel à son tour laisse place au printemps, et qu'au bout du processus le même cycle reprend. De même, le jour remplace la nuit. Même la vie est un processus de transformation qui mène à la mort : dès la naissance, le nourrisson commence à changer ; il n'aura de cesse d'évoluer, jusqu'à ce qu'il se transforme en vieillard. On pourrait ainsi multiplier les exemples d'un monde qui se montre sous l'angle du changement. Pourtant, une chose étonna les présocratiques : de façon paradoxale, ce monde en perpétuelle transformation semble rester le même. C'est toujours le même monde, notre monde, qui se transforme ; c'est toujours la même personne qui passe de l'enfance à la vieillesse. C'est sur le fond de ce paradoxe que se sont esquissées les premières explications rationnelles de la nature.

Thalès de Milet (v. ~625-550).

Thalès de Milet

De Thalès, comme de la plupart des présocratiques, on sait peu de choses. Il aurait vécu à Milet, ville située sur les côtes de l'Asie Mineure (la Turquie actuelle), entre ~625 et ~550. On ne possède aucun texte écrit de sa main (à supposer qu'il en ait produit). Notre connaissance de sa vie et de ses idées nous provient des commentaires que les philosophes et les **doxographes** de l'Antiquité nous ont laissés. On dit qu'il étudia la géométrie au cours d'un voyage en Égypte et qu'il fut le premier à la faire connaître en Grèce. On lui attribue plusieurs découvertes dans ce domaine. Une anecdote mentionne qu'il mesura la hauteur des pyramides à partir de leur ombre. Il aurait mesuré l'ombre des pyramides au moment exact où l'ombre de son propre corps était égal à sa grandeur réelle. Cela suppose une compréhension du théorème des triangles semblables, dit « théorème de Thalès ». Il aurait appliqué la même idée à la mesure des distances en mer. Dans le domaine de l'astronomie, on lui attribue l'explication du phénomène des éclipses du Soleil. Il aurait même, selon plusieurs, prédit l'éclipse solaire du 28 mai ~585.

doxographes
Auteurs de l'Antiquité qui ont colligé, soit dans un ordre chronologique, soit par problèmes, les « opinions » des philosophes. On peut dire que leurs œuvres ressemblent à des « catalogues » de pensées philosophiques.

Mais l'histoire de la pensée a retenu le nom de Thalès surtout parce qu'il a probablement été le premier des penseurs grecs à chercher *dans la nature* le *principe* à l'origine du monde et à proposer une explication générale du monde en transformation fondée sur ce principe. Comme bien des gens de son temps, il avait observé que rien ne naissait de rien ; en d'autres termes, qu'il fallait bien qu'une chose naisse de quelque chose. Pour lui, le point de départ, l'origine, ne pouvait être qu'un élément de la nature : *l'eau*.

Pourquoi l'eau ? Les raisons sont multiples et diverses. On peut penser que Thalès, tout innovateur qu'il fût, était aussi un homme de son temps et qu'il a été influencé par le vieux mythe de l'eau primordiale. Les civilisations mésopotamienne et égyptienne (Thalès connaissait l'Égypte pour y avoir séjourné) ainsi que la tradition grecque accordaient à l'eau un rôle primordial dans la création du monde. Thalès croyait (conformément à la représentation sumérienne du monde) que la terre flottait sur l'eau comme un navire. Le choix de l'eau pouvait donc, à l'époque, paraître tout naturel. Plus que le support de la terre, *l'eau, pour Thalès, constituait le principe physique d'où proviennent toutes choses et où elles retournent*. Par exemple, la terre naît de l'eau par le dépôt des alluvions transportés par celle-ci. De plus, la présence de fossiles marins sur la terre ferme et même en montagne laisse croire que la terre aurait émergé de l'eau. L'eau serait aussi à l'origine de l'air, par un procédé d'évaporation, dans lequel l'eau ne disparaît pas, mais se transforme.

Thalès a choisi un élément fluide capable de répondre aux exigences d'un monde en transformation. L'eau peut se solidifier (se transformer en glace), s'évaporer (se transformer en air), tout en laissant des dépôts. L'air, cette vapeur d'eau, engendre aussi le feu en nourrissant le Soleil et les astres de son souffle. Le monde en transformation connaît une multitude de cycles :

> [...] le Soleil pompe l'eau de la mer, la transforme en air (se nourrit de ses exhalaisons), cette eau ainsi pompée (du moins celle qui se nourrit par le feu du Soleil) retombe en pluie et se transforme en terre (la terre résultant aussi de l'évaporation de l'eau de mer, et pas seulement des dépôts dérivant plus ou moins directement de la pluie) ; la terre redevient eau (rosée, brouillard, sources...) ; et le cycle recommence[12].

À un autre niveau, l'eau est cette matière capable d'expliquer le monde en changement parce qu'elle joue un rôle essentiel dans la génération (la vie), tout comme dans la corruption (la mort). L'eau est matière et force créatrice de vie. Thalès s'appuie sur des observations de la vie courante pour faire accepter son point de vue : la nourriture de tous les êtres est humide, et l'eau leur est encore plus essentielle que la substance nutritive ; tout germe est humide tandis que ce qui est mort se dessèche. La nature est vivante parce que l'eau est vivante. Thalès a choisi l'eau pour principe parce qu'il imaginait l'existence du monde sur le modèle d'un être vivant.

Si la conception du monde de Thalès se détache du mythe par son explication matérialiste, elle y reste liée par un autre côté. En effet, Thalès écrit que « tout est plein de dieux et de démons ». Cela peut paraître contradictoire, mais le Milésien conçoit la nature à la fois comme un être vivant et comme un lieu rempli de dieux. Dans cette optique, *les dieux viennent animer le monde matériel, c'est-à-dire lui donner une âme, le rendre vivant*. Selon Aristote, « certains prétendent que l'âme est mélangée au tout de l'univers ; de là vient peut-être que Thalès ait pensé que toutes choses étaient remplies de dieux[13]. »

---

12. A. Pichot, *op. cit.*, p. 73.
13. Cité dans J.-P. Dumont, *Les écoles présocratiques*, Paris, Gallimard, coll. « Folio », 1991, p. 29.

La difficulté d'expliquer toutes choses par un élément du monde visible poussera Anaximandre, disciple de Thalès, à chercher ailleurs le principe à l'origine du monde.

Anaximandre de Milet

Anaximandre aurait vécu à Milet, tout comme son maître Thalès, entre ~610 et ~545. On ne sait pratiquement rien de sa vie, sinon qu'il aurait joué un rôle important dans le développement des techniques, des sciences et de la philosophie de son temps. Il aurait été le premier, selon Diogène Laërce (doxographe de l'Antiquité), à tracer une carte géographique. On lui attribue aussi une explication matérialiste de certains phénomènes météorologiques comme le tonnerre, les éclairs et les ouragans. C'est lui qui aurait introduit en Grèce le gnomon, un bâton planté au centre d'un cadran et dont l'ombre projetée permet de lire l'heure solaire. Mais son apport le plus important est d'avoir critiqué Thalès et proposé un principe abstrait pour expliquer le monde et son origine. Il aurait apparemment été le premier à écrire un livre dédié à la nature.

Anaximandre de Milet (v. ~610-545) expliquant comment établir le gnomon.

Il n'était pas facile de suivre Thalès quand celui-ci affirmait que le monde était rempli de dieux et de démons puisqu'il était vivant; que l'eau, même évaporée, était à l'origine du feu puisqu'elle était à l'origine de tout. Ou encore, d'accepter l'affirmation voulant que la terre flotte sur l'eau, sans se demander sur quoi celle-ci repose à son tour. Anaximandre, en réfléchissant à la théorie de son maître, exigeait plus de rigueur, plus de cohérence. Il remettait en question le principe de l'eau: si l'eau était un principe vivant, elle serait comparable à un œuf fécondé; or celui-ci ne peut pas être l'origine parce qu'il a fallu qu'il soit fécondé. Il faut donc chercher plus profondément, en deçà de l'eau vivante.

Anaximandre est d'accord avec Thalès sur un point: il ne peut y avoir qu'un seul principe à l'origine du monde. Cependant, il fait remarquer ceci:

> Ce principe ne peut être identique à aucune des matières du monde visible, car ces matières sont d'un rang égal, si on les compare l'une à l'autre — le bois est engendré par la terre, la terre du bois, aucun des deux ne possédant la primauté qui doit caractériser un vrai principe. Il faut donc que le principe soit quelque chose à part[14].

Ainsi, selon Anaximandre, les éléments matériels s'équivalent et se transforment les uns dans les autres (la terre en eau, l'eau en air et l'air en feu), mais aucun ne

---

14. J. Barnes, *op. cit.*, p. 16.

peut tenir le rôle de matière originelle. Pourquoi l'eau serait-elle à l'origine de tout ? Rien ne semble militer en ce sens pour Anaximandre, qui cherche à découvrir une véritable origine, c'est-à-dire une origine toujours active dans les choses présentes[15] d'un monde en perpétuel changement. C'est ainsi que, chez lui, l'eau vivante de Thalès se transforme en un *principe actif*, c'est-à-dire un principe contenant en lui-même cette âme nécessaire à l'explication d'un monde en transformation. Selon plusieurs commentateurs, il a été ainsi le premier à parler d'un principe actif (*arché*) qui n'est assimilable à aucun des éléments matériels connus. Ce principe n'en est pas moins matériel pour autant. Sa nature est à part. Il l'appelle *apeiron* (« illimité » ou « indéfini »), c'est-à-dire quelque chose d'*indéfini* autant du point de vue de la qualité que de la quantité ; quelque chose d'*infini* ou, si vous préférez, sans limites temporelles et spatiales ; quelque chose d'*indéterminé* ou qui n'est déterminé par rien d'autre que lui-même. À y regarder de près, cet *apeiron* est l'abstraction du caractère divin que Thalès avait attribué à l'eau : une réalité matérielle inengendrée, incorruptible, immortelle, sans commencement ni fin.

L'idée d'*apeiron* n'est pas facile à saisir : elle n'a pas d'équivalent en français et, surtout, elle est hautement abstraite. On peut dire que le principe d'Anaximandre n'est pas de l'ordre des êtres existant dans le monde visible, mais qu'il a une existence *logiquement nécessaire,* si l'on admet que le monde en mouvement doive partir de quelque chose.

Le haut niveau d'abstraction de l'*apeiron* souleva des critiques et poussa Anaximène, élève d'Anaximandre et troisième penseur milésien, à rendre les idées de son maître plus accessibles.

Anaximène de Milet

Anaximène est le dernier des trois grands Milésiens. Tout comme pour ses prédécesseurs, on sait peu de chose sur sa vie. Il aurait vécut entre ~580 et ~530. On le considère comme un disciple d'Anaximandre. « Il aurait écrit un livre exposant ses conceptions, livre dont il ne reste rien mais qui aurait été d'un style simple et facilement compréhensible, ce qui est sans doute la cause de sa grande réputation dans l'Antiquité[16]. » Il a aussi proposé un principe à l'origine du monde : l'air illimité.

C'est donc qu'Anaximène cherchait lui aussi un *élément* primordial d'où viendraient toutes choses et où retourneraient toutes choses. Certains commentateurs ont

---

15. Il est nécessaire de faire ici une distinction entre le commencement d'une chose et son origine. Procédons par analogie : lorsque nous parlons de notre naissance, nous ne confondons pas la date de notre naissance avec notre origine. Le commencement de notre vie coïncide avec le moment du début de notre existence. Avant la date de ma naissance, je n'étais pas au monde, et après je suis au monde. J'ai donc commencé ma vie à une certaine date, que je peux préciser dans le temps. Par contre, lorsque je pense à mon origine, ce n'est pas à une date que je songe, mais plutôt à mes parents, ma famille immédiate et même élargie, à mes grands-parents, à mon milieu social, à la nation qui m'a vu naître ; bref, mon origine n'est pas un moment du passé, elle me colle à la peau, elle fait que je suis ce que je suis. J'ai commencé ma vie à un moment donné, et mon origine ne me quitte plus. C'est dans ce sens qu'Anaximandre cherche une origine, c'est-à-dire *un principe actif*.

16. A. Pichot, *op. cit.,* p. 92.

suggéré qu'il avait fait un pas en arrière en renonçant à l'abstraction de l'*apeiron* et en privilégiant, tout comme Thalès, un élément du monde existant: *l'air*. Cela n'est pas certain, surtout si on considère la façon dont il conçoit ce principe fondateur:

> Anaximène [...] disait que le principe est l'air illimité, principe dont sont engendrées les choses actuellement engendrées ainsi que celles qui le furent et le seront, et encore les dieux et les choses divines: toutes les autres créatures procèdent de celles qui dérivent de lui. La forme de l'air est la suivante: lorsqu'il est parfaitement réparti, il est invisible à l'œil, mais il devient visible sous l'effet du froid, du chaud, de l'humide et du mû. Il se meut sans cesse, car si le mouvement n'existait pas, toutes les choses qui changent ne changeraient pas. Il prend un aspect différent selon qu'il est condensé ou raréfié, car lorsqu'il atteint un certain degré de raréfaction il devient feu; en revanche, les vents sont de l'air condensé et le nuage est formé à partir de l'air, par compression; sous l'effet d'une condensation plus grande il devient eau et, condensé davantage encore, il devient terre et, condensé au maximum, pierres [...][17].

L'« air illimité », qu'est-ce à dire? Cet élément appartient au monde qui nous entoure et, en tant que tel, il se manifeste à nos sens dans certaines circonstances, sous l'influence du froid, du chaud, de l'humide, du mouvement, etc. Cependant, lorsqu'il n'est soumis à aucune influence extérieure, il demeure un élément invisible, impalpable et même indéfini (il n'est pas un gaz au sens moderne du terme). L'air n'est pas délimité dans l'espace, il n'a pas de forme propre comme l'arbre ou le grain de sable; l'air, quand il est immobile, se confond avec l'espace non limité. Il n'est pas non plus déterminé qualitativement puisqu'il peut être feu, nuage, eau, terre ou pierre, selon le jeu de la condensation et de la raréfaction. L'air est donc, selon Anaximène, cet élément du monde qui nous entoure (retour à Thalès) ayant les caractéristiques de l'*apeiron* (ce qui est fidèle à Anaximandre), à savoir une substance illimitée, indéfinie et indéterminée. En somme, l'air est la concrétisation de l'*apeiron*:

> D'une certaine manière, Anaximène ne trahit donc pas Anaximandre, ni ne revient en arrière. On peut dire qu'il le vulgarise en permettant une conception plus concrète et plus facilement compréhensible de ce qui est chez Anaximandre une abstraction insaisissable[18].

Le principe de *transformation* de l'air est pensé lui aussi de manière concrète chez Anaximène. Comment faire accepter que la raréfaction puisse transformer l'air en feu, et que la condensation puisse transformer l'air en nuage, le nuage en eau puis celle-ci en terre et cette dernière en pierre? Pour convaincre ses contemporains, Anaximène faisait appel, semble-t-il, à cette petite expérience:

> [...] lorsqu'on souffle avec la bouche largement ouverte, l'air exhalé est chaud et peu dense (sa pression est faible); au contraire, lorsqu'on souffle avec les lèvres rapprochées de manière à ne laisser qu'un petit orifice, l'air exhalé est froid et dense (sa pression est plus forte). On trouve donc dans la respiration ce phénomène de raréfaction et de condensation, en même temps que de chaud (feu) et de froid [...][19].

---

17. Hippolyte, *Réfutation de toutes les hérésies*, I, 7, cité dans A., Pichot, *op. cit.*, p. 93.
18. *Ibid.*, p. 96.
19. *Ibid.*, p. 98.

Autrement dit, plus l'air est rare, plus on y trouve de feu (élément subtil) ; plus l'air est dense, plus il est froid et tend vers sa matérialisation.

Finalement, l'air en tant qu'élément primordial en mouvement soumis au principe de raréfaction et condensation est le souffle du monde, l'âme du monde, son principe originaire.

Héraclite d'Éphèse

Héraclite aurait vécu entre ~550 et ~480 à Éphèse, une ville située à quelque cinquante kilomètres au nord de Milet. On connaît peu de chose de sa vie, sinon qu'il aurait appartenu à une famille aristocratique et qu'il aurait renoncé à ses privilèges pour se consacrer à l'étude. Il a sûrement étudié la pensée de ses prédécesseurs milésiens, mais il aurait toujours refusé d'en reconnaître un comme maître à penser. On lui attribue la publication d'un livre intitulé *De la nature*. Il nous reste de son œuvre environ cent trente fragments, qui nous sont parvenus pour la plupart par l'entremise d'œuvres de commentateurs anciens. On lit chez ceux-ci qu'Héraclite aurait été une personne hautaine : il se serait efforcé d'écrire son livre dans un style obscur afin que seuls les esprits les plus habiles puissent le comprendre. Il fut d'ailleurs surnommé l'Obscur, en raison de sa manière énigmatique de s'exprimer.

Héraclite d'Éphèse (v. ~550-480).

Tout comme les Milésiens, Héraclite chercha à comprendre les changements dans le monde à partir d'un élément primordial : le *feu*. Pour lui, le feu est l'élément qui exprime le mieux le monde changeant :

> Ce monde-ci, le même pour tous
> nul des dieux ni des hommes ne l'a fait
> Mais il était toujours est et sera
> Feu éternel s'allumant en mesure et s'éteignant en mesure[20].

Chez Héraclite, l'univers ordonné et unifié (le cosmos) est en quelque sorte gouverné par le feu. Le feu ne joue pas tout à fait dans sa pensée un rôle comparable à celui de l'eau et de l'air chez les Milésiens ; on doit le comprendre moins dans un sens littéral (physique) que métaphorique. Il symbolise à la fois le monde en devenir et l'agent intelligent de ce devenir.

Le monde qui se présente à nos sens est effectivement un monde en perpétuel mouvement à l'image du feu, c'est-à-dire qu'il nous échappe sans cesse comme la flamme qui s'allume et s'éteint au fur et à mesure. Le monde que nos sens perçoivent à un instant précis n'est pas complètement identique à celui de l'instant précédent, et celui de l'instant suivant ne sera pas exactement le même. Héraclite

---

20. J.-P. Dumont, *op. cit.*, p. 73.

disait: «On ne peut pas descendre deux fois dans le même fleuve[21].» Quand j'entre pour la deuxième fois dans le fleuve, l'eau n'est déjà plus la même; le fond est différent, les poissons et les algues sont à des endroits différents, etc. Le fleuve existe bel et bien, mais quand j'essaie de saisir ce qu'il est, il est déjà différent.

Dans le monde, il n'y a rien de permanent, tout est en devenir. Toutes choses se réalisent dans un processus qu'Héraclite décrit comme une lutte de contraires. À ses yeux, les contraires sont incompréhensibles l'un sans l'autre: la nuit et le jour sont un seul processus, l'obscurité ne fait que gagner sur la clarté, et vice versa; le chaud et le froid, le bien et le mal ne sont en fait que les faces opposées du devenir incessant. La vie et la mort nous montrent bien cette dynamique: pour qu'un fruit naisse, il faut qu'une fleur meure; le fruit doit périr pour libérer une nouvelle semence et le nouvel arbre détruit la semence. Cette transformation des choses les unes dans les autres prend l'allure d'une lutte nécessaire. Les jours, les saisons, les générations sont mus par un combat qui caractérise le devenir. La lutte des contraires n'est pas négative, elle est le moteur d'un univers ordonné et unifié (*cosmos*).

Le feu est aussi le symbole d'une intelligence inhérente au monde, qu'Héraclite nomme loi divine[22], ou *logos*. C'est cette loi, ce *logos* qui lie les contraires, qui rend possible l'harmonie du tout; en d'autres termes, c'est comme s'il y avait une intelligence divine, une raison divine qui associait les choses de telle sorte que le tout puisse se tenir (devenir) ensemble. Mais oui: une harmonie qui est issue de la lutte des contraires. Ce n'est pas impossible du point de vue d'Héraclite, puisque les principes qui gouvernent la nature nous sont cachés.

Mais alors, comment savoir de quoi le monde est fait, puisque ses principes nous sont cachés? Le fait que nos sens nous trompent fréquemment est bien connu à l'époque d'Héraclite, pour qui il faut les utiliser avec précaution, c'est-à-dire qu'on peut leur faire confiance, tout en restant critique à leur égard. On peut y parvenir parce que le *logos* qui gouverne tout fait aussi partie de nous. Pour connaître l'harmonie invisible qui règne dans le monde, « [...] il faut que la partie du *logos* qui est emprisonnée en nous soit au contact du *logos* libre et extérieur, ce contact se fait par les sens; le sommeil, en fermant "les pores des sens", rend ce contact impossible et supprime donc la connaissance (et la conscience)[23]. » A. Pichot, dans son étude sur les présocratiques, compare « [...] la partie du *logos* qui est en nous à un charbon (une braise) qui devient incandescent quand on le rapproche du feu (le *logos* extérieur), et qui s'éteint quand on l'en éloigne[24] ». C'est

---

21. Jean Voilquin, *Les penseurs grecs avant Socrate. De Thalès de Milet à Prodicos,* trad. par Jean Voilquin, Paris, Garnier-Flammarion, p. 79.

22. Héraclite ne sent pas le besoin de personnifier cette loi divine, de lui donner une figure. La tradition comportait cette habitude de personnifier le divin; par exemple, Athéna, la déesse de la sagesse et de la raison, était la fille préférée de Zeus; elle était née sans qu'aucune mère ne la porte puisqu'elle était sortie directement du crâne de Zeus (la raison divine sortie de la tête de Zeus).

23. A., Pichot, *op. cit.,* p. 121.

24. *Ibid.*

donc grâce au *logos* qui est en nous que nous pouvons mettre nos perceptions en perspective et nous ouvrir une fenêtre sur les principes cachés qui gouvernent la nature.

Conclusion sur les Ioniens

Nous pourrions continuer d'exposer des théories rationnelles de la nature, par exemple celle des Pythagoriciens voulant que l'essence de la nature tout entière résidait dans les nombres ; ou celles d'Empédocle et d'Anaxagore, qui considéraient qu'un mélange d'éléments était nécessaire à l'explication d'une nature complexe ; ou bien celles de Leucippe et de Démocrite, pour qui tout dans la nature était composé de particules de matière invisibles et insécables, les atomes (*atomos*). Mais cela n'est pas nécessaire. Les réflexions de Thalès, d'Anaximandre, d'Anaximène et d'Héraclite illustrent bien le changement radical de perspective dans la manière de comprendre et d'expliquer le monde dont nous parlions au début du chapitre. La pensée traditionnelle de l'époque, fascinée par l'au-delà, regardait au ciel pour trouver des explications de ce qui se passait ici-bas. Nos quatre Ioniens, eux, regardaient les transformations de la nature et cherchaient dans le changement un principe qui expliquerait comment le monde est fait.

De quoi cette nouvelle rationalité inaugurée par les Ioniens est-elle faite ? Qu'apporte-t-elle de nouveau ? Un *effort de justification*. Car, pour donner congé au mythe et le remplacer par une explication physique du monde et de ses transformations, il faut s'efforcer de trouver un principe, un élément qui soit le point de départ et d'arrivée de toutes choses, *et le faire accepter*. Pour Thalès, c'est l'eau, pour Anaximandre, c'est l'illimité-l'indéfini, pour Anaximène, c'est l'air et pour Héraclite, c'est le feu. Qui dit vrai ? Il faut de bonnes raisons pour faire accepter un point de vue contre des points de vue concurrents. Thalès, Anaximandre, Anaximène et Héraclite n'étaient pas les premiers à avancer des raisons pour convaincre autrui de la justesse de leur point de vue ; la démocratie grecque avait instauré cette pratique dans la vie sociale, politique et juridique, et la valorisait. Ce qui a fait leur originalité, c'est l'utilisation de la justification dans la recherche de la vérité sur la question de la réalité du monde. La tradition avait habitué les Grecs à *croire* en la vérité ; il y avait des maîtres de vérité qu'on pouvait consulter, des prêtres, des chamans et même des poètes inspirés par les Muses. Par leur démarche innovatrice, les Ioniens ont créé un déplacement de l'idée même de vérité : désormais, elle ne serait plus donnée, mais à découvrir ; elle ne serait donc plus une affaire de croyance, mais une affaire de justification, de démonstration.

Du même coup, toutefois, surgissait un nouveau problème : des différentes théories, qui s'opposent souvent, quelle est la bonne, la vraie ? Avec cette nouvelle question, ce n'est plus la nature qui est au centre des préoccupations, mais l'*évaluation des connaissances*.

2.3.2 Parménide ou l'exigence de ne pas se contredire

Pour que le discours humain sur la nature ne s'effondre pas, ruiné de l'intérieur à la façon des anciens mythes, il ne suffit pas que les dieux aient été laissés à la porte ; il faut encore que le raisonnement soit tout entier transparent à lui-même, qu'il ne comporte pas la moindre incohérence, l'ombre d'une contradiction interne.

J.-P. VERNANT,
Les origines de la philosophie.

Parménide d'Élée (v. ~540-470).

Parménide aurait vécu entre ~540 et ~470, ce qui en fait un contemporain d'Héraclite. Son nom est associé à Élée, une petite ville d'Italie du Sud située sur la côte de la mer Tyrrhénienne. On débat encore aujourd'hui pour savoir qui de Parménide ou de Xénophane de Colophon est le fondateur de l'école d'Élée et du mouvement éléate. Selon Diogène Laërce, Parménide aurait été l'élève de Xénophane, mais pas son continuateur. Sur le plan des idées, il était plus près de l'école pythagoricienne. Son influence sera grande, même s'il n'a écrit qu'une œuvre restreinte : un poème d'environ deux cents lignes. Cela s'explique par le fait que nous possédons une copie de ce poème, dont l'authenticité est reconnue par la plupart des spécialistes. Il se divise en trois parties : une introduction, dans laquelle Parménide raconte un voyage initiatique au cours duquel le héros aurait rencontré une déesse qui lui aurait transmis sa pensée philosophique ; une deuxième partie, qui expose la « Voie de la Vérité », c'est-à-dire le chemin qu'il faut suivre pour découvrir la vérité ; enfin, une troisième partie décrivant la « Voie de l'opinion », qui conduit les esprits à la tromperie et à la fausseté.

La pensée Ionienne, et en particulier celle d'Héraclite, constitue l'arrière-fond de l'analyse de Parménide. Le paradoxe d'un monde en perpétuelle transformation, qui semble pourtant rester le même, a poussé les Ioniens à chercher un principe capable de représenter ce monde en devenir. Chez Héraclite, l'importance du devenir est telle que le monde est présenté comme un mouvement incessant, un échange perpétuel de déterminations contraires : vie et mort, jour et nuit, etc. Les choses surgissant de la guerre des contraires sont conçues à l'image du feu : aussitôt elles naissent, aussitôt elles périssent. Pour Héraclite, c'est l'écoulement ininterrompu qui constitue l'essence du monde, puisque les choses présentes dans le monde sont éphémères et que leur être ne résiste pas au flux du temps. Parménide voit dans cette position une contradiction.

Selon lui, Héraclite fait, *en même temps, être et ne pas être* les choses présentes dans le monde. Il les fait être en reconnaissant l'existence du monde réel, reconnaissance qui est d'ailleurs à la base de la volonté de l'expliquer. Mais, dans le cadre de son explication, lorsqu'il défend l'idée que les choses en devenir, du fait qu'elles sont éphémères, sont des choses qui en tant que telles n'ont aucune stabilité et par conséquent aucune consistance, il dit que les choses ne sont pas. C'est là la voie de l'erreur et de la fausseté, lui répond Parménide :

> Éloigne ta pensée de cette voie de recherche et ne laisse pas l'habitude aux multiples expériences te forcer à jeter sur ce chemin des yeux aveugles, des oreilles assourdies et des mots d'un langage grossier. Mais c'est avec le raisonnement qu'il te faut trancher le problème controversé que je viens de te dire[25].

Le raisonnement de Parménide repose sur le point de départ suivant : « [...] ou bien "quelque chose est" ou bien "quelque chose n'est pas", mais quelque chose ne peut à la fois être et ne pas être[26] ». Du point de vue de Parménide, la raison ne permet pas d'affirmer l'être d'une chose et de dire de cet être qu'il n'est pas. De l'être, je ne peux dire qu'une seule chose : il est (l'être est). D'autre part, du non-être, je ne peux dire qu'une seule chose : il n'est pas (le non-être n'est pas). Parménide refuse de suivre Héraclite quand celui-ci affirme que le fleuve dans lequel j'entre n'est pas (saisissable), parce que tout n'est que devenir. Il faut, selon Parménide, cesser de regarder le monde avec nos sens trompeurs et faire confiance à l'esprit. L'idée même du devenir, d'un monde en changement apparaît comme une contradiction aux yeux de Parménide et de ses disciples. Si le devenir existait, cela supposerait que l'être puisse naître, et donc que le non-être existait au préalable. Affirmer l'existence du non-être (le non-être est), nous venons de le voir, constitue une contradiction du point de vue de la pure raison. L'univers ne peut pas devenir, comme le prétend Héraclite, parce que cela supposerait l'existence du non-être.

La critique de Parménide à l'endroit d'Héraclite est faite de raisonnements qui, du point de vue de la rigueur, sont exemplaires, mais qui sont aussi entièrement opposés au témoignage des sens. En effet, les sens nous révèlent un monde en devenir ; on voit naître et mourir les choses, on les voit se transformer, c'est là la source de nos connaissances. Quand l'être humain fait confiance à ses sens, cela le conduit sur la voie de l'erreur, croit Parménide. Les exemples dans lesquels les sens nous trompent sont légion ; les illusions, les apparences conduisent à l'élaboration d'opinions peu soucieuses de la vérité des choses. Pour le penseur d'Élée, le mouvement lui-même n'est qu'apparence. Le mouvement que nous percevons ne serait en fait qu'une succession d'instants distincts qui se dérouleraient de façon à créer l'illusion du mouvement. Cela est illustré par le paradoxe formulé par Zénon d'Élée, ami et disciple de Parménide. Si le rapide Achille doit parcourir la moitié de la distance qui le sépare d'une tortue qui le devance et si, rendu à ce point, il doit encore parcourir la moitié de la distance qui reste, et ainsi de suite, force est de constater que le coureur ne rejoindra jamais la tortue, aussi rapide soit-il. La raison nous fait diviser à l'infini la distance qui reste à parcourir et rend illusoire ce qui apparaît comme une évidence incontestable, à savoir qu'Achille peut rattraper la tortue.

---

25. J. Voilquin, *op. cit.*, p. 93.
26. J.-F. Revel, *Histoire de la philosophie occidentale*, Paris, Nil, 1994, p. 64.

Pour Parménide, le monde tel qu'il est ne se donne pas à voir, il doit être pensé. D'où sa méfiance à l'égard des sens et son préjugé favorable à la raison. On peut considérer Parménide comme l'initiateur du rationalisme, une perspective qui consiste à privilégier la raison au détriment de la sensibilité quand il s'agit de comprendre le monde qui nous entoure.

Le tableau ci-contre situe les uns par rapport aux autres les penseurs présocratiques dont nous avons traité dans la section 2.3. Il pourrait vous être utile de le consulter avant d'aborder la lecture de la section suivante.

2.4 Retour sur la question

Nous avons vu que le progrès de la démocratie dans la Grèce antique, qui s'est accompagné de celui de la pensée libre et critique, a été déterminant dans la naissance d'une réflexion rationnelle sur la question de la nature du monde qui nous entoure. Les présocratiques, en refusant la vision mythique, ont cherché à comprendre différemment le monde ; ce faisant, ils ont mis au point une manière de penser radicalement nouvelle. Ce n'est pas leur savoir comme tel qui sera marquant, mais leur savoir-faire dans le domaine de la pensée. La question n'est donc pas de décider qui a raison entre Thalès, Anaximandre, Anaximène et Héraclite, ou encore si c'est Parménide qui dit vrai, mais plutôt de savoir si leur approche intellectuelle permet de comprendre la nature du monde mieux que ne le permettait la pensée mythique. Cela nous ramène à la question posée au début de ce chapitre : **La pensée rationnelle permet-elle de mieux comprendre le monde que ne le fait la pensée mythique ?** En reprenant les éléments fondamentaux dont nous avons traité dans ce chapitre, vous devriez être capable d'esquisser une réponse acceptable à cette question.

Les présocratiques ont amorcé une révolution dans la manière de comprendre et d'expliquer le monde. La nouveauté de leur apport réside dans le fait qu'ils ont appliqué aux questions fondamentales de leur époque les exigences de la raison, à savoir que les opinions avancées se devaient d'être justifiées. La pensée traditionnelle avait par contre habitué les Grecs à fonder leurs croyances uniquement sur des récits racontant l'origine des choses. Donner les raisons pour lesquelles on croit en quelque chose, est-ce là faire un pas en avant dans le domaine de la connaissance ?

Et quand se multiplient les conceptions rationnellement justifiées, comme nous avons pu le constater dans ce chapitre avec les diverses conceptions des Ioniens, toutes rationnellement justifiées, peut-on affirmer qu'on a obtenu de meilleurs résultats ? Chercher, à l'aide d'arguments, à convaincre de la justesse ou de l'erreur d'un point de vue, est-ce ajouter quelque chose de significatif à une explication ? D'une certaine manière, on peut penser qu'il se produit une perte du côté de la force de l'adhésion aux croyances et de la cohésion sociale procurées par le discours mythique. Par contre, on peut voir dans l'exigence de justification rationnelle un gain, celui du pouvoir de la conviction. De quel côté le bilan des gains et des pertes fait-il pencher la balance ?

Les présocratiques étudiés dans ce chapitre

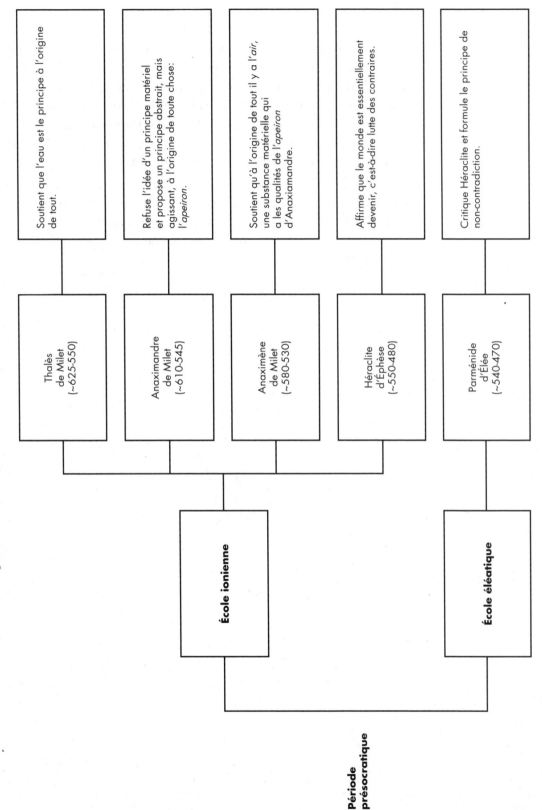

Période présocratique

Par ailleurs, l'exigence de la justification rationnelle a fait naître un nouveau problème, qui transparaît dans la réflexion de Parménide : on ne se demande plus seulement de quoi la nature est faite, on cherche aussi à examiner la valeur de vérité des idées. Depuis Parménide, une conception doit être exempte de contradictions pour être qualifiée de rationnelle. Le principe de non-contradiction s'impose à l'esprit comme une loi de la raison. L'exigence de cohérence se précise et se renforce. Ce qui nous amène à préciser la question du début : *Une opinion justifiée à l'aide de raisons et exempte de contradictions peut-elle être considérée comme plus acceptable qu'une conviction profonde ?*

Le fait d'examiner les opinions déjà existantes, de les questionner du point de vue des choix qui sont faits, d'analyser leurs forces et leurs faiblesses, de juger de leur cohérence, tout cela met en évidence la dimension critique de la pensée. Mais la critique doit-elle être considérée comme un atout dans la recherche de la vérité ?

En élaborant des théories sur la nature à partir de principes matériels comme l'eau, l'air, le feu ou même l'*apeiron,* les penseurs ioniens ont contribué au développement de la rationalité. Le fait d'affirmer qu'un principe unique est à l'origine de toute chose place les Ioniens devant l'obligation de donner les raisons de leurs affirmations. En d'autres termes, ils doivent justifier ce qu'ils avancent. La *justification* est un élément important de la rationalité : *elle consiste à défendre à l'aide de raisons une idée ou une opinion.* Dans le domaine de la logique argumentative, on appelle *thèse* l'opinion à défendre et *arguments* les raisons présentées :

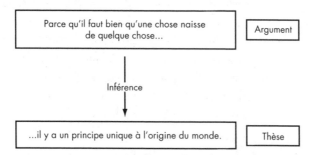

Ce schéma met en relief trois éléments de la structure logique élémentaire d'un raisonnement : la *thèse,* l'*argument* et l'*inférence.* La thèse, c'est ce que l'auteur veut faire accepter. L'argument, c'est la raison que l'auteur donne pour faire accepter sa thèse, et il répond à la question « Pourquoi ? » (Pourquoi les penseurs ioniens prétendent-ils qu'il existe un principe unique à l'origine du monde ?) L'inférence est quelque chose de plus difficile à saisir, parce qu'invisible ; nous l'avons représentée par une flèche dans le schéma. Elle est le lien entre les idées en présence. On peut la mettre en évidence à l'aide de petits mots, appelés *marqueurs,* qui ont le pouvoir de « marquer » l'enchaînement des idées : « *Parce qu'*il faut bien qu'une chose naisse de quelque chose, il existe un principe unique à l'origine du monde. » Il existe bel et bien un lien entre la thèse et l'argument ; dans notre exemple, on peut le saisir à l'aide de la question « pourquoi ? » et de la réponse qui commence par l'expression « parce que ». Le passage entre l'argument et la thèse, l'association de ces idées, leur rapport, c'est ce qui constitue le *raisonnement.* Si deux idées sont juxtaposées et n'ont pas de rapport entre elles, en d'autres termes si l'inférence est absente, il ne peut y avoir de justification ou d'argumentation. Nous verrons dans le chapitre 3 qu'on peut même évaluer le rapport entre les idées.

Justifier son opinion de manière non contradictoire, appuyer sa thèse sur des arguments, voilà une façon de penser qui résiste au temps, c'est-à-dire qu'il faut pratiquer encore aujourd'hui si on désire répondre par soi-même et rationnellement aux questions fondamentales issues de l'étonnement que le monde suscite en chacun de nous. En développant leur savoir sur le monde, les présocratiques ont acquis des savoir-faire qui allaient transformer les attitudes intellectuelles, c'est-à-dire permettre à ceux qui le désiraient d'être autonomes sur le plan de la pensée en sachant prendre leurs distances par rapport aux idées reçues de leur époque et à la pensée mythique. Ce n'est pas différent pour nous, aujourd'hui : si nous voulons penser par nous-mêmes, nous avons le devoir d'examiner les idées toutes faites qui nous sont soumises et d'éviter le piège des préjugés répandus dans notre société.

Les présocratiques ont véritablement transformé la façon d'expliquer les choses. Le mythe expliquait, c'est-à-dire donnait à voir l'origine de la nature, de la vie, de l'être humain, au moyen d'un récit qui mettait en scène une situation. Avec les présocratiques, l'explication s'attache au processus de pensée rationnelle et *donne à voir le raisonnement*. Le rôle de l'explication dans le discours argumentatif est double : d'abord, *éclairer* le passage d'une idée à une autre, en d'autres termes, faire voir le lien ou l'inférence ; ensuite, *préciser ou illustrer* l'argument de manière à faire comprendre sa signification ; pour ce faire, on peut donner un exemple, faire un commentaire, préciser l'origine ou les causes d'un phénomène, etc. Il est important, dans une explication rationnelle, de montrer clairement en quoi l'argument est lié à la thèse ou à un autre argument qu'il a pour but de justifier.

Les présocratiques ont montré l'importance de la pensée rationnelle, qui permet de critiquer des opinions, de justifier et d'expliquer des idées. Ce savoir-faire, qui a été marquant dans l'histoire, est toujours aujourd'hui aussi essentiel pour quiconque veut bien réfléchir, et cela de façon autonome. Examiner de manière critique les idées courantes et les préjugés exige du travail, des efforts, tandis qu'acquiescer et adhérer à ces idées se fait sans difficulté.

Questions *et exercices*

Questions de compréhension

1. Quels principaux événements historiques ont permis à une nouvelle manière de penser de voir le jour en Grèce au ~VI siècle ?

2. Pourquoi cette nouvelle manière de penser est-elle considérée comme révolutionnaire ?

3. Qu'est-ce que les penseurs ioniens ont en commun ?

4. Pourquoi, selon Héraclite, le monde est-il insaisissable ?

5. Quelle est la conception d'Héraclite à propos de la contradiction?

6. Quelle est la conception de Parménide à propos de la contradiction?

7. Pourquoi la justification est-elle un élément important de la rationalité?

Exercice 2.1 *L'argumentation chez les présocratiques*

Pour chacun des raisonnements suivants, vous devez:
a) indiquer la thèse (T) et l'argument (A) qui la soutient;
b) expliquer le lien entre l'argument et la thèse.

1. « L'eau de la mer est à la fois très pure et très impure; pour les poissons, elle est potable; pour les hommes elle est imbuvable et nuisible[27]. » (Héraclite)

2. « Ils entendent sans comprendre et sont semblables à des sourds. Le proverbe s'applique à eux: présents, ils sont absents[28]. » (Héraclite)

3. « Ce qui est en nous est toujours un et le même: vie et mort, veille et sommeil, jeunesse et vieillesse; car le changement de l'un donne l'autre, et réciproquement[29]. » (Héraclite)

4. « Le principe des êtres est l'infini car c'est de lui que sont issues toutes choses qui naissent, et c'est à lui que retournent toutes choses qui se corrompent[30]. » (Anaximandre, propos rapportés par Aétius.)

5. « Ce qui est contraire est utile et c'est de ce qui est en lutte que naît la plus belle harmonie; tout se fait par discorde[31]. » (Héraclite)

6. « Ceux qui parlent avec intelligence doivent s'appuyer sur l'intelligence commune à tous, comme une cité sur la loi, et même beaucoup plus fort. Car toutes les lois humaines sont nourries par une seule loi divine, qui domine tout, autant qu'il lui plaît, suffit en tout et surpasse tout[32]. » (Héraclite)

7. « Certains, parmi lesquels il faut ranger Anaximandre, disent que [le Soleil], qui envoie la lumière, a la forme d'une roue. Car de même que dans une roue le moyeu est creux et de lui s'échappent des rayons qui se dirigent vers la partie extérieure du cercle, de même le Soleil, en émettant la lumière à partir de sa cavité, produit le surgissement des rayons qui brillent tout autour au-dehors[33]. » (Anaximandre, propos rapportés par Achille Tatius.)

---

27. J. Voilquin, *op. cit.,* 1964, p. 78.
28. *Ibid.,* p. 76.
29. *Ibid.,* p. 78.
30. J. P. Dumont, *Les écoles présocratiques,* Paris, Gallimard, coll. «Folio-Essais», 1991, p. 37-38.
31. J. Voilquin, *op. cit.,* p. 74.
32. *Ibid.,* p. 80.
33. J. P. Dumont, *op. cit.,* p. 42.

8. «La nature et l'éducation sont proches l'une de l'autre. Car l'éducation transforme l'homme, mais par cette transformation, elle lui crée une seconde nature[34]. » (Démocrite)

Exercice 2.2 *La production d'arguments*

Donnez un argument à chacune des thèses suivantes, puis expliquez le lien (l'inférence) entre l'argument et la thèse.

1. Je veux réussir mes études parce que...

2. L'être humain est plus qu'un animal parce que...

3. L'avènement de la démocratie est l'un des événements les plus importants de notre «civilisation» parce que...

4. Je suis d'accord pour dire que «la manière de penser est plus importante que le contenu de la pensée» parce que...

5. Parménide a raison d'affirmer que, dans la connaissance du réel, il faut se méfier des sens et favoriser la raison parce que...

Exercice 2.3 *Réponse à la question inaugurale du chapitre*

En suivant les étapes énumérées ci-dessous, répondez à la question inaugurale du chapitre: «La pensée rationnelle permet-elle de mieux comprendre le monde que ne le fait la pensée mythique?»

1. Clarification du sens de la question, notamment les expressions «pensée rationnelle», «mieux comprendre» et «pensée mythique».

2. Reformulation de la question.

3. Formulation d'une thèse pour répondre à la question et justification de cette thèse par un argument.

4. Explication du lien entre la thèse et l'argument.

---

34. J. Voilquin, *op. cit.,* p. 171.

Relativisme et vérité

ou La vérité de l'opinion

Après l'effondrement de la société close, pour qui la tribu était tout et l'individu rien, l'homme s'affirmait enfin en tant que tel, et l'on doit à Protagoras l'énonciation d'une philosophie centrée sur l'individu. Toutefois, c'est Socrate qui fut le premier à penser et à dire que rien dans la vie n'est plus important que les autres individus, et à engager les hommes à se respecter les uns les autres.

KARL POPPER, *La société ouverte et ses ennemis.*

Chapitre 3

3.1 Présentation de la question

Au chapitre précédent, nous avons parlé de la révolution de pensée menée par les présocratiques de l'Antiquité grecque. Ces penseurs ont introduit l'exigence de justification rationnelle dans des domaines du savoir qui jusqu'alors reposaient sur d'autres bases, à savoir la révélation de la vérité par l'intermédiaire de maîtres ou de prêtres, ou encore de récits traditionnels (les mythes). Cet esprit critique naissant s'est graduellement répandu et a marqué l'histoire de la civilisation européenne, au point où, aujourd'hui, on a généralement tendance à exiger, avant d'adhérer à une opinion, qu'elle soit justifiée et exempte de contradiction. Toutefois, cette exigence de rationalité ne s'est pas implantée sans heurt, car, comme on le verra, la contradiction n'en a pas été éliminée pour autant. Cette fois le débat soulève un problème épineux, qu'on peut formuler ainsi : *Lorsque, sur un même sujet, il existe plusieurs opinions rationnellement justifiées et sans contradiction apparente, laquelle est vraie ? Comment la reconnaître ?*

Encore aujourd'hui, nous n'en avons pas fini avec ce problème, qu'on peut formuler plus simplement sous la forme de cette question : **Toutes les opinions se valent-elles ?** Autrement dit, est-ce que tous les points de vue sont d'égale valeur ? On entend dire souvent que la vérité est l'affaire de chacun, puisque tout est « relatif ». Il vous arrive sans doute parfois, au cours d'une discussion, d'avoir la ferme conviction que votre opinion est la bonne, la *vraie*. Que celle-ci vienne de vos croyances, de vos sensations ou de votre expérience, peu vous importe : l'important, du point de vue de votre conviction, c'est que vous adhériez à cette opinion, et cela suffit à vous persuader de sa vérité. Pourtant, les autres personnes qui discutent avec vous peuvent très bien avoir la même conviction, mais à propos d'une opinion très différente de la vôtre, et même opposée tout à fait à la vôtre. Alors, qui dit vrai ? Vous pourriez répondre que cela importe peu, puisque chacun a droit à son opinion ; vous pourriez ajouter que ce qui est vrai pour vous ne l'est pas nécessairement pour un autre, et inversement.

Si chacun a sa propre manière de penser, alors on peut trouver normal qu'il n'y ait pas d'opinions meilleures que d'autres : la vérité serait relative à chacun de nous ou à chaque groupe de personnes. Cette position est appelée *relativisme*. Elle est très répandue. Mais, parmi ceux qui y adhèrent, combien ont réfléchi aux conséquences qu'elle entraîne ? Le simple fait qu'une opinion ait de la valeur à nos yeux et que l'opinion contraire ait la même valeur aux yeux de notre interlocuteur suffit-il à affirmer qu'elles se valent toutes les deux ? Deux opinions contraires à propos d'une même chose peuvent-elles être vraies en même temps ? Cette problématique touche directement à l'évaluation des opinions et à la possibilité pour l'être humain d'accéder à une vérité universelle.

Nous nous interrogerons donc, dans ce chapitre, sur le « relativisme » des opinions et ses conséquences sur le plan de la connaissance. Nous allons remonter jusqu'à sa source historique, l'Antiquité grecque, au moment où deux courants de pensée qui devaient marquer profondément l'histoire de la philosophie s'opposaient à son sujet. D'un côté, les sophistes, qui pensaient que la vérité était relative à chacun ; de l'autre, Socrate, qui s'opposait à cette conception de la vérité en proposant la recherche de l'*universel*. La compréhension de ce débat historique vous permettra de mieux prendre position sur le problème toujours actuel du relativisme.

3.2 Le contexte historique : La puissance athénienne

3.2.1 Le siècle de Périclès et l'apogée d'Athènes

Le début du cinquième siècle av. J.-C. marque un moment crucial dans l'histoire de la civilisation européenne. Dès ~490, les Perses, menés par le roi Darius, avaient envahi la Grèce, bien décidés à en faire une province de leur empire. Les cités grecques s'unirent et les repoussèrent. Mais ce n'était que partie remise, car les Perses préparaient leur revanche. En ~480, Xerxès, le fils de Darius, traversa en Europe avec une immense armée. Les Athéniens décidèrent alors d'abandonner leur ville. Certains se réfugièrent sur la puissante flotte de navires que Thémistocle avait fait construire depuis la première invasion ; d'autres furent accueillis dans les cités avoisinantes. Les Perses brisèrent toutes les lignes de défense terrestres et s'installèrent dans le pays. C'est alors qu'Athènes fut détruite[1]. De leurs vaisseaux, les Athéniens virent brûler leur cité et ses temples. Ils décidèrent alors de jouer le tout pour le tout : ils enfermèrent leur flotte au fond de la baie

La Grèce classique

de Salamine et y attirèrent la flotte perse. Afin de pouvoir assister personnellement à la défaite finale de la marine athénienne, Xerxès se fit installer un trône sur la côte. Mais le passage de la baie qu'ils devaient franchir était tellement étroit que les navires perses furent coincés et bientôt réduits en pièces par la marine athénienne. En réalité, le roi des Perses dut assister à la défaite de sa propre flotte et s'enfuir chez lui pour ne plus revenir. C'était la fin des invasions perses et de ce

---

1. Il existe une controverse historique à ce sujet. Certains affirment que les Perses ont détruit Athènes ; d'autres, que les Athéniens ont eux-mêmes détruit leur ville pour ne rien laisser à leur ennemi.

que les historiens ont appelé les « guerres médiques ». Cette victoire marquera le siècle tout entier, et cela de deux manières : d'abord, elle fera d'Athènes la force dirigeante de la Grèce tout entière ; ensuite, elle donnera un prestige nouveau à la classe la plus pauvre des citoyens, qui formait l'essentiel des contingents de marins qui avaient repoussé les Perses.

Reconstitution d'une trière, navire grec de combat utilisé au ~Ve siècle.

À la suite de cette victoire, on forma la **Ligue de Délos**, par laquelle les

Ligue de Délos

Alliance conclue entre les différentes cités côtières et les cités des îles ioniennes sous la direction des Athéniens pour se libérer de l'envahisseur perse. La ligue doit son nom à la petite île de Délos, en mer Égée, où se trouvait un temple dédié à Apollon dans lequel on déposait l'argent nécessaire au financement de la guerre contre les Perses.

Grecs jurèrent de se défendre mutuellement, de chasser les Perses de la mer Égée et des cités ioniennes qu'ils contrôlaient encore. C'est évidemment Athènes qui y jouait le rôle principal. Peu à peu, elle va utiliser la Ligue pour dominer non seulement les Perses, mais aussi ses propres alliés. Lorsque certains alliés trouvent l'impôt fédéral trop lourd et se rebellent, la flotte athénienne les réprime et installe ses soldats en garnison. Arrivent ensuite les colons, pour la plupart des athéniens pauvres ou sans terre qui s'installent sur le territoire des alliés. Sous prétexte de la menace des pirates, le trésor de la Ligue est bientôt transféré à Athènes. Finalement, il arrive même qu'Athènes impose son propre régime politique, la démocratie, afin de mieux contrôler les dissidents. Au plus fort de son expansion, l'empire maritime athénien s'exerce sur plus de deux cents cités. Évidemment, une telle puissance et de telles richesses accumulées dans le trésor de l'Acropole vont déchaîner une lutte de classes sans précédent entre les Athéniens eux-mêmes.

À qui donc va profiter l'empire ?

La société athénienne est alors divisée entre deux grands partis : le parti aristocratique et le parti démocratique. Malgré la réforme de Clisthène[2], les aristocrates conservent encore tout le prestige de leurs immenses richesses, en plus de disposer du contrôle de l'Aréopage. En effet, seuls les plus riches peuvent y être élus. De plus, l'Aréopage a un droit de veto sur les décisions de l'assemblée du peuple. Or, en ~462, Éphialte, profitant de l'absence du chef du parti aristocratique parti en expédition pour défendre Sparte aux prises avec une révolte d'esclaves, réalise un véritable coup

Maquette reconstituant l'Acropole antique.

2. Voir le chapitre 2, section 2.2.1.

d'État. Il présente et fait voter une résolution transférant les pouvoirs de l'Aréopage à l'assemblée du peuple et aux tribunaux. Le pouvoir des aristocrates est définitivement aboli. L'année suivante, Éphialte est assassiné, et c'est Périclès, petit-fils du grand réformateur Clisthène, qui est élu chef du parti démocratique. Il dirigera la cité en tant que « stratège », c'est-à-dire général en chef des armées, jusqu'à sa mort en ~429. Ces trente années seront tellement déterminantes dans le destin d'Athènes, qu'on finira par appeler le ~Ve siècle, le « siècle de Périclès ».

Une fois le pouvoir aristocratique écrasé, Périclès en profite pour renforcer la démocratie et l'empire. Pour lui, démocratie et empire vont de pair. La démocratie a besoin de l'empire pour son soutien financier ; en effet, c'est Athènes qui contrôle le trésor de la Ligue et qui en dispose à son gré dans les travaux publics qui donnent du travail au peuple. Mais, d'autre part, l'empire a besoin de la démocratie parce que sa base, la marine, est formée de la masse des citoyens pauvres qui disposent de la majorité à l'assemblée. Selon Périclès, l'empire doit son existence aux plus pauvres citoyens, qui ont droit eux aussi de profiter de l'empire. Périclès veut faire d'Athènes « l'école de la Grèce », c'est-à-dire une cité exemplaire où règne la démocratie, où tous ont leur mot à dire, où la beauté est omniprésente dans l'architecture de la ville, dans ses temples et monuments, et où tous ont les moyens de participer à la vie politique et culturelle. Il affirme : « Ce n'est pas l'appartenance à une catégorie, mais le mérite, qui vous fait accéder aux honneurs ; inversement, la pauvreté n'a pas pour effet qu'un homme, pourtant capable de rendre service à l'État, en soit empêché par l'obscurité de sa situation[3]. »

Périclès (v. ~495-429).

Pour ce faire, Périclès instaure le *misthos*, ou rétribution minimale que l'État accorde à ceux qui occupent des charges publiques pour leur permettre de contribuer aux différentes institutions démocratiques[4]. Ensuite, il inaugure un ensemble de grands travaux publics qui donnent du travail au peuple athénien pendant plusieurs années : reconstruction de l'Acropole détruite par les Perses et construction de temples en plusieurs endroits de l'Attique. Finalement, il organise une expansion de l'empire qui tiendra l'armée active et permettra l'attribution de nouvelles terres à ceux qui veulent s'installer comme colons dans les nouveaux territoires. Pour mener à bien sa politique, Périclès s'entoure de conseillers, parmi lesquels on trouve des stratèges politiques et militaires, des penseurs et des artistes. Protagoras est du nombre, le grand sophiste à qui nous accorderons

---

3. Cité dans Pierre Brûlé, *Périclès — L'apogée d'Athènes*, Paris, Gallimard, coll. « Découvertes », 1994, p. 143-144.

4. En général, ceux qui vivaient dans des conditions économiques précaires ne pouvaient exercer de charges publiques, car ils devaient travailler contre rémunération pour vivre. Le fait de leur accorder une rétribution leur permettait en effet d'assumer des charges publiques en réduisant le travail nécessaire à leur subsistance.

une attention particulière plus loin dans ce chapitre. L'entourage de Périclès a sans doute contribué à ses nombreux succès, mais il n'empêche que celui-ci fut un dirigeant de tout premier ordre. Notamment, il fut un chef de guerre redoutable poursuivant sans relâche son rêve de conquérant. Il utilisa tous les moyens pour unir le territoire grec sous la domination d'Athènes, pour réprimer sévèrement les révoltes des villes alliées et pour attaquer les troupes du roi des Perses jusqu'en Égypte. Mais ce rêve allait se buter à une réalité nommée Sparte.

La cité de Sparte, dirigée par un régime oligarchique, avait toléré l'expansion maritime d'Athènes, jusqu'au jour où elle se rendit compte que la cité rivale encerclait peu à peu son territoire. Le vase déborda le jour où les Athéniens s'en prirent à des villes d'importance stratégique pour Sparte. Se sentant encerclée et sachant que le régime démocratique athénien subissait de l'intérieur une certaine agitation, Sparte passa à l'attaque. En ~429 commença une guerre d'usure entre les deux villes, qui devait se terminer par la défaite d'Athènes. Périclès avait prévu une stratégie à long terme, mais la peste s'empara d'Athènes et lui-même en mourut en ~429. La cité, ayant perdu son éminent dirigeant, se trouva sans personnage d'envergure pour la diriger. À l'état de guerre et d'épidémie s'ajouta un climat d'anarchie et de démagogie à l'assemblée. Du côté des démocrates se succédaient des dirigeants qui conduisaient la guerre selon leur intérêt personnel. Du côté des aristocrates, Alcibiade était le personnage le plus en vue. Grâce à son grand charisme, il avait énormément de pouvoir sur l'assemblée du peuple ; mais il était en même temps un opportuniste politique et un mauvais stratège militaire. Il entraîna la flotte athénienne dans une expédition désastreuse. Après des démêlés judiciaires, il trahit ses compatriotes en passant du côté de Sparte. Ce qui ne l'empêcha pas, plus

L'Acropole dominant Athènes.

tard, de revenir diriger l'armée athénienne, tant était grand son pouvoir charismatique. Après de nombreuses défaites et victoires partielles de part et d'autre, les Spartiates, en ~404, finirent par gagner la guerre du Péloponnèse contre Athènes. Ils firent détruire les Longs Murs qui protégeaient Athènes des invasions terrestres et installèrent une garnison de sept cents soldats sur l'Acropole. Surtout, ils abolirent la démocratie et installèrent Critias à la tête d'un régime despotique formé d'aristocrates athéniens. Ce régime sanguinaire, surnommé la tyrannie des Trente, poursuivit sans relâche les membres du parti démocratique ; il fit abolir le *misthos* et redonna à l'Aréopage le pouvoir qu'il avait perdu. Après une difficile reconquête, les démocrates reprirent le pouvoir l'année suivante et proclamèrent une amnistie. Ils n'eurent pas à se venger de Critias, celui-ci ayant péri durant la bataille qui redonna à Athènes la démocratie. Cependant, en ~399, ils eurent l'occasion de s'en prendre à celui que les Athéniens considéraient comme son maître : Socrate.

3.2.2 Le rôle de la parole dans la démocratie athénienne

La parole était reine dans la démocratie athénienne. Ceux qui la maîtrisaient possédaient le pouvoir politique. Ce rôle de la parole n'était pas concevable au sein des régimes oligarchiques, où le pouvoir était attribué à un petit nombre d'individus. Par contre, il devenait possible et même inévitable dans un régime où c'est le peuple qui était souverain. De plus, comme Athènes jouissait d'une démocratie directe[5], la souveraineté du peuple s'exerçait dans des assemblées générales au cours desquelles chaque citoyen libre pouvait exprimer son opinion et la défendre. Ce n'est donc pas la force qui amenait les gens à prendre position sur le fonctionnement de la cité, mais bien les arguments capables de persuader la majorité. Pour comprendre l'importance de la parole à cette époque, écoutons ce qu'en disait Périclès lui-même :

> C'est par nous-mêmes que nous décidons des affaires, que nous en faisons un compte exact : pour nous, la parole n'est pas nuisible à l'action, ce qui l'est, c'est de ne pas se renseigner par la parole avant de se lancer dans l'action. Voici donc en quoi nous nous distinguons ; nous savons à la fois apporter de l'audace et de la réflexion dans nos entreprises[6].

À l'époque de la démocratie athénienne, la participation aux assemblées faisait partie du devoir de tout bon citoyen. Celui qui ne participait pas n'était pas bien vu, car il était considéré comme un bon à rien, comme le souligne sans ménagement Périclès : « Une même personne peut à la fois s'occuper de ses affaires et de celles de l'État ; et, quand des occupations diverses retiennent des gens divers, ils peuvent pourtant juger des affaires publiques sans rien qui laisse à désirer. Seuls, en effet, nous considérons l'homme qui n'y prend aucune part comme un citoyen non pas tranquille mais inutile[7]. » Cette affirmation nous permet de mesurer la responsabilité qui incombait à chacun dans la vie démocratique, c'est-à-dire sa participation aux assemblées générales, aux tribunaux et à toutes les activités assurant le bon fonctionnement de l'État.

Bref, la parole est au centre de la vie démocratique et elle devient un instrument privilégié dans la prise de décisions. Or, comme vous pouvez vous en douter, les penseurs de l'époque commencent à centrer leurs recherches principalement sur la connaissance qu'a l'être humain de la société et sur sa manière de faire valoir son point de vue. Ainsi, c'est l'être humain qui devient le centre de la réflexion,

---

5. Dans une démocratie directe, comme celle d'Athènes, ce sont les citoyens (à l'exclusion des femmes et des étrangers) qui exercent directement en assemblée générale la souveraineté de l'État. Dans une démocratie représentative, comme la nôtre, la souveraineté de l'État est exercée par les représentants élus par le peuple.
6. François Châtelet, *Périclès et son siècle*, Bruxelles, Complexe, 1990, p. 146.
7. Cité dans Pierre Brûlé, *op.cit.*, p. 143-144.

c'est-à-dire un être qui pense, qui affirme des choses sur la société et qui agit au sein de cette société. La réflexion sur l'être humain prendra deux directions qui finiront par s'opposer. D'un côté, il y a les sophistes, représentés par Protagoras et, de l'autre côté, Socrate, un personnage légendaire de l'histoire de la philosophie.

3.2.3 La vie intellectuelle

Les sophistes

Les sophistes de la Grèce antique étaient des maîtres dans l'art de persuader, et ils se faisaient payer pour enseigner leur art. Leur place et leur valeur dans l'histoire de la philosophie sont très controversées. Pour certains, c'étaient des personnages plus soucieux des apparences que de la vérité. Pour d'autres, c'étaient des amis de la démocratie, qui avaient su développer la critique des traditions et qui avaient placé la *rhétorique* — l'art de bien parler — au cœur de la conduite humaine. Il est difficile de se faire une opinion sur cette question étant donné que les fragments qui nous sont parvenus de leurs écrits ne nous révèlent qu'une bien petite partie de leur pensée et de leur enseignement. Par contre, beaucoup d'auteurs ont écrit à leur sujet. Certains, comme Platon et Aristote, ne les estiment pas beaucoup. Pour Platon, la rhétorique, qui est l'assise de l'enseignement des sophistes, constitue un savoir-faire plus porté par la flatterie que par la vérité. Pour Aristote, ce n'est pas la recherche de la vérité, mais le plaisir d'argumenter pour le plaisir d'argumenter qui constitue la motivation fondamentale des sophistes. D'un autre côté, il y a des auteurs contemporains, comme Jacqueline de Romilly, qui considèrent les sophistes comme « [...] les premiers à avoir fait de la relativité des connaissances un principe fondamental et à avoir ouvert les voies non seulement à la libre pensée, mais au doute absolu dans tout ce qui est métaphysique, religion, ou morale[8] » ; ou encore, des auteurs comme Jean-Paul Dumont, pour qui les sophistes « furent des professionnels du savoir [...] qui inaugurèrent le statut social de l'intellectuel moderne[9] ». Dans l'Antiquité grecque, plusieurs sophistes se rendirent célèbres à divers titres. Parmi eux, nous retiendrons dans ce chapitre Protagoras (voir la section 3.3.1), l'un des fondateurs du relativisme.

Socrate, un personnage légendaire

> *Socrate n'est pas un philosophe parmi les autres ; il est le totem de la philosophie occidentale. En chaque pensée qui s'éveille et s'interroge, il revit ; en chaque pensée qu'on humilie ou qu'on étouffe, il meurt à neuf. La place exceptionnelle qu'il tient dans notre culture est celle du héros fondateur, du père originaire, qui s'enveloppe dans une obscurité sacrée, et que chacun porte en soi comme une présence familière. Il appartient inséparablement à l'histoire et au mythe de l'esprit.*
>
> JACQUES BRUNSCHWIG, *Dictionnaire des philosophes.*

---

8. Jacqueline de Romilly, *Les grands sophistes dans l'Athènes de Périclès*, Paris, De Fallois, 1988, p. 276.
9. Gilbert Romeyer Dherbey, *Les Sophistes*, Paris, P. U. F., coll. «Que sais-je», 1985, p. 5.

On peut mesurer l'immense influence de Socrate dans l'histoire de la philosophie en notant que son nom trace la frontière entre les précurseurs de la philosophie (les présocratiques) et les philosophes. Il peut être considéré comme le père de la philosophie, c'est-à-dire celui sans qui la philosophie ne serait pas, même s'il n'a pas été lui-même à proprement parler un philosophe. Il n'a rien écrit, n'a légué aucune théorie, n'a pas fondé d'école ; nous ne le connaissons que par l'intermédiaire de Platon et d'autres auteurs grecs, et pourtant il ne laisse personne indifférent. Il a eu des démêlés avec les pouvoirs politique et judiciaire de la démocratie athénienne ; certains l'ont perçu comme une menace pour les vérités établies et la tradition, tandis que d'autres on vu en lui un sage préoccupé par la recherche de la vérité. Qui est-il donc ?

Socrate (~470-399).

Socrate est né dans une famille modeste et a vécu à Athènes de ~469 à ~399. Il a connu la gloire et la décadence d'Athènes. Son père s'appelait Sophronisque et était sculpteur. Sa mère répondait au nom de Phainarète et était sage-femme. C'est d'elle qu'il aurait eu l'idée de « faire accoucher les esprits », comme le lui fait dire Platon dans ses dialogues. Sur le plan physique, il était plutôt laid, car il avait des yeux globuleux à fleur de tête, des narines retroussées sur un nez aplati, des lèvres épaisses et peu de cheveux. Bref, on le comparait à un satyre, une divinité mythologique située entre l'homme et la bête. Il aurait participé comme hoplite à trois expéditions militaires : à Potidée (~432), à Délium (~424) et à Amphipolis (~422). Sous le régime démocratique, il aurait exercé le rôle d'un président de tribunal. Il avait alors dû affronter la colère du peuple, qui voulait mettre à mort des généraux qui, à cause d'une tempête, n'avaient pas ramené les dépouilles comme le voulait la coutume. Socrate avait alors refusé de condamner les généraux, parce que cela aurait été à l'encontre de la loi qui stipulait que chacun des accusés devait avoir son propre procès. Sous le régime de la tyrannie des Trente, il aurait aussi refusé, comme on le lui ordonnait, d'aller chercher un condamné à mort à l'extérieur d'Athènes, parce qu'il aurait ainsi trahi son serment de juge de l'Héliée, le tribunal populaire d'Athènes[10]. Chose plus grave, il fut lui-même accusé, dans le

---

10. Le *serment des juges de l'Héliée* :
   « Chaque juge, au début de l'année, prêtait un serment qui, en gros, devait correspondre à celui qu'évoque Démosthène dans son *Contre Timocrate* : "Je voterai conformément aux lois et aux décrets du peuple athénien et du conseil des Cinq-Cents. Je ne voterai pas l'établissement d'une tyrannie ni d'une oligarchie, et si quelqu'un veut renverser le gouvernement populaire d'Athènes, ou fait une proposition hostile à ce gouvernement, ou la met aux voix, je ne le suivrai pas. Je ne voterai ni l'abolition des dettes privées ni le partage des terres et des maisons des citoyens athéniens. *Je ne rappellerai ni les exilés ni les condamnés à mort* ; je n'expulserai du pays aucun citoyen y résidant, contrairement aux lois existantes et aux décrets du peuple et du conseil ; je ne le ferai pas moi-même et j'en empêcherai autrui [...]. Je ne recevrai point de présent en qualité d'héliaste, ni personnellement ni par l'intermédiaire d'une autre personne, homme ou femme, de ma connaissance, et cela par aucun biais ou moyen. J'ai atteint l'âge de trente ans. J'écouterai avec une égale attention les deux parties, accusateur et accusé ; et je ferai porter mon vote uniquement sur l'objet de la poursuite." » (Luc Brisson, « Introduction », dans Platon, *Apologie de Socrate* et *Criton*, intro. et trad. par Luc Brisson, Paris, Garnier-Flammarion, 1997, p. 22.)

cadre d'un procès devenu légendaire, de corrompre la jeunesse par son enseignement et de ne pas reconnaître les dieux de la cité en introduisant de nouvelles divinités. Il fut condamné à mort en ~399.

Nous allons maintenant nous pencher sur ce procès, car il a eu un retentissement considérable dans les annales de la philosophie et contient plusieurs des clés essentielles pour la compréhension de cette figure légendaire de la philosophie qu'est Socrate.

Le procès de Socrate

Accusé de corrompre la jeunesse et de ne pas croire aux dieux traditionnels tout en croyant à de nouvelles divinités, Socrate, avons-nous dit, fut condamné à mort par un tribunal athénien. Était-ce une injustice? La peine prononcée était-elle excessive? S'agissait-il, comme certains l'ont prétendu, du procès de la philosophie elle-même? Fallait-il, comme se le demanda Platon, que Socrate meure pour que naisse la philosophie?

Les auteurs qui nous ont fait connaître Socrate s'entendent sur au moins une chose: il fut un personnage ironique en butte à toutes sortes de rancœurs. L'attitude de Socrate à l'égard de ses contemporains n'était pas de tout repos. Il avait l'habitude de mettre à l'épreuve, en public, le savoir de ses interlocuteurs en les interrogeant sur ce qu'ils croyaient savoir de manière à leur faire admettre, devant témoins, qu'en réalité ils ne savaient pas vraiment ce qu'ils se vantaient de connaître. Il agissait ainsi à l'égard des spécialistes de la politique, de l'art militaire, des artisans, des poètes, etc. En plus, lorsqu'on lui demandait ce qu'il était préférable de croire, il répondait qu'il n'en savait rien. Il n'en fallait pas plus pour déplaire et susciter des rancunes. Certains auteurs n'ont vu dans cette attitude que bravades, mesquinerie et mépris; d'autres y ont reconnu une démarche à l'origine de la philosophie.

Si l'attitude de Socrate a bel et bien été la cause de l'animosité de ses accusateurs, c'est une pièce de théâtre écrite par Aristophane en ~423 et intitulée *Les Nuées* qui a joué un rôle déterminant dans la formulation des termes mêmes de l'accusation. Le portrait de Socrate qu'y trace Aristophane est peu flatteur. Il le décrit comme un professeur possédant sa propre école et qui, contre rémunération et en invoquant ses propres divinités (aux mépris des dieux de la cité), donne des leçons sur la pratique du raisonnement. Pour dénoncer l'enseignement de Socrate, Aristophane met en scène un débat entre le raisonnement juste et le raisonnement injuste. Le raisonnement juste représente la tradition et fait valoir l'importance d'honorer les dieux et les bienfaits de l'éducation traditionnelle, grâce à laquelle les jeunes apprennent la discipline, le respect de leurs parents et aînés et l'art du combat, qui s'acquiert en s'exerçant dans les gymnases, et non en palabrant dans les lieux publics. Le raisonnement injuste, quant à lui, représente la critique de la tradition, de la religion, des lois et de la justice, les inlassables discussions publiques, etc. Pour Aristophane, Socrate fait faire aux jeunes l'apprentissage du raisonnement injuste au détriment de celui du raisonnement juste ; il fait paraître fort le raisonnement injuste et faible le raisonnement juste. Socrate est ainsi montré comme un individu qui ridiculise la tradition. Son enseignement auprès des jeunes est dépeint comme la critique des connaissances et des pratiques, si chèrement acquises au fil du temps. Bref, pour Aristophane, Socrate est un impie qui cherche à corrompre la jeunesse par la critique des valeurs et des vérités établies. Cette image négative du penseur a fini par refaire surface vingt-quatre ans plus tard, lorsque Socrate fut traîné devant le tribunal populaire par trois citoyens athéniens qui reprenaient à leur compte les accusations d'Aristophane : le poète Mélètos, l'artisan et politicien Anytos et l'orateur Lycon.

Le fonctionnement des tribunaux à Athènes

Dans la société démocratique d'Athènes, en ce début du ~IVe siècle, la justice était régie par deux tribunaux : l'Aréopage, qui s'occupait des crimes graves comme le meurtre, et un tribunal populaire appelé Héliée, qui entendait les autres causes. Pour qu'il y ait procès, une ou plusieurs personnes devaient porter plainte contre une autre qui avait agi à l'encontre de l'ordre public ou du bien-être de quelqu'un. Lorsqu'une plainte était déposée auprès des autorités compétentes, elle était étudiée, et si l'affaire était jugée pertinente, un tribunal était formé. Selon l'importance de la cause, celui-ci pouvait être formé de 201 à 2501 juges, qui étaient tirés au hasard parmi les 6000 membres tirés au sort pour jouer le rôle de juges au cours de l'année. Dans le procès de Socrate, on rapporte que les juges étaient au nombre de 501. (Il est à noter que le nombre de juges était toujours impair, afin d'assurer qu'un verdict soit rendu.) Lors du procès, les juges entendaient les plaidoyers des parties avant de rendre leur jugement. Celles-ci pouvaient mutuellement s'interroger en cours de route pour débattre du bien-fondé de leurs argumentations respectives. À la fin des débats, les juges rendaient leur verdict. Si l'accusé était reconnu non coupable, l'accusateur pouvait recevoir une peine pour avoir porté une accusation non fondée. Si l'accusé était reconnu coupable, il recevait une peine prévue par le droit ou, si celui-ci était muet sur la question, c'étaient les deux parties qui en proposaient une. En dernière instance, le tribunal optait pour l'une ou l'autre des deux propositions, sans toutefois pouvoir les modifier ou en proposer une autre[11].

Le procès de Socrate s'est tenu en ~399. Nous ne connaissons pas son déroulement avec exactitude ; il n'en existe pas de minutes. Par contre, nous en possédons deux récits, l'un de Platon[12], l'autre de Xénophon[13].

---

11. Claude Mossé, *Le procès de Socrate,* Belgique, Complexe, 1987, p. 92-95.
12. Platon a été le plus grand disciple de Socrate et il l'a immortalisé dans son œuvre. Cependant, il n'est pas toujours facile de savoir faire la différence, dans les dialogues de Platon, entre ce qui reflète fidèlement l'enseignement oral de Socrate et ce que Platon ajoute pour exprimer et développer sa propre pensée.
13. Xénophon (v. ~430-355) fut écrivain et chef militaire. Il a été disciple de Socrate. Il était absent lors du procès de celui-ci, car il participait à une expédition militaire en Asie. Politiquement, il était plus proche de l'oligarchie spartiate que de la démocratie athénienne. Condamné à l'exil par les Athéniens, il résida à Sparte, où il écrivit une bonne partie de son œuvre. Moins célèbre que Platon, il a tout de même écrit deux textes qui livrent des informations supplémentaires sur le procès et la vie de Socrate : les *Mémorables* et l'*Apologie de Socrate*.

Platon et Xénophon témoignent de la défense de Socrate dans des termes comparables. Dans un premier temps, Socrate a admis qu'il avait une influence sur les jeunes mais, par son enseignement, il prétendait travailler non pas à les corrompre, mais à les rendre meilleurs. Contrairement à ce qu'avait laissé entendre Aristophane, il n'aurait pas fondé d'école ni fait payer ses disciples pour suivre son enseignement. Les jeunes le suivaient librement et se soumettaient tout aussi librement à l'examen critique des idées auxquelles ils adhéraient. Il était fréquent de voir des jeunes abandonner leurs croyances après qu'elles aient été soumises à un examen socratique; et s'il se trouvait que ces croyances appartenaient à la société et à la tradition, il ne fallait pas s'étonner d'en voir plusieurs y trouver une entreprise de corruption de la jeunesse. Sur ce point, Socrate avança pour sa défense qu'il n'était pas rare que le discours du spécialiste l'emporte sur l'opinion des parents sans qu'on s'en offusque pour autant. Par exemple, quand un enfant est malade, faut-il écouter l'opinion du médecin ou celle des parents? Ou encore, à l'assemblée du peuple, faut-il être de l'avis de ses proches ou de celui qui parle le plus sagement? Alors, pourquoi dans un domaine aussi important que celui de l'éducation faudrait-il considérer l'intervention du spécialiste comme une offense? Si la méthode socratique favorise l'autonomie de la pensée, ce n'est pas dans le but de détruire l'influence parentale ou la démocratie, mais plutôt en vue d'atteindre la vérité[14].

Dans l'*Apologie*, Platon fait dire à Socrate: « [...] en quel sens, Mélètos, prétends-tu que je corromps la jeunesse? Aux termes de l'action judiciaire que tu m'as intentée, c'est en lui enseignant à «ne pas croire aux Dieux auxquels croit l'État, mais à des Divinités nouvelles, qui en sont différentes. N'est-ce pas en enseignant cela que, à t'entendre, je suis un corrupteur? — Hé oui! absolument: c'est là ce que j'affirme de toutes mes forces[15]. » Socrate dit ensuite ne pas comprendre les allégations de Mélètos, puisqu'il existe tellement de témoins qui l'ont vu participer aux différentes fêtes religieuses de la cité, que l'accusation paraît indéfendable. Socrate se demande si, par «nouvelles Divinités », Mélètos ne pense pas au fait qu'il a, à plusieurs reprises, parlé en public d'une voix intérieure, son *daimon*[16], qui se manifeste à des moments forts de son existence pour le dissuader d'agir. À propos de ce signe «divin» qui le guide, il avance qu'il ne faut pas y voir une conduite pire que celle de «ceux qui tirent des présages des cris des oiseaux et des paroles humaines[17]». Il ne s'agit pas d'introduire de nouvelles divinités, mais simplement d'interpréter des présages.

---

14. Il est probable que, pour une majorité de juges, le souvenir de Critias et celui d'Alcibiade, qui avaient trahi la démocratie, était encore trop présent à la mémoire pour qu'ils admettent que Socrate, qui cherchait à former de nouveaux citoyens, n'était pas responsable des faits et gestes de ses émules. Comme nous l'avons vu dans la partie historique, Critias et Alcibiade ont été deux disciples controversés de Socrate: Critias avait été le chef de la tyrannie sanguinaire des Trente et Alcibiade, un traître qui avait pactisé avec l'ennemi d'Athènes, Sparte.

15. Platon, *Apologie de Socrate*, dans *Œuvres complètes*, tome 1, trad. par Léon Robin, Paris, Gallimard, coll. «La Pléiade», 1950, p. 160 (26*b*).

16. Le «daimon» de Socrate correspond à un signe qu'il qualifie de «divin» ou de «démoniaque» et qui se présente à lui sous la forme d'une voix intérieure qui le détourne de ce qu'il voudrait faire. C'est son *daimon* que Socrate invoque, dans *L'Apologie de Socrate* (31*c*), pour justifier le fait qu'il ne s'occupe pas activement de politique.

17. Xénophon, *L'apologie de Socrate*, trad. par Pierre Chambry, Paris, Librairie Garnier Frères, 1936, p. 297.

À un moment donné de son procès, Socrate s'adresse directement à ses juges pour leur rappeler le message «divin» révélé par l'**oracle de Delphes** à son ami Chérophon. Le dieu Apollon aurait dit à cette occasion «qu'il n'y avait pas d'homme plus libre, plus juste et plus sage» que Socrate[18]. Cette affirmation l'intrigua à un point tel qu'il se fit un devoir, précise-t-il, d'en comprendre la teneur. C'est ainsi qu'il s'est mis à interroger les politiciens, les poètes, les gens de métier, les citoyens, les étrangers, etc., pour savoir ce qu'est la sagesse, la justice, le courage, etc. *Et son enquête lui a permis de découvrir que toutes ces personnes pensaient, à tort, détenir la vérité, et c'est pour cette raison que lui, Socrate, a préféré admettre qu'il ne savait rien.* Ainsi, Socrate, à la suite du signe divin, s'est cru investi d'une mission consistant à remettre en cause ses opinions et celles d'autrui, afin d'examiner minutieusement et de trouver ce qui est essentiel à l'être humain. Cette mission est fondamentale aux yeux de Socrate, au point où, dans son plaidoyer, il dit même aux juges qu'il préfère être condamné plutôt que d'être acquitté s'il fallait qu'il change sa manière d'être à l'égard de ses concitoyens[19].

oracle de Delphes

Prêtresse du dieu Apollon, surnommée «pythie», qui livrait ses prophéties dans le sanctuaire religieux de Delphes.

Socrate rappelle aussi qu'il n'a jamais été le maître de personne et que, s'il y a des personnes qui l'écoutent et le suivent, «c'est qu'ils prennent plaisir à l'examen de ceux qui se figurent être sages et ne le sont pas; ce qui en effet n'est point déplaisant[20]!» De plus, ajoute-t-il, il n'a pas à assumer la responsabilité des actes de ceux qui ont été auprès de lui. En conclusion de son plaidoyer, Socrate affirme que, contrairement à la pratique courante, il ne cherchera pas à influencer les juges par des supplications inspirant la pitié et par des prières. Il considère que ce genre de pratique est des plus ridicules, et que les juges devraient être plus sévères lorsqu'elles sont employées. En effet, le rôle de la justice devrait être d'instruire et de convaincre; on n'est pas juge «pour faire de la justice une faveur, mais pour décider de ce qui est juste [...] [et pour] juger conformément aux lois[21]».

Le verdict

Socrate a été déclaré coupable par un vote serré. Puisque la peine proposée par les accusateurs était la mort, il avait la possibilité, comme le permettaient les règlements, d'en proposer une qui pourrait satisfaire les juges et faire ainsi contrepoids à la peine demandée. Socrate se demanda alors quelle peine pouvait bien mériter un homme qui avait passé sa vie à rendre les gens meilleurs:

> Oui, quel traitement puis-je bien mériter pour avoir été un pareil homme? Un bon traitement, Athéniens, au moins si la chose à fixer par moi doit être véritablement en rapport avec ce qu'on a fait [...]. Dans ces conditions, quel est celui qui sied à un homme pauvre, lequel est un bienfaiteur, et qui a besoin d'avoir du loisir pour

---

18. *Ibid.*, p. 298.
19. Platon, *Apologie de Socrate*, dans *Œuvres complètes*, *op. cit.*, p. 165-166 (29c-30a)
20. *Ibid.*, p. 171 (33c).
21. *Ibid.*, p. 174 (35c).

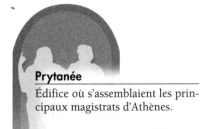

Prytanée
Édifice où s'assemblaient les principaux magistrats d'Athènes.

vous adresser des recommandations sur ce qui concerne le vôtre? [...] Si donc c'est conformément à la justice que doit être fixée la chose méritée, voici celle que je fixe pour moi: être, au frais de l'État, nourri dans le **Prytanée**[22].

Les juges ont probablement trouvé la suggestion de Socrate insultante, puisqu'ils votèrent pour la peine de mort à une plus forte majorité que le verdict.

Condamné à mort, Socrate refusa l'évasion facile que ses amis lui avaient proposée, parce qu'il ne voulait pas répondre à une injustice par une autre injustice[23]. La peine fut donc exécutée un mois après sa condamnation; il dut boire la ciguë, un poison mortel, pour mettre fin à ses jours, comme le voulait la coutume de l'époque.

Qui est Socrate?

Finalement, qui est Socrate? Un sophiste manipulant à son gré la vérité grâce à son adresse oratoire ou un sage affirmant qu'il ne sait rien, mais cherchant toujours à cerner la vérité en écartant les fausses certitudes? Une chose est certaine: historiquement, il ne peut pas y avoir deux Socrate! Pour atténuer cette opposition, certains spécialistes de la philosophie ont suggéré une hypothèse intéressante d'après laquelle Socrate aurait pratiqué dans sa jeunesse la sophistique, mais s'en serait détaché graduellement jusqu'à devenir un adversaire des sophistes: «Il est effectivement probable que Socrate ait été une sorte de Sophiste qui élaborait la première tentative pour déconstruire la sophistique[24].» Nous avons déjà parlé de ce qu'ont en commun Socrate et les sophistes, notamment leur grande maîtrise du langage et leur intérêt pour l'éducation morale et politique. Il est temps maintenant d'examiner les points sur lesquels ils s'opposent.

La mort de Socrate, de Jacques Louis David (1748-1825).

3.3 Le débat: Le relatif ou l'universel?

3.3.1 Le relativisme des sophistes

> *Du coup, voilà l'homme seul juge, et voilà toutes les idées qui se mettent à flotter, sans rien pour leur servir d'ancre.*
>
> JACQUELINE DE ROMILLY,
> *Les grands sophistes dans l'Athènes de Périclès.*

Comme nous l'avons souligné au début de ce chapitre, l'opposition entre Socrate et les sophistes porte sur la valeur des opinions. Socrate s'oppose aux sophistes

---

22. *Ibid.*, p. 175 (36d-37a).
23. Sur cet épisode de la vie de Socrate, voir l'exercice 3.3.
24. Lambros Couloubaritsis, *Aux origines de la pensée européenne*, Bruxelles, Le point philosophique, 1994, p. 156. Voir aussi Jean Humbert: «Socrate, avant d'être assez tardivement lui-même, participa sans doute au mouvement sophistique et naturaliste de son temps.» (*Socrate et les petits socratiques*, Paris, P.U.F, coll. «Les grands penseurs», 1967, p. 27.)

lorsqu'ils affirment que la vérité est relative à l'être humain, à la société, à l'époque; pour lui, la recherche de la vérité demeure une entreprise nécessaire et valable.

D'où provient le relativisme des sophistes? Il est probable qu'il soit une conséquence des spéculations des présocratiques. Comme nous l'avons vu au chapitre 2, les philosophes de l'école de Milet ont cherché un principe d'explication universel de la nature, mais chacun d'eux a trouvé son propre principe: l'eau pour Thalès, l'*apeiron* pour Anaximandre, l'air pour Anaximène et le feu pour Héraclite. Nous avons vu également que, pour Parménide, il existe un monde immuable derrière le mouvement apparent. Toutes ces différences et contradictions entre les discours des penseurs qui les avaient précédés ont dû inciter les sophistes à rejeter l'idée d'une vérité universelle.

Protagoras

Né entre ~490 et ~480 à Abdère, en Thrace, Protagoras est considéré comme le premier des grands sophistes venus s'installer à Athènes pour y donner des leçons. Il fut également le premier à se faire payer pour cette activité. Il organisa des débats contradictoires, conçut des raisonnements séduisants et clarifia l'usage du temps des verbes. Il enseigna aussi comment défendre à tour de rôle des thèses opposées. Il fut l'ami de Périclès, qui lui demanda de rédiger la constitution de Thourioi[25]. La fin de la vie de Protagoras demeure mystérieuse. Parce qu'il aurait refusé de se prononcer sur l'existence des dieux, les autorités l'auraient condamné à l'exil et auraient brûlé ses livres. Certains disent qu'il est mort dans un naufrage alors qu'il était âgé entre 70 et 90 ans[26].

Chez Protagoras, ce rejet s'exprime dans l'affirmation suivante: «*L'homme est la mesure de toutes choses,* pour celles qui sont, de leur existence, pour celles qui ne sont pas, de leur non-existence[27].» De toutes les paroles attribuées au sophiste d'Abdère, c'est la plus célèbre. Que veut-elle dire au juste? Pour bien la comprendre, nous allons l'interpréter en fonction des trois aspects principaux qu'elle couvre: l'individu, la religion et la société.

Le relativisme appliqué à l'individu

Platon, dans son dialogue intitulé *Théétète,* fait dire à Protagoras ce que signifie «l'homme est la mesure de toutes choses»:

[...] car j'affirme moi (Protagoras) que la vérité est telle que je l'ai définie, que chacun de nous est la mesure de ce qui est et de ce qui n'est pas, mais qu'un homme diffère infiniment d'un autre précisément en ce que les choses sont et paraissent autres à celui-ci et autres à celui-là. Quant à la sagesse et à l'homme sage, je suis bien loin d'en nier l'existence; mais par homme sage j'entends précisément celui qui, changeant la face des objets, les fait apparaître et être bons à celui à qui ils apparaissaient et étaient mauvais[28].

25. Cette cité était destinée à incarner l'idéal démocratique de la Grèce. On la peupla de personnes provenant des diverses cités de la Grèce démocratique. Ce projet échoua parce que les citoyens de la nouvelle cité démontraient plus d'attachement à leur ancienne cité.

26. Jean-Paul Dumont, *Les écoles présocratiques,* Paris, Gallimard, coll. «Folio essais», 1992, p. 664-665.

27. *Ibid.,* p. 670.

28. Platon, *Théétète,* trad. par Émile Chambry, Paris, Garnier-Flammarion, 1967, p. 98 (166*d*).

Selon cette interprétation, Protagoras aurait soutenu que *chaque* individu est le critère pour déterminer ce que sont les choses, parce que ses *impressions* sont toujours vraies. Autrement dit, la vérité est relative à chacun de nous, la connaissance que chacun a des choses se fait en fonction des impressions qu'il éprouve : « [...] tels m'apparaissent à moi les objets, tels ils existent pour moi, tels ils t'apparaissent à toi, tels ils existent pour toi[29] ». Ainsi, mes impressions au sujet d'une chose sont aussi vraies que les impressions qu'ont les autres de cette même chose. Dès lors, au sujet d'une même chose, on peut aboutir à des opinions différentes. Par exemple, prenons deux personnes qui se baignent au même endroit : l'une trouve l'eau froide, et elle dit « l'eau est froide » ; l'autre trouve qu'elle est chaude, et elle dit « l'eau est chaude » ; laquelle des deux dit la vérité ? Dirons-nous dans les deux cas que les deux ont raison ? Si c'est le cas, alors les opinions qui proviennent de nos impressions ne peuvent pas être fausses. Dans cette optique, nous sommes d'accord avec Protagoras, car il peut y avoir autant de vérités concernant une même chose qu'il y a de personnes, puisque des impressions toujours vraies entraînent des opinions conséquentes.

Examinons plus en détail la position de Protagoras, car elle ne se limite pas toujours à des cas aussi simples. Il arrive parfois que nos impressions puissent changer en fonction de nos dispositions physiques, psychologiques ou intellectuelles. On pourrait soutenir que, lorsque nous sommes en santé, nos impressions diffèrent de celles que nous avons lorsque nous sommes indisposés par la maladie. Par exemple, la nourriture nous paraît bonne lorsque nous sommes en santé et fade lorsque nous sommes malades. Dans ce cas, l'opinion que nous émettrons sur la nourriture sera relative à nos impressions. Protagoras insiste sur le fait que nos dispositions influent sur nos impressions et par le fait même sur les opinions qui en découlent. Cette constatation amène Protagoras à admettre qu'il y a des opinions meilleures que d'autres, mais cela ne l'empêche pas d'affirmer qu'il n'y en a pas de fausses : « Moi, je conviens que les unes sont meilleures que les autres, mais plus vraies, non pas[30]. » Le rôle du sophiste (du sage) consiste donc à faire apparaître ce qu'il y a de mieux pour l'individu pour lui permettre d'avoir des opinions meilleures. Dans ce but, il utilise et enseigne la puissance de la parole : « [...] de même en ce qui concerne l'éducation, il faut faire passer les hommes d'un état à un état meilleur ; mais, tandis que le médecin le fait par des remèdes, le sophiste le fait par des discours[31] ».

Ainsi, d'après le relativisme individuel de Protagoras, la connaissance des choses suppose une relation entre l'individu et l'objet considéré dont le critère (la mesure) provient de l'individu. En d'autres termes, la connaissance de la réalité dépend du sujet qui la perçoit, qui l'interprète ; c'est « à chacun sa vérité », puisque la représentation que chacun se fait de la réalité dépend des conditions dans

---

29. Platon, *Cratyle*, dans *Œuvres complètes*, tome 1, *op. cit.*, p. 616 (386a).
30. Platon, *Théétète*, trad. par Émile Chambry, *op. cit.* p. 99 (166e-167d)
31. *Ibid.*

lesquelles il la perçoit. En somme, il n'y a pas de *connaissance objective,* il n'y a qu'une *connaissance subjective.*

Le relativisme appliqué à la religion

De la vérité des opinions à celle de l'existence des dieux, il n'y a qu'un pas, vite franchi : si la connaissance n'est que du domaine des sensations et que les dieux sont imperceptibles, alors ceux-ci ne sont pas réels. C'est ce qu'affirme le sophiste Critias ; pour lui, les dieux ne sont qu'une invention humaine. Un autre sophiste, Prodicos de Céos, considère que c'est l'utilité des dieux qui explique la croyance des humains en eux. Protagoras, quant à lui, s'en tient à la prudence, en soutenant qu'on ne peut rien dire concernant leur existence. Voyons de plus près ce qu'il en est chez chacun de ces sophistes.

Critias a écrit : « Un homme avisé et sage de pensée inventa pour les mortels la crainte des dieux[32]. » En paraphrasant, cela signifie que les dieux sont utilisés dans le but de s'assurer que les citoyens se conforment aux lois et aux coutumes, à cause de la crainte du châtiment que les dieux leur inspirent. Prodicos affirmait, quant à lui, que « le Soleil, la Lune, les fleuves, les sources et, en général, tout ce qui est utile à notre vie, étaient considérés par les anciens comme des dieux, du fait de leur utilité[33] ». Ainsi, les dieux sont des créatures dont la fonction est de participer au maintien de l'ordre social. Les dieux n'existent pas en soi, par eux-mêmes ; ils n'existent que *relativement* aux besoins sociaux des humains, dans l'esprit et la culture de ceux-ci. Comme on le voit, le relativisme en matière de religion peut mener, dans certains cas, à l'*athéisme.*

La position de Protagoras est sensiblement différente, comme on peut le constater dans ce passage :

> Touchant les dieux, je ne suis pas en mesure de savoir ni s'ils existent, ni s'ils n'existent pas, pas plus que ce qu'ils sont quant à leur aspect. Trop de choses nous empêchent de le savoir : leur invisibilité et la brièveté de la vie humaine[34].

Cette conception peut être qualifiée d'*agnostique. L'agnosticisme* est une « doctrine selon laquelle il est impossible de connaître ce que sont les choses en elles-mêmes, par-delà leur apparence sensible, et pour laquelle toute métaphysique est futile[35] ». Les dieux n'étant pas du domaine du sensible, il n'existe pas de perception pour fonder leur existence. Selon l'agnosticisme, on ne connaît les choses que par la façon dont on les perçoit, et non pas dans l'absolu. Encore ici, nous avons affaire à une variante du relativisme.

Comme le relativisme sape les fondements mêmes de la croyance religieuse et, indirectement, ceux de l'ordre social existant, il n'est pas surprenant que des sophistes aient été victimes de représailles de la part des autorités. Protagoras a été chassé d'Athènes, et tout ce qu'il avait écrit a été brûlé sur la place publique.

---

32. Gilbert Romeyer Dherbey, *Les Sophistes,* Paris, P. U. F., coll. « Que sais-je », 1985, p. 121.
33. Jean-Paul Dumont, *op. cit.,* p. 743.
34. *Ibid.,* p. 680.
35. Alain Graf et Christine Le Bihan, *Lexique de philosophie,* Paris, Seuil, 1996, p. 5.

Prodicos, selon un certain Suidas, aurait été condamné à boire la ciguë[36]. Le sort de Critias[37] fut différent : il aurait été tué lors des hostilités entourant le renversement du gouvernement tyrannique qu'il dirigeait.

Le relativisme appliqué à la société (la politique et les lois)

Platon distingue encore une autre forme de relativisme, que l'on peut qualifier de politique. Dans le *Théétète*, il fait dire à un de ses personnages : « ce qui paraît juste et honnête à chaque cité est tel pour elle, tant qu'elle en juge ainsi[38] ». Elle en juge ainsi en fonction de son utilité, qui peut différer d'une cité à l'autre puisque,

> parmi les Cités, le régime des unes est la tyrannie, celui d'autres, la démocratie, de telles autres encore, l'aristocratie [...]. Or, les lois établies par chaque gouvernement le sont en vérité par rapport à son profit, lois démocratiques par la démocratie, tyranniques par la tyrannie, et de même par les autres régimes[39].

Ainsi, chaque cité possède ses lois propres, lesquelles sont choisies pour répondre à ses besoins particuliers. Et la véritable justice, si elle existe, semble loin des préoccupations des dirigeants politiques.

Dans une démocratie directe comme celle d'Athènes, ce sont les citoyens réunis en assemblée qui prennent les décisions relativement au bien commun. Or le bien commun peut différer selon les intérêts divers des groupes de personnes : les riches artisans n'ont pas nécessairement les mêmes intérêts à défendre que les marins, qui sont en général pauvres. Donc, dans les assemblées, il est important de bien structurer les opinions émises, pour qu'elles paraissent les meilleures possibles. C'est ici que les sophistes entrent en jeu. Au sein de ce régime, ils sont devenus en quelque sorte des conseillers qui, par leur grand savoir et leur habileté oratoire, aident la communauté à prendre des décisions en fonction de ce qui est avantageux *pour la majorité,* puisqu'il n'y a pas, selon les sophistes, de critères de vérité absolus ou supérieurs qui pourraient régler les décisions au sein de la société. Dans ce contexte, on comprend que les sophistes eux-mêmes n'avaient pas tous les mêmes positions sur les questions importantes. Sur la justice, par exemple, ils divergeaient d'avis. Pour **Thrasymaque**, la justice n'est rien d'autre que ce qui profite au plus fort. Par contre, pour **Calliclès**, la loi est un moyen qu'emploient les faibles pour se protéger des forts. Ou encore, pour **Lycophron**, le droit est une arme qui protège la vie et la propriété des citoyens[40]. Ces divergences d'opinion entraînent des débats dans les assemblées. En dernier ressort, toutefois, *c'est le grand nombre qui décide en démocratie, c'est la majorité qui devient la mesure de toutes choses :*

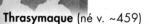

Thrasymaque (né v. ~459)

Sophiste qui proviendrait de Chalcédoine et qui aurait pratiqué le métier d'avocat à Athènes à partir de ~427. Platon le fait intervenir dans le premier livre de *La République.*

Calliclès

Un des sophistes les moins connus, dont nous n'avons aucun texte ni fragment. Platon le met en scène dans son dialogue intitulé *Gorgias.*

Lycophron

Sophiste contemporain de Thrasymaque. Seulement quelques fragments, relatés par Aristote, nous sont parvenus de lui.

---

36. Jean-Paul, Dumont, *op. cit.,* p. 730.

37. Certains historiens affirment que le sophiste Critias n'était peut-être pas le Critias disciple de Socrate, l'un des trente tyrans d'Athènes.

38. Platon, *Théétète,* trad. par Émile Chambry, *op. cit.,* p. 99 (166e-167d).

39. Id., *La République,* dans *Œuvres complètes,* tome 1, *op. cit.,* p. 873 (338d-e).

40. P. Kunzmann, F. P. Burkard et F. Weidmann, *Atlas de la philosophie,* Paris, Livre de poche, coll. « La Pochothèque », 1993, p. 35.

> Vous comme moi, semble dire Protagoras, tout comme nos médecins, nos artistes
> et nos artisans, nous savons beaucoup de choses et nous vivons à notre façon en
> raison de ce savoir [...]. Eh bien, pour autant que je puisse en juger, la vérité est
> de notre côté, du côté de nos opinions et de nos expériences; c'est nous, le
> grand nombre, [...] qui sommes la mesure de toutes choses[41].

Ainsi, c'est le discours le plus persuasif, c'est-à-dire le discours qui l'emporte sur les autres discours, qui devient vrai. Du point de vue du relativisme politique, la vérité appartient à ceux qui gouvernent. En démocratie, c'est le plus grand nombre qui gouverne, et le plus grand nombre adopte la position qu'il pense la plus avantageuse pour lui.

Conclusion

Les sophistes ont voulu appliquer au domaine de la connaissance en général le modèle démocratique qui dominait la sphère politique de leur époque à Athènes. Ils ont transposé sur le plan cognitif un modèle conçu pour l'action, c'est-à-dire qu'ils ont cherché à définir le vrai à partir des règles régissant la vie politique au sens large. Du même coup, le relativisme individuel s'en est trouvé élargi à l'échelle de la communauté:

> Chaque individu est certes la mesure de toutes choses, mais il en est une mesure
> bien faible s'il reste seul de son avis. Le discours impartagé constitue le discours
> faible [...]. Lorsqu'un discours personnel au contraire rencontre l'adhésion d'autres
> discours personnels, ce discours se renforçant de tous les autres devient le dis-
> cours fort et constitue la vérité[42].

Ainsi, la vérité devient relative, non pas à un individu, mais aux individus qui adhèrent au discours le plus efficace. C'est pourquoi il arrive que le discours qui est le plus persuasif à un moment donné ne le soit plus à un autre moment.

Le déclin d'Athènes (~403-355)[43] coïncidera avec celui des sophistes, qui se tourneront de plus en plus vers la démagogie. La parole, qui avait été à la base de leur réussite, se révélera aussi responsable de leur perte. Vouloir persuader à tout prix, chercher à imposer son discours, en exploitant les passions humaines au moyen d'arguments usant de flatterie et de procédés de bas étage, tout cela pour anéantir l'argumentation de l'adversaire, voilà ce qu'elle deviendra[44]:

> Le mouvement sophiste s'enlisa petit à petit dans les apparences. De plus en
> plus, il lui arriva de s'abriter derrière un semblant de connaissances plutôt que
> d'acquérir un savoir réel. Son enseignement devint surtout une manifestation de
> la rhétorique. Le sophisme [sic] dégénéra en ficelles d'avocat et en pirouettes ver-
> bales. La maladie est-elle une bonne ou mauvaise chose? demandaient les
> sophistes. Et lorsqu'ils recevaient cette réponse attendue: la maladie est une
> mauvaise chose, ils répondaient triomphants: Non, pas pour le médecin! La mort
> est-elle un malheur? Pas pour celui qui vend des tombes. Ils posaient des questions

---

41. Paul Feyerabend, *Adieu la Raison*, Paris, Seuil, 1989, p. 62.
42. Gilbert Romeyer Dherbey, *op. cit.*, p. 23.
43. Il sera question du déclin d'Athènes dans la partie historique du chapitre 4.
44. Cette exploitation démagogique de la parole se produit aussi à notre époque au cours d'événements politiques comme les référendums et les campagnes électorales.

spécieuses comme celle-ci: Ment-on quand on ne dit pas la vérité, mais qu'on ne s'en cache pas[45]?

En somme, la rhétorique deviendra de plus en plus une manipulation du langage jouant sur les mots et faisant davantage appel, pour écraser l'adversaire, aux passions qu'à la raison.

3.3.2 Socrate contre les sophistes, ou l'universel contre le relatif

Quand tu fais malgré toi des réponses contradictoires sur une chose, c'est une marque infaillible que tu ne la connais pas.

PLATON, *Alcibiade*.

C'est dans les rues d'Athènes, à l'agora, chez des amis, etc., que Socrate discutait avec qui le voulait bien. Il parlait surtout de la conduite humaine. Comment rendre l'être humain meilleur? Quelles vertus faut-il posséder pour être heureux? Comment définir les vertus? Selon Socrate, les réponses à ces questions ne peuvent pas reposer sur des opinions issues de simples impressions. Pour lui, la discussion véritable n'est réductible ni à la simple expression des points de vue personnels, ni à la recherche d'un discours fort, capable de l'emporter sur les autres. *La persuasion est une chose et la vérité en est une autre*: le plus beau discours au monde, même s'il est partagé par la majorité, n'est pas nécessairement vrai. Exprimer ses sentiments, donner ses impressions c'est peut-être, d'une certaine manière, être vrai, mais ce n'est pas forcément exprimer la vérité pour les autres. Alors, que propose donc Socrate?

« *Gnôthi seauton!* », c'est-à-dire « Connais-toi toi-même », la devise inscrite sur le temple de Delphes. Que signifie-t-elle au juste? « Se connaître soi-même, ne convenons-nous pas que c'est être sage », fait dire Platon à Socrate dans le dialogue intitulé *Alcibiade*. Or nous avons vu que, pour l'oracle de Delphes, il n'y avait pas d'homme plus sage que Socrate. Mais qu'est-ce que la sagesse? Socrate ne le sait pas, mais son but consiste justement à établir *une base nouvelle sur laquelle construire des connaissances vraies* permettant à l'être humain d'atteindre éventuellement cet idéal moral. Pour y parvenir, il faut, à l'aide de la raison, aller au-delà de nos impressions. Il ne suffit pas de dire qu'une action est moralement bonne parce qu'elle s'accorde avec mes impressions et qu'elle fait mon affaire. Il faut plus! Le but de Socrate consiste à rechercher une *définition universelle* de la sagesse, de la justice et des autres vertus, condition essentielle pour qui recherche la vérité[46].

Pour bien comprendre ce qui distingue Socrate des sophistes, résumons les grandes lignes d'un dialogue de Xénophon mettant en scène Socrate et un jeune Athénien du nom d'Euthydèmos. Celui-ci voulait devenir un homme d'État respectable, mais il ne voyait pas l'utilité de s'instruire, auprès des spécialistes,

---

45. Carl Grimberg, *Histoire universelle: La Grèce et les origines de la pensée romaine*, tome 2, Paris, Marabout université, 1963, p. 123-124.
46. Lambros Couloubaritsis, *Histoire de la philosophie ancienne et médiévale*, Paris, Grasset, p. 256-257.

Tableau B

Injuste		juste
"	←	Tromperie
"	←	Malfaisance
"	←	Mensonge

sur l'art de diriger la collectivité. Il croyait qu'il lui suffirait de lire sur le sujet et de se laisser guider par ses impressions du moment lorsqu'il aurait des conseils à donner. Socrate ayant entendu parler des intentions du jeune Euthydèmos, il voulut en savoir davantage sur celles-ci, car il était un peu perplexe. Finalement, ils se trouvèrent en tête-à-tête et Socrate entreprit de l'interroger. Au début, Socrate demande à son interlocuteur s'il est vrai qu'il possède une multitude d'ouvrages de grands savants. Euthydèmos répond par l'affirmative. Socrate, le louange d'avoir préféré à la richesse, qui ne rend pas les gens meilleurs, la lecture des pensées des savants de l'époque. Puis il lui demande comment il compte tirer profit de tous ces écrits: veut-il devenir un médecin, un architecte, un géomètre? Euthydèmos lui répond qu'il désire atteindre l'excellence nécessaire pour devenir un homme d'État capable de diriger la cité tout en étant utile aux autres comme à lui-même. Socrate le félicite de son choix et lui demande s'il est possible d'être un excellent homme d'État sans être juste. Pour Euthydèmos, il est évident qu'il n'est pas possible d'être un bon citoyen — et encore moins un bon politicien — sans être juste. Mais il croit qu'en matière de justice il n'est inférieur à personne. Sur ce, Socrate se propose d'examiner ses croyances sur la question. Il lui suggère de mettre d'un côté tout ce qui lui paraît injuste, et de l'autre tout ce qui lui semble juste.

L'examen commence:

> Est-ce que le mensonge n'existe pas chez les hommes? – Assurément si, répondit Euthydèmos. – Alors, de quel côté le placerons-nous? demanda Socrate. – Évidemment, répondit-il, du côté de l'injustice. – Est-ce que, dit Socrate, la tromperie n'y existe pas aussi? – Bien sûr, dit-il. – Alors, de quel côté faut-il la mettre? – Évidemment aussi, dit-il, du côté de l'injustice. – Et la malfaisance? – Elle aussi, dit-il. – Et la vente des hommes libres? – Elle aussi, dit-il. – Et du côté de la justice, Euthydèmos, nous ne mettrons rien de tout cela? – Cela serait étrange, dit-il. – Supposons maintenant qu'un homme qui a été élu général asservisse une cité injuste et ennemie, dirons-nous qu'il est injuste? – Non certes, dit-il. – Ne dirons-nous pas au contraire qu'il n'a rien fait que du juste? – Assurément si. – Et s'il trompe les ennemis à la guerre? – Cela aussi est juste, dit-il. – Et s'il dérobe et ravit leurs biens, ses actes ne seront-ils pas justes? – Certainement si, dit-il; mais j'ai cru d'abord que tes questions ne regardaient que les amis. – Maintenant, reprit Socrate, tout ce que nous avons attribué à l'injustice, ne faudrait-il pas l'attribuer à la justice? – Il me le semble, dit-il. – Alors, veux-tu, demanda Socrate, qu'après avoir ainsi placé ces actions, nous révisions notre classification et que nous disions que des actions comme celles-là sont justes à l'égard des ennemis et injustes à l'égard des amis, et qu'il faut avec ceux-ci se comporter avec la plus grande droiture possible. – C'est tout à fait mon avis, dit Euthydèmos. – Maintenant, reprit Socrate, supposons qu'un général, voyant son armée découragée, lui fasse accroire qu'il va recevoir des renforts et que, par ce mensonge, il relève le courage de ses soldats, de quel côté mettrons-nous cette tromperie? – À mon avis, dit-il, du côté de la justice. – Supposons encore qu'un enfant ait besoin d'un remède et qu'il refuse de le prendre, qu'ensuite son père le trompe en lui donnant ce remède comme un aliment et que, par ce mensonge, il lui rende la santé, où placerons-nous aussi cette tromperie? – À la même place, il me semble, répondit le jeune homme. – Et si, voyant un ami désespéré et craignant qu'il se suicide, on lui dérobe ou lui arrache, soit son épée, soit n'importe quelle arme, de quel côté faut-il placer encore cette action? – Celle-là, aussi, dit-il, il faut, par Zeus, la mettre du côté de la justice. – C'est-à-dire, d'après toi, que, même avec des amis, la droiture n'est pas toujours obligatoire?

> — Non, par Zeus, dit-il, elle ne l'est pas, et je rétracte ce que j'ai dit, si cela m'est permis. — Il vaut certainement mieux, repartit Socrate, en prendre la permission que de faire une classification fausse. Mais parmi ceux qui trompent leurs amis par des supercheries nuisibles, car je ne peux pas laisser ce point sans l'examiner, lequel est le plus injuste, de celui qui le fait volontairement ou de celui qui le fait involontairement? — Ah! Socrate, je n'ai plus confiance en mes réponses; car tout ce que j'ai dit avant me paraît à présent tout différent de ce que je croyais savoir[47].

Finalement, Socrate croit avoir démontré au jeune Euthydèmos que ses idées sur la justice, une vertu nécessaire pour qui veut devenir un excellent homme d'État, sont contradictoires et que, par conséquent, il ignore ce qu'il croyait savoir. Or, selon Socrate, pour tenir un langage vrai, notre position doit être faite de «vérités qui sont retenues et enchaînées par des liens qui [...] sont des rapports de fer et d'acier[48]». Pour lui, on ne peut pas soutenir convenablement une thèse sur la justice, par exemple, si les arguments qui la composent changent en fonction des situations et vont même jusqu'à se contredire. Ainsi, après avoir fait reconnaître à Euthydèmos que le mensonge, la tromperie, la malfaisance sont des actes injustes, Socrate lui fait considérer *des situations particulières,* à l'égard soit d'ennemis soit d'amis, dans lesquelles de telles actions deviennent justes dans les cas des ennemis et injustes dans le cas des amis. Socrate va encore plus loin: il lui fait admettre que, même avec les amis, la tromperie, le mensonge et la malfaisance peuvent être justes, comme dans le cas du général qui trompe son armée, dans celui du père qui ment à son enfant ou encore dans celui de l'ami qui dérobe l'arme d'un ami suicidaire. Dans cette discussion entre Socrate et Euthydèmos, il est évident que ce dernier se contredit, et une position qui se contredit ne constitue certainement pas une vérité liée par des «liens de fer et d'acier». Au contraire, il s'agit plutôt d'opinions qui changent au gré des situations. Or, Socrate cherche, comme nous l'avons dit, une *définition universelle,* c'est-à-dire une définition qui s'appliquerait à toutes les situations sans entraîner de contradiction.

Quel est le but des critiques de Socrate?

Lorsque Socrate procède à l'analyse critique des idées de son interlocuteur, ce n'est pas pour embêter celui-ci, mais pour tenter de cerner, en procédant par élimination, un *énoncé universel* à propos du sujet principal de la discussion. Ce sujet se rapporte la plupart du temps à un principe ou à une vertu, comme le beau, le devoir, le courage, l'amour, la justice... Il s'agit de grands sujets, de questions difficiles sur lesquelles il existe de nombreux points de vue et qu'il est donc difficile de définir. Dans chaque cas, Socrate cherche une *définition générale,* une définition qui englobait les différentes situations particulières auxquelles se rapporte la vertu ou le principe en cause. Mais comment élaborer une telle définition? Socrate l'ignore. C'est pourquoi il questionne tout le temps ses interlocuteurs, y compris les sophistes. Il veut les amener à préciser la signification qu'ils donnent aux différentes vertus. Ce faisant, il découvre continuellement des lacunes et

---

47. Xénophon, *Les mémorables,* trad. par Émile Chambry, Paris, Librairie Garnier Frères, 1936, p. 439-440.
48. Platon, *Gorgias,* dans *Œuvres complètes,* tome 1, *op. cit.,* p. 463 (509a).

des incohérences dans leurs conceptions. C'est donc, au départ, l'*exigence de bien définir les notions* qui guide la démarche de Socrate dans sa recherche de la vérité. On ne peut pas tenir sur une question des propos qui changent en fonction du contexte et des impressions de chacun. Il faut éviter la contradiction. C'est ici que le « Connais toi toi-même » prend toute sa signification : « réfléchir sur soi en vue de se connaître, c'est en effet faire un effort pour découvrir en soi l'essence de l'homme et son bien[49] ». Découvrir ce qui caractérise essentiellement l'être humain, n'est-ce pas là s'efforcer de rechercher derrière les apparences cette universalité qui nous rendrait meilleur ?

Conclusion

Par sa recherche de définitions universelles, Socrate s'opposait au relativisme des sophistes ; il a mis en lumière les limites inhérentes aux thèses relativistes en questionnant sans relâche ses interlocuteurs, jusqu'à ce que ceux-ci s'empêtrent dans leurs propres contradictions. Platon a poussé plus loin la critique en cherchant à montrer que le relativisme se contredit lui-même. En effet, selon lui, Protagoras a tort de dire que chacun est la mesure de toutes choses, puisqu'en admettant une telle croyance il « conviendrait de la fausseté de sa propre croyance, du moment qu'il convient de la vérité de la croyance de ceux qui estiment qu'il est, lui, dans l'erreur[50] ».

Et nous voici de nouveau devant une contradiction. Si nous ne sommes pas la mesure de toutes choses, alors quelle est cette mesure ? Par quoi pourrait-on remplacer le relativisme ? Socrate n'a pas la réponse. Mais, en introduisant le doute et en suscitant dans l'esprit de ses interlocuteurs un éveil critique, il nous rapproche de la vérité. Avec Socrate, nous nous trouvons au seuil d'une révolution de la pensée : la découverte du concept[51]. Pour accomplir entièrement cette révolution, il aurait fallu qu'il se place à un second degré, c'est-à-dire qu'il s'interroge sur ce qu'est l'universel, au lieu de ne chercher qu'une définition universelle des vertus : « Il est le premier à avoir cherché les définitions universelles des vertus et non le premier à avoir cherché la définition de l'universel ou à s'être interrogé sur la nature de l'universel[52]. » Mais cela, c'est une autre aventure de la pensée qui commence !

49. Léon Robin, *La pensée grecque et les origines de l'esprit scientifique,* Paris, Albin Michel, coll. « L'évolution de l'humanité », 1973, p. 189.
50. Platon, *Théétète,* dans *Œuvres complètes,* tome 2, trad. par Léon Robin, *op. cit.,* p. 127 (171a).
51. Le concept sera étudié en détail au chapitre 4.
52. Grégory Vlastos, *Socrate, ironie et philosophie morale,* trad. par Catherine Dalimer, Paris, Aubier, 1994, p. 134.

3.4 **Retour sur la question**

Quelle leçon peut-on tirer de cet épisode de l'histoire des idées qui a opposé Socrate aux sophistes? Faut-il suivre les sophistes lorsque ceux-ci, désabusés par la multiplicité des opinions justifiées et l'incapacité de trancher les controverses portant sur la nature des choses, affirment que la vérité des choses est impossible à obtenir et qu'il est futile de la chercher? Protagoras est disciple d'Héraclite. Il croit donc que le monde est en perpétuel changement, qu'il n'y a rien dans les choses qui subsiste en-dehors des transformations et qui pourrait s'imposer comme la vérité au-delà du changement. Si la vérité n'est pas dans les choses, elle ne peut pas se dévoiler à l'esprit des humains. Au contraire, dit Protagoras: l'homme est la mesure de toutes choses. Il ne peut donc pas y avoir une seule vérité, puisque les humains perçoivent les choses différemment et interprètent le monde différemment. S'il ne peut y avoir une seule vérité, alors faut-il adopter les opinions qui sont les meilleures, c'est-à-dire celles qui par leur force attirent la plus grande adhésion de la collectivité à un moment donné? Protagoras a-t-il raison de penser que la recherche de la vérité est futile?

À l'opposé, Socrate est-il plus crédible lorsqu'il soutient que la recherche de la vérité est une obligation morale? Pour lui, la vérité ne peut pas être réduite à des sensations, des impressions ou au fait qu'une idée est partagée par un grand nombre de personnes. La quête de la vérité est plus complexe que cela. C'est par la critique de nos connaissances qu'on détruit les préjugés, les idées reçues, et par le fait même qu'on s'éloigne de la fausseté ou qu'on s'approche de la vérité. Socrate avoue ne pas détenir la vérité, mais il la suppose comme un objectif à atteindre. Est-il raisonnable de croire en la vérité comme un objectif à atteindre? S'il fallait choisir un camp, choisiriez-vous celui des sophistes ou celui de Socrate?

Nous avons vu dans ce chapitre comment s'est incarnée la liberté de parole à Athènes, au ~Vᵉ siècle. La réforme de Périclès permit à tout citoyen de participer pleinement aux activités civiques. Elle ouvrit aux hommes libres la possibilité d'exprimer leur point de vue à l'assemblée du peuple. Tous les aspects de la vie de la cité étaient touchés par les décisions prises par l'assemblée : la compétence de celle-ci s'étendait aux procès, aux décisions relatives aux expéditions militaires, à l'utilisation des impôts, etc. Les citoyens qui prenaient la parole devaient non seulement justifier et expliquer leur point de vue, mais également s'attendre à le voir attaquer directement par les autres participants. Nous retrouvons ici cette double exigence fondamentale de la démocratie et de la philosophie : penser par soi-même, tout en acceptant le débat avec les autres.

C'est dans un esprit tout à fait analogue que Protagoras, ami de Périclès et fervent partisan de la démocratie, avait le premier affirmé que sur chaque sujet il existe deux positions contraires. S'il existe des positions contraires, il est important de les évaluer dans les débats. En existerait-il une meilleure que l'autre ? Pour les sophistes, il existe bien des opinions meilleures que d'autres, mais l'essentiel, pour l'emporter, est qu'elles *paraissent* meilleures. Dans ce dernier sens, « meilleur » signifie « plus efficace » ou « qui réussit mieux à persuader l'adversaire », et non pas « plus proche de la vérité ». Comprenant que le discours fort repose sur la persuasion, ils montrèrent à leurs élèves comment faire paraître fort le discours faible, et faible le discours fort.

C'est ce que comprit Socrate, et c'est pourquoi il s'opposa à leur manière de faire et de penser. Pour lui aussi il existe des opinions et des arguments meilleurs que d'autres ; mais, pour Socrate, l'opinion meilleure est essentiellement celle qui a subi « l'examen critique ». C'est-à-dire que celui qui veut se forger une opinion qui passe le test de l'examen critique doit avoir tenté de fonder celle-ci sur la définition la plus générale possible ; il faut aussi qu'elle soit faite de « vérités retenues et enchaînées par des liens qui [...] sont des rapports de fer et d'acier[53] ».

La critique de Socrate allait encore plus loin : pour être bonne, une opinion doit reposer sur la *compétence* de son auteur. Aux opinions des sophistes, qui prétendaient être des maîtres de sagesse au savoir universel, il opposait régulièrement les avis des spécialistes. Quand il est malade, demandait Socrate, Protagoras ne va-t-il pas comme tout le monde consulter le médecin ? Socrate constatait que Protagoras, non seulement n'était pas expert en tout, mais qu'il ne l'était même pas de sa propre santé ! De même, disait Socrate, quand on commande une statue, on ne va pas chez le cordonnier. On ne s'improvise pas expert dans tous les domaines,

---

53. Platon, *Gorgias*, dans *Œuvres complètes*, tome 1, *op. cit.*, p. 463 (509*a*).

comme le prétendaient souvent les sophistes devant leurs élèves[54]. La *crédibilité de l'expert* repose sur sa réputation et sur une longue expérience dans un domaine. Bien sûr, Socrate poussera encore plus loin sa critique en demandant à l'expert lui-même de justifier son propre savoir, sa propre compétence, ce à quoi il échouera la plupart du temps. Dans une telle situation, l'expert est confronté à ses propres contradictions et insuffisances : bien qu'il le maîtrise souvent à merveille, l'expert n'a pas cherché une définition de la nature de son domaine d'expertise. C'est souvent le rôle du philosophe de chercher l'universel ou les fondements au-delà de la maîtrise d'un domaine. Il n'en demeure pas moins que c'est l'affaire de chacun, et non pas seulement des philosophes, d'évaluer la cohérence d'un discours, qu'il s'agisse de celui d'un interlocuteur ou du sien propre.

Pour effectuer l'évaluation d'une argumentation, vous devez tout d'abord en considérer l'ensemble des éléments. Comme vous l'avez vu au chapitre 1[55], vous devez vous assurer que le sens des mots utilisés dans la thèse et l'argument est le même et correspond bien au contexte. Ensuite, si vous vous reportez au schéma du chapitre 2[56], vous vous rappellerez qu'une argumentation comporte trois éléments : une thèse, un ou plusieurs arguments et un lien d'inférence entre les deux. Vous devez chercher d'abord à distinguer la thèse des arguments. Cela fait, vous pouvez aborder l'évaluation proprement dite de l'argumentation. Elle comporte deux grandes étapes :

- *L'évaluation du lien d'inférence de l'argumentation.* C'est la première étape, car le lien d'inférence, comme nous l'avons vu au chapitre précédent, est la condition sans laquelle il n'y a pas d'argumentation. En effet, si l'inférence entre les arguments et la thèse est faible ou absente, l'argumentation doit être considérée comme inacceptable.

- *L'évaluation de la crédibilité des arguments de l'argumentation.* Si le lien d'inférence d'une argumentation est valable, il ne s'ensuit pas nécessairement que l'argumentation soit elle-même valable ; il est en effet nécessaire d'examiner les arguments en eux-mêmes.

Examinons maintenant en détail ces deux étapes essentielles.

L'évaluation du lien d'inférence de l'argumentation

1. Le lien d'inférence est faible ou nul

Lorsqu'un argument ne se rapporte pas à la thèse, il n'y a pas de lien d'inférence, donc pas d'argumentation. Également, certains arguments ne suffisent pas à soutenir convenablement la thèse, de sorte que celle-ci s'écroule à la moindre objection. Ainsi,

---

54. Le mot *sophos,* qui est à l'origine du terme sophiste, peut vouloir dire *sage,* mais aussi *savant.*
55. Voir la section intitulée « Clarifier le sens de mots : une habileté à développer ».
56. Voir la section intitulée « Argumenter : une habileté à développer ».

lorsque qu'il y a absence d'inférence ou que celle-ci est faible, l'argumentation est considérée comme inacceptable.

Nous allons donner des exemples de ce qui précède à partir de la thèse de Protagoras : « L'homme est la mesure de toutes choses. » D'abord, nous devons clarifier le sens des principaux termes. Supposons que le terme « homme » signifie l'être humain en tant qu'individu et non en tant que genre. Son caractère individuel fait qu'il est différent des autres membres de sa collectivité tant physiquement, psychologiquement, qu'intellectuellement. Pour ce qui est du terme « mesure », il signifie « critère », au sens où l'individu est le critère d'évaluation ou de vérité en ce qui concerne les choses. L'expression « toutes choses » englobe tout ce qui existe, tant du point de vue abstrait que concret. À ce titre, une chose peut aussi bien être un objet tangible du monde naturel comme un arbre, l'eau, la lumière, etc., qu'un objet abstrait comme le Bien, la Justice, la Liberté, etc. En somme, on pourrait reformuler la thèse de Protagoras en ces termes : « C'est l'individu qui est le critère de vérité en toute chose », ou encore : « La vérité de toute chose réside dans chaque individu, et nulle part ailleurs. » Examinons maintenant trois exemples d'argumentations conçues pour appuyer la thèse de Protagoras.

Exemple 1. *L'homme est la mesure de toutes choses parce que l'humanité a la capacité de comprendre la réalité dans sa totalité.* Dans ce cas, le lien d'inférence de l'argumentation est nul, simplement parce qu'il s'est produit un glissement de sens concernant le mot « homme ». En effet, nous avons précisé plus haut que ce terme désignait l'individu pour Protagoras, et non l'humanité comme ici. Cette argumentation n'est donc pas recevable, parce que l'argument ne se rapporte pas à la thèse, c'est-à-dire qu'il ne désigne pas le même sujet.

Exemple 2. *L'homme est la mesure de toutes choses parce que la Terre est ronde.* Y a-t-il un rapport entre le fait que la Terre soit ronde et l'affirmation voulant que tout homme soit la mesure de toutes choses ? Non, manifestement. Peut-on dire alors qu'il y a une inférence entre l'argument et la thèse ? Pas davantage, par voie de conséquence. Il est évident qu'il n'y a aucun lien entre l'argument et la thèse : la rotondité de la Terre n'a rien à voir avec les jugements que chacun porte sur les choses. Il y a donc absence de lien, et cette argumentation sera donc jugée inacceptable, parce que son argument n'est pas pertinent.

Exemple 3. *L'homme est la mesure de toutes choses parce que chaque homme est différent.* Ici, contrairement aux exemples précédents, l'argument est pertinent : il y a un lien entre la thèse et l'argument car le sujet « homme » de la thèse correspond au sujet « homme » de l'argument. Mais est-ce que ce lien est *suffisant* ? Demandons-nous si on pourrait justifier la thèse contraire avec le même argument, en disant : « Chacun ne peut pas être la mesure de toutes choses, puisqu'il est différent des autres. » Bien sûr que oui ! Le même argument pouvant servir à justifier des thèses contraires, il devient évident qu'il est trop faible pour en justifier aucune des deux.

2. Le lien d'inférence est acceptable

Nous allons considérer maintenant des argumentations dont le lien d'inférence est acceptable. Bien qu'elles puissent toutes être considérées comme valables, elles n'ont pas toutes la même solidité, c'est-à-dire qu'elles n'offrent pas toutes la même résistance à la critique, ni n'entraînent la même force de conviction. Certaines vous paraîtront bonnes, mais vous laisseront dans l'incertitude ; d'autres vous paraîtront meilleures, plus solides ; elles résisteront aux objections et sauront vous convaincre de la justesse de la thèse. Souvenez-vous de Socrate et de ses «liens de fer et d'acier» : c'est ce type de lien qu'il faut chercher à établir entre une thèse et ses arguments.

Exemple 1. *Chaque homme est la mesure de toutes choses parce que les impressions de chacun sont toujours vraies.* Reformulons l'argumentation pour en faire ressortir le lien d'inférence : Si les impressions de chacun sont toujours vraies, alors chacun peut prétendre déterminer ce que sont les choses. Le lien entre l'argument et la thèse est manifeste ; l'argumentation peut donc être considérée comme valable, mais *du point de vue de l'inférence seulement*. En effet, il reste à évaluer la crédibilité de l'argument, ce que nous ferons dans la prochaine section ; mais d'ores et déjà, on devine que l'argument manque de crédibilité.

Exemple 2. *Il est faux de dire que chaque homme est la mesure de toutes choses, puisque cette affirmation même implique son contraire : en effet, si j'affirme que chaque homme est la mesure de toutes choses, alors je devrai donner raison à quiconque affirme le contraire.* Le lien d'inférence de cette argumentation est manifeste et solide, puisqu'il repose sur le principe de non-contradiction : je ne peux pas soutenir que chaque personne a raison et en même temps refuser d'admettre que celui qui me contredit a raison.

Dans une argumentation portant sur une question controversée, où les points de vue ont une certaine légitimité, on ne s'attend pas à trouver des liens qui lient de façon nécessaire la thèse et l'argument. Le *lien nécessaire* se rencontre surtout dans les démonstrations scientifiques ou mathématiques. On verra dans le prochain chapitre comment Aristote a tenté de construire de telles déductions dans sa recherche de la vérité.

L'évaluation de la crédibilité des arguments de l'argumentation

Évaluer la crédibilité des arguments d'une argumentation, c'est évaluer la vraisemblance de leur contenu, *sans tenir compte de leur lien avec la thèse*. Il s'agit en effet d'évaluer la valeur des arguments *en eux-mêmes*. Le critère principal sur lequel repose cette évaluation peut se formuler ainsi : *un argument est crédible lorsque son contenu est conforme avec ce qui est généralement reconnu comme vrai sur le sujet.* De plus, les propos doivent être formulés de façon à être vérifiables, c'est-à-dire de façon précise ; plus ils le sont, plus ils sont susceptibles de voir leur crédibilité confirmée. Comparons, par exemple, deux arguments distincts à l'appui de la même thèse :

1) « La vérité existe, chacun peut en avoir l'intuition » ; 2) « La vérité existe, nous en avons la preuve dans les démonstrations de géométrie. » Il va de soi que l'argument « nous en avons la preuve dans les démonstrations de géométrie » est plus facile à vérifier et à débattre que l'argument « chacun peut en avoir l'intuition », qui est plutôt vague et peut difficilement mener à un débat clair ou constructif.

Il arrive souvent que l'on doive s'appuyer sur une opinion extérieure pour asseoir la crédibilité d'un argument, c'est-à-dire pour établir que son contenu est conforme avec ce qui est généralement reconnu comme vrai sur le sujet. En effet, on ne peut tout connaître, et il faut donc s'en remettre, pour trancher certaines questions, à l'avis d'autorités compétentes en la matière. En procédant ainsi, on a plus de chances de convaincre autrui de la valeur de l'argument que si on ne fait reposer celui-ci que sur de simples impressions personnelles ou sur une profession de foi. Mais il faut user d'au moins deux précautions lorsqu'on fait appel à une opinion extérieure pour étayer un argument. Premièrement, il faut s'assurer que cette opinion émane d'*une personne qui est compétente dans le domaine dont il est question*. Il faut bien peser tous les mots de cette phrase : la personne doit être a) une autorité compétente, b) une autorité dans le domaine approprié. Par exemple, il ne serait d'aucune valeur de faire appel à l'avis d'un sociologue réputé pour trancher la question de savoir si oui ou non le climat de la Terre se réchauffe. Deuxièmement, il faut estimer si l'opinion qui émane de l'autorité compétente porte sur une question controversée ou plutôt sur une question sur laquelle il existe un consensus parmi les experts. Dans le premier cas, il faut garder à l'esprit que l'autorité dont nous empruntons l'opinion, même si elle est experte en la matière, peut se tromper ; elle peut également, dans des cas où des intérêts sont en jeu, manquer d'impartialité ou subir l'influence de groupes de pression. Dans le deuxième cas, on peut sans grand risque considérer que l'opinion de l'expert est sûre et que notre argument, qui repose sur elle, s'en trouve validé.

Pour mieux comprendre ces règles de l'évaluation de la crédibilité des arguments, nous allons examiner deux exemples.

Exemple 1. Reprenons d'abord la thèse de Protagoras que nous avons étudiée plus haut dans la section portant sur l'évaluation du lien d'inférence : *Chaque homme est la mesure de toutes choses parce que les impressions de chacun sont toujours vraies.* Nous avons établi plus haut que le lien d'inférence de cette argumentation était acceptable. Pourtant, son argument n'est pas crédible. Nous savons en effet que nos impressions ne sont pas toujours vraies. Par exemple, j'ai beau trouver un arbre grand parce qu'il mesure six mètres et moi un mètre et demi, il n'en reste pas moins qu'un arbre a sa propre taille, sa propre réalité, peu importe l'observateur qui le regarde. Il est généralement admis que les chênes, les érables et les bouleaux, etc., mesurent en moyenne une dizaine de mètres, et cela est vérifiable dans des ouvrages spécialisés ou auprès de personnes compétentes. Donc, l'argument de Protagoras dément l'expérience et ce qui est généralement admis.

Exemple 2. Dans un dialogue intitulé *Théétète,* Platon fait intervenir Socrate et Théodore. La discussion porte sur la thèse relativiste de Protagoras, à laquelle s'oppose Platon par l'intermédiaire de Socrate et de Théodore, qui défend la position de Protagoras :

> **Socrate :** Tes disciples et toi, Protagoras, vous affirmez que l'homme est la mesure de toutes choses, du blanc, du léger et de toutes les impressions du même genre sans exception. Comme il en a le critère en lui-même, telles il les éprouve, telles il les croit, et par la suite il les croit vraies et réelles pour lui.
>
> **Théodore :** Si.
>
> **Socrate :** Mais s'il s'agit des choses à venir, dirons-nous aussi, Protagoras, qu'il en a le critère en lui-même, et que telles il pense qu'elles seront, telles elles deviennent pour celui qui les pense. Prenons pour exemple la chaleur. Supposons qu'un homme étranger à la médecine pense que la fièvre le saisira et qu'il éprouvera cette espèce de chaleur, et qu'un autre, qui est médecin, pense le contraire. Dirons-nous alors que l'avenir se réalisera suivant l'opinion des deux à la fois, et que pour le médecin il ne sera ni chaud, ni fiévreux, et qu'il sera l'un et l'autre pour lui-même ?
>
> **Théodore :** Ce serait ridicule.
>
> **Socrate :** Et si l'on demande si un vin sera doux ou âpre, c'est, j'imagine, l'opinion du vigneron, non celle du médecin, qui fera autorité.
>
> **Théodore :** Sans contredit. [...]
>
> **Socrate :** Et au moment où un festin se prépare, le jugement de celui qui doit y prendre part, s'il ne s'entend pas en cuisine, aura aussi moins d'autorité que celui du cuisinier. [...]
>
> **Théodore :** Certainement.
>
> **Socrate :** Nous ne manquerons donc pas de mesure si nous disons à Protagoras qu'il est obligé de reconnaître qu'un homme est plus sage qu'un autre et que c'est le plus sage qui est mesure [...][57].

Dans cet extrait, Socrate s'oppose à Protagoras en affirmant essentiellement que, dans un domaine particulier, lorsqu'il faut décider ce qu'il en est d'une chose, c'est le spécialiste (« l'homme le plus sage ») qui est l'autorité dans son domaine car il détient, de par sa formation et son expérience, l'opinion la meilleure. Autrement dit : Chaque homme n'est pas la mesure de toutes choses, parce que *c'est le spécialiste d'un domaine qui est la mesure des choses de son domaine.* Que penser de la crédibilité de cet argument ? Est-il conforme avec ce qui est généralement reconnu comme vrai sur le sujet ? Il semble que oui. Ce que Platon pensait à son époque lorsqu'il affirmait « qu'un homme est plus sage qu'un autre et que c'est le plus sage qui est mesure » s'applique encore aujourd'hui. D'ailleurs, ce n'est pas pour rien que Platon, pour mieux nous faire comprendre la signification de son argumentation, développe dans son *explication*[58] trois exemples qui l'illustrent très bien : celui du médecin à propos de la fièvre, celui du vigneron concernant la qualité d'un vin et celui du cuisinier portant sur la préparation d'un festin. Encore aujourd'hui, n'est-il

---

57. Platon, *Le Théétète,* trad. par Émile Chambry, *op. cit.,* p. 114-115 (178*b*-179*b*).
58. À propos de l'explication, voir la section du chapitre 2 intitulée « Argumenter : une habileté à développer ».

pas vrai de dire que, lorsque nous sommes malades, c'est le médecin que nous consultons pour diagnostiquer notre maladie et que nous procédons de même dans les autres domaines, puisque ce sont les spécialistes qui ont la connaissance et l'expérience des choses de leur spécialisation? Ainsi, comme jadis, nous savons que les spécialistes sont la mesure des choses dans leur domaine puisqu'ils ont acquis les connaissances de ces choses. L'argument de Platon est crédible. Non seulement il correspond à ce qui est généralement reconnu pour vrai, mais chacun peut le vérifier tous les jours dans les faits.

En résumé, un argument est crédible s'il ne contredit pas les connaissances généralement reconnues sur le sujet, s'il est vérifiable ou encore s'il est validé par l'opinion d'une personne compétente dans le domaine dont il est question, reconnue par la communauté et qui s'exprime sans contrainte ou partialité sur le sujet.

Trouver les erreurs d'argumentation

Au cours d'une discussion avec Socrate sur la justice, le sophiste Thrasymaque, voyant que Socrate défend une conception de la justice différente de la sienne, intervient de cette manière :

> Dis-moi, Socrate, as-tu une nourrice? — Quelle question! répliquai-je. Plutôt que de me demander pareille chose, n'est-il pas nécessaire de répondre? — C'est qu'en vérité, dit-il, elle ne prend pas garde que tu as la morve au nez et qu'elle ne te mouche pas, alors que tu en as besoin,... oui, elle qui ne t'a même pas enseigné la fable du troupeau, ni même celle du pâtre! — À quoi cela rime-t-il, finalement? m'écriai-je. — À ceci, que tu t'imagines les pâtres ou les bouviers ayant en vue le bien de leur troupeau ou de leurs bœufs; qu'en les engraissant et en les soignant, ils visent à autre chose qu'au bien de leurs maîtres ou au leur propre; et que, naturellement aussi, tu attribues à ceux qui gouvernent dans les Cités, à ceux qui sont à la lettre des gouvernants, je ne sais quelles intentions par rapport aux gouvernés, différentes des dispositions où l'on peut être à l'égard d'un troupeau, et qu'ils ont, nuit et jour, autre chose en vue que celle-ci: le moyen de les utiliser à leur profit! Et tu es arriéré sur ce qui touche au juste et à la justice [...] au point de méconnaître que la justice et le juste sont dans la réalité un bien étranger, étant d'une part ce qui est profit pour le plus fort, pour celui qui a l'autorité, tandis qu'elle est le naturel dommage de celui qui obéit, qui est le subordonné [...][59].

On voit dans cet échange que Thrasymaque, pour marquer son désaccord avec Socrate à propos de la nature de la justice, utilise l'arme du ridicule («tu as la morve au nez») ou de l'insulte («tu es arriéré») pour tenter de faire valoir sa propre conception de la justice. Ce genre de procédé, qui fait appel à autre chose que la raison pour défendre une position, est malheureusement très répandu. C'est l'arme de ceux qui sont à court d'arguments et qui sont prêts à bafouer l'honnêteté pour l'emporter. Lorsque, comme Thrasymaque, on fait appel *délibérément* à des éléments

---

59. Platon, *La République*, dans *Œuvres complètes*, tome 1, *op. cit.*, p. 879 (343a-c).

qui ne sont pas des arguments rationnels, on commet un *sophisme*[60] ; autrement dit, le sophisme est le fait de celui qui veut délibérément tromper son adversaire. Les principaux sophismes sont indiqués dans le tableau suivant.

Les principaux sophismes

Appellation	Description	Exemple
L'appel à la pitié	Invoquer des sentiments à l'appui d'un raisonnement.	*Je ne peux pas corriger mes fautes car je n'ai pas d'argent pour m'acheter un dictionnaire.*
L'appel à l'ignorance	Invoquer le fait que quelque chose n'est pas encore connu pour faire valoir que c'est vrai ou faux.	*La rationalité est préférable au mythe parce que personne n'a démontré le contraire.*
L'appel à la tradition	Invoquer l'ancienneté d'une chose pour appuyer un argument.	*Le mythe est une bonne manière de penser puisqu'il existe depuis 4000 ans.*
L'appel à la nouveauté	Invoquer la nouveauté d'une chose pour appuyer un argument.	*Socrate est un meilleur penseur que Protagoras parce que c'est écrit dans un livre qui vient de paraître.*
L'appel à la majorité (ou au clan)	Défendre un argument en invoquant le fait que la plupart des personnes pensent de même.	*Je suis d'accord avec la condamnation de Socrate parce que c'est une majorité de juges qui l'a décidée.*
L'appel à l'autorité	Invoquer incorrectement ou abusivement l'autorité d'une personne célèbre pour appuyer un argument.	*Dieu existe puisque le grand savant Einstein l'a dit.*
L'attaque contre la personne	Diminuer la personne qui s'oppose à nous, pour mieux faire accepter notre position.	*Il faut que tu sois stupide pour ne pas admettre que la philosophie est devenue une discipline aussi morte que le latin.*
La camisole de force	Placer notre interlocuteur devant un dilemme : penser comme nous ou être dans l'erreur.	*J'ai raison, car tous ceux qui ont pensé autrement n'ont pu réussir.*

Dans d'autres cas, une personne peut *en toute bonne foi* recourir à des procédés qui sont des erreurs de logique ; on qualifie alors son argumentation de *paralogisme*. Les principaux paralogismes sont décrits dans le tableau suivant.

Les principaux paralogismes

Appellation	Description	Exemple
La pétition de principe	L'argument devant soutenir la thèse est une répétition de la thèse elle-même.	*La pensée rationnelle est préférable puisqu'elle est fondée sur la raison.*
La généralisation abusive	Se servir d'un ou de quelques cas limités pour généraliser à l'ensemble.	*Je devrais réussir tous mes cours car j'ai passé mon examen de philosophie.*

---

60. Souvenez-vous des sophistes, qui voulaient *faire paraître* forts les arguments faibles, et faibles les arguments forts (voir le début de la section).

Vous l'avez compris, dans le cas du sophisme, l'auteur *veut tromper*; dans le cas du paralogisme, *il se trompe*! Toutefois, cette distinction entre les deux termes n'est pas toujours observée, et on utilise souvent le terme « sophisme » au sens de paralogisme.

Questions *et exercices*

Questions de compréhension

1. Pourquoi Athènes est-elle devenue si puissante au ~Vᵉ siècle?

2. Pourquoi la parole est-elle considérée l'élément central de la démocratie athénienne?

3. Quels sont les principaux motifs à la base de la condamnation de Socrate?

4. En quoi consiste le relativisme de Protagoras? Donnez-en des exemples.

5. Pourquoi Socrate s'oppose-t-il au relativisme de Protagoras?

6. Comment Euthydèmos se contredit-il dans sa discussion avec Socrate? Donnez-en des exemples.

7. Quels sont les deux éléments qui permettent l'évaluation d'une argumentation?

Exercice 3.1 *L'évaluation du lien d'inférence d'argumentations*

Évaluez le lien d'inférence des argumentations suivantes. Dans chaque cas, vous devez dire si le lien entre l'argument et la thèse est acceptable (probable ou fort) ou inacceptable (non pertinent ou faible). Justifiez votre évaluation.

1. Cet élève est très intelligent *parce qu*'il assiste à tous ses cours de philosophie.

2. Cet homme est très intelligent *parce qu*'il a gagné à la loterie après avoir choisi minutieusement ses numéros.

3. Cet élève est très intelligent *car* il a maintenu une moyenne de 95 % dans tous ses cours.

4. La philosophie est une matière très utile *puisqu*'elle a aidé mon frère à se trouver un emploi.

5. La philosophie est sexiste *puisqu*'il y a moins de femmes que d'hommes qui s'inscrivent en philosophie dans les universités.

6. La philosophie est une discipline qui pourrait être enseignée au primaire et au secondaire *puisqu*'en rendant l'individu autonome elle permet la réussite scolaire.

7. La pensée d'Héraclite est meilleure que celle de Parménide *parce qu*'elle est plus facile à comprendre.

8. La pensée de Parménide est plus rationnelle que celle d'Héraclite *puisqu*'elle reconnaît qu'une chose ne peut pas à la fois être et ne pas être, contrairement à celle d'Héraclite qui admet qu'une chose peut à la fois être et ne pas être, ce qui est contradictoire.

9. Les théories scientifiques sont meilleures que les opinions *car* elles sont vérifiables.

10. L'univers est d'une très grande complexité *puisque* tout y est en interaction avec tout.

11. Nul ne fait le mal volontairement *puisque* toute personne qui connaît le bien le pratique nécessairement.

12. Dans certaines occasions, on fait le mal volontairement *puisque,* même si on connaît le bien, rien ne nous empêche, à un moment donné de notre vie, de commettre le mal.

13. L'être humain a la capacité de découvrir la vérité *puisqu*'il est capable de saisir le monde tel qu'il serait sans lui.

14. Le mot « liberté » ne laisse personne indifférent *puisque* son contenu varie selon les époques et l'âge de chacun.

15. « Nombreux sont ceux qui, sur nombre de sujets, ont convaincu et convainquent encore nombre de gens par la fiction d'un discours mensonger. *Car* si tous les hommes avaient en leur mémoire le déroulement de tout ce qui s'est passé, s'ils [connaissaient] tous les événements présents, et, à l'avance, les événements futurs, le discours ne serait pas investi d'une telle puissance ; mais lorsque les gens n'ont pas la mémoire du passé, ni la vision du présent, ni la divination de l'avenir, il a toutes les facilités. » (Gorgias, *L'Éloge d'Hélène*.)

Évaluez la crédibilité des arguments (et éventuellement de l'autorité invoquée) contenus dans les argumentations suivantes. Souvenez-vous que :

A. *Un argument (ou une explication) est crédible s'il répond aux conditions suivantes :*
  a) *Il est formulé de manière à être vérifiable.*
  b) *Il est conforme à ce qui est généralement reconnu comme vrai sur le sujet.*

B. *Une autorité est crédible si elle satisfait aux conditions suivantes :*
  a) *Elle est compétente dans le domaine dont il est question.*
  b) *Elle est impartiale.*
  c) *Il existe un consensus parmi les experts sur la question débattue.*

1. La philosophie est devenue une discipline très populaire. En effet, il y a de plus en plus de gens qui fréquentent les cafés philosophiques ou qui écoutent les magazines philosophiques à la télévision et à la radio. En France, par exemple, une émission comme «Grain de philo» attire, selon le magazine *Le Nouvel Observateur,* jusqu'à 300 000 personnes le samedi vers minuit.

2. Je suis en désaccord avec la théorie du Big Bang parce que l'Univers n'a pas connu de changement depuis sa création. On sait que la théorie du Big Bang suppose un moment initial qui serait à l'origine de la formation de l'Univers. Mais, selon cette théorie, c'est à la suite de ce moment que les étoiles et les galaxies se seraient formées pour, par la suite, s'éloigner les unes des autres à l'infini, ce qui suppose que l'Univers a connu et connaîtrait des changements au cours de son expansion. Or, je suis en désaccord avec cela. D'ailleurs, le grand astrologue et médecin Nostradamus confirme ce que je pense. Vivant dans une société fortement religieuse, il était convaincu, comme la majorité des gens de son époque, que l'Univers, une fois qu'il avait été créé par Dieu, restait le même, c'est-à-dire ne subissait aucune transformation. Il serait difficile de ne pas donner raison à ce grand visionnaire qui a prédit les Première et Deuxième Guerres mondiales, et bien d'autres choses encore.

3. Si les médecins ne peuvent pas contrôler l'utilisation de l'homéopathie, ils ne voudront pas la reconnaître parce qu'alors elle entrerait en concurrence avec la médecine qu'ils pratiquent. Cela est d'ailleurs confirmé par madame Michèle X, pharmacienne spécialisée en homéopathie et présidente d'une compagnie de produits homéopathiques, qui affirme : «Les médecins ne reconnaîtront pas l'homéopathie parce qu'ils n'ont pas l'exclusivité de cette pratique comme dans le cas de l'acupuncture. »

4. Protagoras devait à son époque être un personnage important puisqu'il était encore plus riche que Phidias, le célèbre sculpteur reconnu pour ses magnifiques

monuments qui ornent l'Acropole. C'est ce qu'affirme son ennemi Platon, qui écrit qu'il a gagné «à lui tout seul, plus d'argent, et que Phidias, qui a été, avec l'éclat que l'on sait, l'ouvrier de si beaux ouvrages, et que dix autres sculpteurs!» Si Protagoras a gagné plus d'argent que Phidias et que dix autres sculpteurs, il devait être très connu, et cela démontre l'importance de ce sophiste à cette époque.

5. Je suis d'accord pour affirmer que le chaos joue un rôle fondamental dans l'univers car c'est de lui que naîtrait l'ordre que nous retrouvons tant dans la nature que dans la société. D'ailleurs, cela est confirmé par Ilya Prigogine, prix Nobel de la chimie en 1977, qui affirmait : «L'ordre qui naît du chaos est une loi.» En effet, c'est à la suite de recherches en chimie et en physique que ce scientifique en est arrivé à cette conclusion. Et ce qui se passe au niveau physico-chimique peut, selon lui, être généralisé à l'ensemble des domaines : le hasard à la base de la sélection naturelle en biologie, les activités économiques individuelles anarchiques qui engendrent l'ordre économique mondial pour l'économie, la désorganisation des nations qui engendre un ordre politique mondial pour le politique, etc. Bref, autant de domaines qui, selon Prigogine, confirment que l'ordre naît du désordre[61].

6. Le monde dans lequel nous vivons est sous la domination d'une nouvelle religion, le scientisme, car c'est sur la base de leur croyance en la science qu'un bon nombre de personnes prennent leurs décisions. Cela est d'ailleurs confirmé par le philosophe Dominique Lecourt, qui affirme que «le monde est sous l'emprise du scientisme [...] car le scientisme signifie que le monde s'incline devant des modèles d'autorités scientifiques [le physicalisme] qui risquent fort de nous engager dans un nouveau Moyen-Âge[62].» Au Moyen-Âge, on croyait au modèle religieux pour résoudre tous les problèmes, et aujourd'hui c'est le modèle scientifique qui s'impose dans tous les domaines comme un modèle absolu ; ce qui n'est pas scientifique ne vaut même pas la peine d'être considéré, entend-on dire souvent.

Exercice 3.3 *L'évaluation d'argumentations tirées du* Criton, *de Platon*

Dans cet exercice, vous êtes convié à faire l'évaluation d'argumentations complexes tirées du Criton de Platon. Nous allons d'abord résumer ce dialogue et en citer les passages pertinents.

1. Criton fait une proposition à Socrate

Le *Criton* relate une discussion qui a lieu entre Criton et Socrate à la prison où celui-ci est détenu depuis sa condamnation à mort. Les deux hommes argumentent à propos

---

61. Voir Guy Sorman, *Les vrais penseurs de notre temps,* Paris, Fayard, 1989, p. 53-55.
62. Serge Truffaut, «Dominique Lecourt: l'empêcheur de tourner en rond», *Le Devoir,* 17 avril 2000 (édition Internet).

de la meilleure conduite à adopter dans les circonstances : Socrate doit-il boire la ciguë et mourir ou bien s'évader pour échapper à son sort injuste? Le temps presse, car le bateau en provenance de Délos est sur le point d'arriver, et à son arrivée Socrate devra, comme le veut la tradition, boire la ciguë, un poison mortel, pour mettre fin à ses jours. Écoutons ce que son ami Criton a à lui dire.

Criton : Socrate, une dernière fois, suis mon conseil et assure ton salut. Car, vois-tu, si tu meurs, plusieurs malheurs s'abattront sur moi : non seulement je serai privé d'un ami tel que jamais je n'en trouverai de pareil, mais, de plus, beaucoup de gens qui nous connaissent mal, toi et moi, estimeront que j'aurais pu te sauver si j'avais consenti à payer ce qu'il fallait et que j'ai négligé de le faire. Est-il pourtant rien de plus honteux que d'avoir la réputation de paraître attacher plus d'importance à l'argent qu'à ses amis? Les gens ne croiront jamais en effet que c'est toi qui as refusé de t'échapper d'ici, alors que nous le désirions ardemment. [...] Mais dis-moi, Socrate. N'est-ce pas le souci de ce qui pourrait nous arriver à moi et à tes autres amis qui t'empêche de partir d'ici? Tu crains que les sycophantes ne nous suscitent des tracas en nous accusant de t'avoir fait échapper, qu'ils arrivent à nous déposséder de tous nos biens ou, à tout le moins, qu'ils nous fassent perdre beaucoup d'argent, et peut-être même qu'ils parviennent à nous faire condamner à quelque autre peine encore. Si telle est ta crainte, envoie-la promener. Car, pour te sauver, j'estime qu'il est de notre devoir de courir ce risque, et même de risquer pire s'il le faut. Allons, laisse-toi convaincre, et ne dis pas non.

Socrate : C'est ce souci qui me retient, Criton, et bien d'autres choses encore.

Criton : Ne crains rien de tel pourtant, car c'est pour une somme d'argent qui n'est même pas considérable que des gens sont disposés à te sauver la vie en te faisant échapper d'ici. Et puis, ces sycophantes, ne vois-tu pas qu'on les achète à bon marché, et qu'il n'y aura vraiment pas à débourser beaucoup d'argent pour les acheter. Or, tu peux disposer de ma fortune et je crois qu'elle y suffira. Au reste, si par égard pour moi tu te fais scrupule de dépenser mon argent, il y a ici des étrangers qui sont tout prêts à cette dépense. L'un d'eux a même apporté avec lui la somme nécessaire à la réalisation de ce plan : c'est Simmias de Thèbes. Cébès y est tout prêt aussi, sans parler d'autres en grand nombre. Par suite, je te le répète, écarte cette crainte qui t'empêche de réaliser ton salut et ne te préoccupe pas non plus de cette difficulté que tu évoquais devant le Tribunal, à savoir que tu ne saurais comment vivre si tu partais en exil. En effet, partout où tu pourras te rendre à l'étranger, on te fera bon accueil. En Thessalie notamment, si tu veux t'y rendre, j'ai des hôtes qui auront pour toi beaucoup d'égards et qui assureront ta sécurité, en veillant à ce que personne là-bas ne te fasse de tort.

Il y a plus, Socrate. J'estime que ce que tu entreprends de faire n'est même pas conforme à la justice, quand tu te trahis toi-même, alors que tu peux assurer ton salut, et quand tu mets tous tes soins à mettre en œuvre contre toi ce que souhaiteraient tant réaliser et ce qu'on tant souhaité réaliser ceux qui sont décidés à te perdre. Est-ce tout? J'estime encore que ce sont tes propres fils que tu trahis, eux que, en partant, tu abandonnes, alors que tu pourrais les élever et assurer leur éducation jusqu'au bout ; non, pour ce qui te concerne, tu ne t'inquiètes pas de ce qui pourra leur arriver. Et leur sort, tout porte à le croire, ce sera d'être exposés à ce genre de malheurs auxquels on est exposé quand on est orphelin. Or, de deux choses l'une : ou bien il faut éviter de faire des enfants ou bien il faut peiner ensemble pour les élever et pour assurer leur éducation. Or, tu me donnes l'impression, toi, de choisir le parti qui donne le moins de peine, tandis que le parti qu'il faut prendre, c'est le parti que prendrait un homme de bien et un homme courageux, surtout lorsqu'on fait profession de n'avoir souci dans toute sa vie que de la vertu !

[...] Allons délibère, ou plutôt non, ce n'est pas le moment de délibérer, il faut avoir pris une décision. Il ne reste qu'un parti. Car la nuit prochaine, il faut que toute l'opération soit menée à son terme. Si nous tardons encore, c'est impossible, il n'y a plus rien à faire. Allons, Socrate, de toute façon, suis mon conseil et ne dis pas non[63].

2. Socrate examine la proposition de Criton

Après avoir écouté l'argumentation de son ami Criton, Socrate lui propose d'examiner son offre pour déterminer ce qu'il y a de mieux à faire dans les circonstances et

[...] de ne donner son assentiment à aucune règle de conduite qui, quand j'y applique mon raisonnement, ne se soit révélée à moi être la meilleure [...] quand bien même la puissance du grand nombre tenterait plus encore qu'à présent de nous terrifier, comme on le fait en menaçant les enfants du croque-mitaine, en nous mettant devant les yeux incarcérations, condamnations à mort et confiscations des biens[64].

Pourquoi Socrate critique-t-il les décisions de la majorité ? Selon lui, l'important dans la vie « n'est pas de vivre, mais de vivre dans le bien[65] ». Or, pour vivre dans le bien, ce n'est pas de l'opinion du grand nombre dont il faut tenir compte, mais plutôt de celle de l'expert, car « il est évident que nous devons prendre en considération non pas ce que diront les gens, mais ce que dira celui qui s'y connaît en fait de justice et d'injustice, lui qui est unique et qui est la vérité elle-même[66] ». Or, pour Socrate, ce sont les lois qui font office d'experts en matière de justice.

3. Les principes de Socrate

C'est à partir de cette première ébauche démontrant l'importance des experts et celle de vivre dans le bien que Socrate énonce les principes qui guident son existence :

1. Il ne faut jamais commettre l'injustice (principe général).

---

63. Platon, *Criton et Apologie de Socrate,* trad., introduction et notes par Luc Brisson, Paris, GF-Flammarion, 1997, p. 206-209 (44*b*-46*a*).
64. *Ibid.,* p. 209-210 (46*b-c*).
65. *Ibid.,* p. 214 (48*b*).
66. *Ibid.,* p. 210 (48*a*).

2. Il s'ensuit que, même à l'injustice, il ne faut pas répondre par l'injustice. (Situation dans laquelle se trouve Socrate.)

3. Il ne faut pas faire de tort à qui que ce soit (principe général).

4. Il ne faut pas rendre le mal pour le mal, contrairement à ce que préconise la majorité. (Situation dans laquelle se trouve Socrate.)

5. Car faire du tort à quelqu'un, c'est commettre un acte injuste[67].

C'est sur la base de ces principes que Socrate remet en cause le bien-fondé de l'offre d'évasion de Criton :

> Poserons-nous un acte juste, toi en versant de l'argent à ceux qui me feront sortir d'ici pour les en remercier, moi en partant d'ici et eux en me laissant partir ? ou plutôt ne commettrons-nous pas, en réalité, un acte injuste en agissant ainsi ? Et s'il apparaît que nous commettons un acte injuste en agissant ainsi, avons-nous encore à balancer en nous demandant si, en restant ici tranquille et en n'entreprenant rien, il me faudra mourir ou subir n'importe quelle autre peine plutôt que de commettre l'injustice ?
>
> **Criton :** Ce que tu dis, Socrate, paraît juste[68] […].

4. Les Lois parlent à Socrate

Pour faire l'analyse de la proposition de Criton, Platon, pour nuancer son dialogue, fait intervenir les Lois, qui se mettent à examiner en profondeur l'argumentation de Criton. La position des Lois consiste à convaincre Socrate de ne pas s'évader. Nous reprenons ici l'essentiel de leur argumentation que nous divisons, pour faciliter l'exercice, en trois parties.

Partie 1 : les Lois parlent à Socrate : « Nous ne te conseillons pas de t'évader. »

> **Socrate :** Eh bien, considère la chose sous le jour que voici. Suppose que, au moment où nous allons nous évader d'ici — peu importe le nom qu'il faille donner à cet acte —, viennent se dresser devant nous les Lois et l'État et qu'ils nous posent cette question :
>
> **[les Lois] :** Dis-[nous], Socrate, qu'as-tu l'intention de faire ? Ce que tu entreprends de faire, est-ce autre chose que de tramer notre perte à nous, les Lois et l'État, autant qu'il est en ton pouvoir ? Crois-tu vraiment qu'un État arrive à subsister et à ne pas chavirer, lorsque les jugements rendus y restent sans force, et que les particuliers se permettent d'en saper l'autorité et d'en tramer la perte ?
>
> **Socrate :** À cela, et à d'autres propos du même genre, que répondrons-nous, Criton ? Combien de raisons ne pourraient être avancées — par un orateur entre autres — pour plaider contre l'abolition de cette loi qui prescrit que la chose jugée a une autorité souveraine[69].

---

67. *Ibid.*, p. 215-218 (48*c*-49*c*).
68. *Ibid.*, p. 215 (48*c*-*d*).
69. *Ibid.*, p. 219-220 (50*a*-*b*).

Partie 2 : les Lois parlent à Socrate : « Il est injuste d'entreprendre de nous traiter comme tu projettes de le faire. »

[les Lois] : Considère donc, Socrate, [...] si nous n'avons pas raison de dire qu'il est injuste d'entreprendre de nous traiter comme tu projettes de le faire. Nous qui t'avons mis au monde, nourri, instruit, nous qui vous avons, toi et tous les autres citoyens, fait bénéficier de la bonne organisation que nous étions en mesure d'assurer, nous proclamons pourtant, qu'il est possible à tout Athénien qui le souhaite, après qu'il a été mis en possession de ses droits civiques et qu'il a fait l'expérience de la vie publique et pris connaissance de nous, les Lois, de quitter la cité, à supposer que nous ne lui plaisons pas, en emportant ce qui est à lui, et aller là où il le souhaite. Aucune de nous, les Lois, n'y fait obstacle, aucune non plus n'interdit à qui de vous le souhaite de se rendre dans une colonie, si nous, les Lois et la cité, ne lui plaisons pas, ou même de partir pour s'établir à l'étranger, là où il le souhaite, en emportant ce qu'il possède.

Mais si quelqu'un de vous reste ici, expérience faite de la façon dont nous rendons la justice et dont nous administrons la cité, celui-là, nous déclarons que désormais il est vraiment d'accord avec nous pour faire ce que nous pourrions lui ordonner de faire [...].

Il y a plus. Pendant ton procès, tu pouvais, si tu le souhaitais, proposer l'exil comme peine de substitution ; ainsi, ce que précisément aujourd'hui tu projettes de faire contre son assentiment, tu l'aurais alors fait avec l'assentiment de la cité. Mais alors tu te donnais le beau rôle de celui qui affronte la mort sans en concevoir aucune irritation, et tu déclarais préférer la mort à l'exil, tandis qu'aujourd'hui, sans rougir de ces propos et sans montrer aucune considération pour nous, les Lois, tu projettes de nous détruire, en entreprenant de faire ce que précisément ferait l'esclave le plus vil, puisque tu projettes de t'enfuir en violant les contrats et les engagements que tu as pris envers nous de vivre comme citoyen. Cela posé, réponds-nous sur ce premier point : disons-nous, oui ou non, la vérité, lorsque nous déclarons que tu t'es engagé à vivre sous notre autorité non pas en paroles, mais dans les faits ?

Socrate : Que répondre à cela, Criton ? Est-il possible de n'en point convenir ?

Criton : Force est d'en convenir, Socrate[70]. [...]

Partie 3 : les Lois parlent à Socrate : « Tu n'apporteras aucun avantage ni à toi-même ou à tes amis. »

[les Lois] : [...] Considère, en effet, maintenant ceci. Une fois que tu auras transgressé ces engagements et que tu auras commis une faute sur un point ou sur un autre, quel avantage apporteras-tu à toi-même ou à tes amis ? Que ces gens qui sont tes amis courent bien eux aussi le risque d'être exilés, d'être privés de leur droit de cité ou de perdre leurs biens, la chose est assez claire. Et toi-même, à supposer que tu te rendes dans l'une des villes les plus proches, Thèbes ou Mégare, deux villes qui ont de bonnes lois, tu y arriveras, Socrate, en ennemi

---

70. *Ibid.*, p. 222-225 (51c-52d).

de leur Constitution, et tous ceux qui là-bas ont souci de leur cité te regarderont avec soupçon en te considérant comme un corrupteur des lois. Quant à tes juges, tu les confirmeras dans leur opinion, en faisant qu'ils estimeront que c'est à bon droit qu'ils ont rendu leur jugement. En effet, quiconque est un corrupteur des lois a, je suppose, de fortes chances de passer pour un corrupteur de jeunes gens et d'esprits faibles. Faudra-t-il donc que tu évites les cités qui ont de bonnes lois et les hommes qui sont attachés au bon ordre ? [...]

[...] Mais, diras-tu, c'est pour tes enfants que tu souhaites vivre, pour les élever et pour assurer leur éducation.

Quoi ? tu comptes les amener en Thessalie pour les élever et pour assurer leur éducation, en faisant d'eux des étrangers, pour qu'ils te doivent aussi cet avantage ! Ou bien ce n'est pas ton intention. Élevés ici sans que tu sois auprès d'eux, estimes-tu qu'ils seront mieux élevés et mieux éduqués, parce que tu seras en vie ? Ce seront, en effet, tes amis qui prendront soin d'eux. Est-ce qu'ils en prendront soin si c'est pour aller en Thessalie que tu pars, tandis que, si c'est pour aller dans l'Hadès, ils n'en prendront pas soin ? Si vraiment tu peux compter sur ceux qui se prétendent tes amis, tu dois croire qu'ils prendront soin de tes enfants.

Allons, Socrate, fais-nous confiance à nous, les Lois qui t'avons élevé, ne mets ni tes enfants, ni ta vie, ni quoi que ce soit d'autre au-dessus de la justice, afin de pouvoir, à ton arrivée dans l'Hadès, alléguer tout cela pour ta défense devant ceux qui là-bas gouvernent[71].

Consigne :

Vous pouvez faire cet exercice sur le Criton *de deux façons différentes : soit en répondant aux questions suivantes, soit en remplissant les espaces laissés vides dans les schémas qui figurent plus loin.*

Questions :

- Quels sont les principaux arguments de Criton pour convaincre Socrate de s'évader ?
- Évaluez l'argumentation de Criton.
- Quels sont les arguments des Lois (partie 1) pour convaincre Socrate de ne pas s'évader ?
- Quels sont les arguments des Lois (partie 2) pour convaincre Socrate que son évasion constituerait un traitement injuste à l'égard de l'État ?
- Quels sont les arguments des Lois (partie 3) pour convaincre Socrate que son évasion n'apportera aucun avantage à lui-même ni à ses amis ?
- Évaluez l'argumentation des Lois.

---

71. *Ibid.*, p. 225-228 (53*a*-54*b*).

Schémas :

Remplissez les cases vides par l'argument approprié.

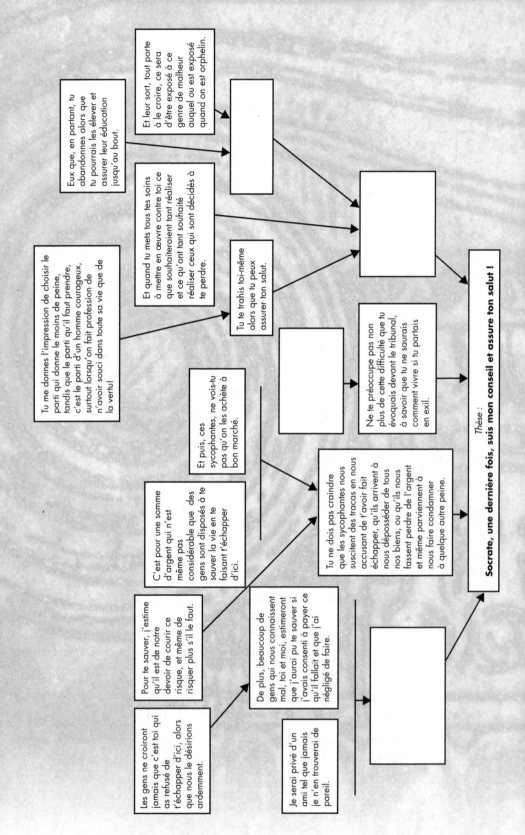

La proposition de Criton à Socrate

Tu me donnes l'impression de choisir le parti qui donne le moins de peine, tandis que le parti qu'il faut prendre, c'est le parti d'un homme courageux, surtout lorsqu'on fait profession de n'avoir souci dans toute sa vie que de la vertu!

Eux que, en partant, tu abandonnes alors que tu pourrais les élever et assurer leur éducation jusqu'au bout.

Et leur sort, tout porte à le croire, ce sera d'être exposé à ce genre de malheur auquel on est exposé quand on est orphelin.

Et quand tu mets tous tes soins à mettre en œuvre contre toi ce que souhaiteraient tant réaliser et ce qu'ont tant souhaité réaliser ceux qui sont décidés à te perdre.

Tu te trahis toi-même alors que tu peux assurer ton salut.

Ne te préoccupe pas non plus de cette difficulté que tu évoquais devant le tribunal, à savoir que tu ne saurais comment vivre si tu partais en exil.

Et puis, ces sycophantes, ne vois-tu pas qu'on les achète à bon marché.

C'est pour une somme d'argent qui n'est même pas considérable que des gens sont disposés à te sauver la vie en te faisant l'échapper d'ici.

Pour te sauver, j'estime qu'il est de notre devoir de courir ce risque, et même de risquer plus s'il le faut.

Tu ne dois pas craindre que les sycophantes nous suscitent des tracas en nous accusant de t'avoir fait échapper, qu'ils arrivent à nous déposséder de tous nos biens, ou qu'ils nous fassent perdre de l'argent et même parviennent à nous faire condamner à quelque autre peine.

De plus, beaucoup de gens qui nous connaissent mal, toi et moi, estimeront que j'aurai pu te sauver si j'avais consenti à payer ce qu'il fallait et que je l'ai négligé de faire.

Les gens ne croiront jamais que c'est toi qui as refusé de t'échapper d'ici, alors que nous le désirions ardemment.

Je serai privé d'un ami tel que jamais je n'en trouverai de pareil.

Thèse :
Socrate, une dernière fois, suis mon conseil et assure ton salut !

Remplissez les cases vides par l'argument approprié.

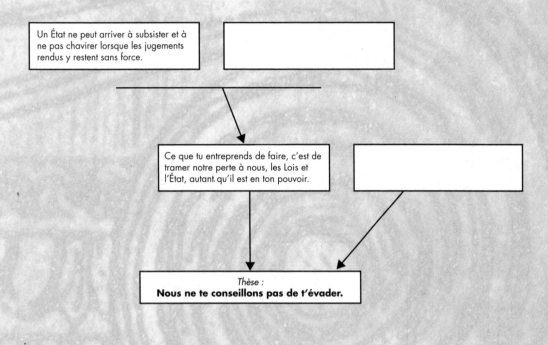

Un État ne peut arriver à subsister et à ne pas chavirer lorsque les jugements rendus y restent sans force.

Ce que tu entreprends de faire, c'est de tramer notre perte à nous, les Lois et l'État, autant qu'il est en ton pouvoir.

Thèse :
Nous ne te conseillons pas de t'évader.

Les Lois 2

Remplissez les cases vides par l'argument approprié.

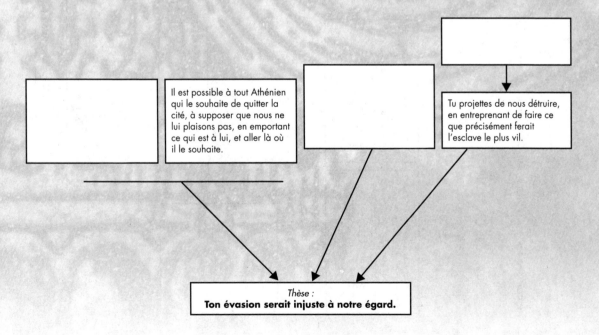

Il est possible à tout Athénien qui le souhaite de quitter la cité, à supposer que nous ne lui plaisons pas, en emportant ce qui est à lui, et aller là où il le souhaite.

Tu projettes de nous détruire, en entreprenant de faire ce que précisément ferait l'esclave le plus vil.

Thèse :
Ton évasion serait injuste à notre égard.

Remplissez les cases vides par l'argument approprié.

Les Lois 3

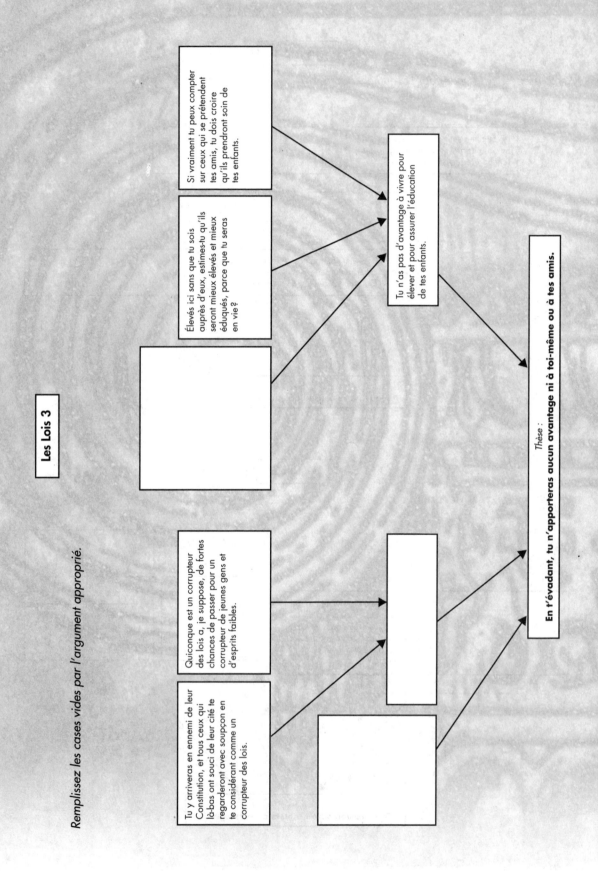

Si vraiment tu peux compter sur ceux qui se prétendent tes amis, tu dois croire qu'ils prendront soin de tes enfants.

Élevés ici sans que tu sois auprès d'eux, estimes-tu qu'ils seront mieux élevés et mieux éduqués, parce que tu seras en vie ?

Tu n'as pas d'avantage à vivre pour élever et pour assurer l'éducation de tes enfants.

Tu y arriveras en ennemi de leur Constitution, et tous ceux qui là-bas ont souci de leur cité te regarderont avec soupçon en te considérant comme un corrupteur des lois.

Quiconque est un corrupteur des lois a, je suppose, de fortes chances de passer pour un corrupteur de jeunes gens et d'esprits faibles.

Thèse :

En t'évadant, tu n'apporteras aucun avantage ni à toi-même ou à tes amis.

Exercice 3.4 *Réponse à la question inaugurale du chapitre*

En suivant les étapes énumérées ci-dessous, répondez à la question inaugurale du chapitre: « Toutes les opinions se valent-elles ? »

1. Clarification du sens de la question, notamment les expressions « opinion », « valoir ».

2. Reformulation de la question.

3. Formulation d'une argumentation pertinente et crédible pour répondre à la question.

4. Explication du lien entre les arguments et la thèse.

5. Utilisation d'une source crédible pour appuyer votre argumentation.

Raison
et *vérité*

ou Peut-on aller
au-delà de l'opinion?

Si le langage ou la pensée humaine ne sont pas mesure de toutes choses,
c'est en dehors de nous, dirait Platon, qu'il convient de chercher une réalité
susceptible d'échapper au caractère de l'opinion.

Aristote cherche au contraire le moyen de formuler ce qui dans chaque
individu, considéré dans son originalité, dans sa singularité particulière,
dans son existence concrète, peut devenir l'objet d'une connaissance.

Jean-Paul Dumont, *La philosophie antique.*

Chapitre 4

4.1. Présentation de la question

Comme nous l'avons vu dans le chapitre précédent, l'espoir que représentait la pensée présocratique quant à la possibilité de connaître le monde a abouti, deux siècles plus tard, à une période trouble sur le plan intellectuel qui laissa une large place au relativisme. Les sophistes, adhérant à la conception héraclitéenne d'un monde en mouvement, ont cherché à montrer, arguments à l'appui, qu'il était impossible de connaître véritablement le monde et que l'être humain devait se contenter de l'interpréter. Qui plus est, aucune interprétation ne pouvait prétendre s'imposer comme la *vérité* sur le monde. Dans cette perspective, chercher à atteindre la vérité devenait une entreprise illusoire. Ce à quoi, on s'en souviendra, Socrate s'opposa. Socrate n'enseignait aucune vérité à proprement parler, il se limitait à délivrer ses interlocuteurs des préjugés, des premières impressions et des idées erronées qui les habitaient. Pour lui, la recherche de la vérité était une activité sensée, c'est-à-dire qui donnait du sens à la vie ; et cela même s'il affirmait en même temps ne pas avoir de réponses aux questions fondamentales qu'on lui posait. Cette affirmation apparemment contradictoire élève Socrate au-dessus de ceux qui *croient* savoir. Socrate pensait que si l'on pouvait effectivement s'approcher de la vérité sur les grandes questions, on ne pouvait toutefois jamais l'atteindre.

Ce problème philosophique nous amène à formuler une question qui a engendré beaucoup de controverses et qui continue d'être débattue : **L'être humain peut-il dépasser l'opinion et appréhender la vérité ?** Il s'agit là d'une question théorique fondamentale qui a aussi une portée pratique dans la mesure où elle peut déterminer, d'une certaine façon, le comportement des êtres humains. Par exemple, en ce qui concerne la possibilité d'améliorer le monde dans lequel nous vivons, on peut imaginer facilement les différences de comportement entre ceux qui croient en la vérité et ceux qui la nient. D'ailleurs, comme nous le verrons plus loin, des écoles de pensée ont pris position sur ce problème tout au long du $\sim$IVe siècle, et des modes de vie se sont imposés en fonction des croyances se rapportant à la vérité.

4.2 Le contexte historique : Le déclin de la cité-État et la domination macédonienne

Le $\sim$IVe siècle, faut-il le rappeler, fut celui de la condamnation et de la mort de Socrate. C'est dans un climat social et politique trouble que des questions fondamentales touchant à la vie collective comme à la vie individuelle ont fait l'objet d'un examen critique comme jamais cela ne s'était produit auparavant. C'est aussi ce siècle qui a vu fleurir les pensées de Platon et d'Aristote, qui ont marqué ce que nous avons, à tort, l'habitude d'appeler la civilisation « occidentale[1] ». Alfred N. Whitehead, un mathématicien et philosophe du XXe siècle, écrivait ceci à propos de l'œuvre de Platon : « La façon la plus sûre de caractériser la

---

1. Cette appellation est exagérée : il serait préférable de parler de civilisation *européenne*, puisqu'au même moment, en Amérique (donc en Occident), d'autres civilisations existaient.

tradition philosophique européenne est qu'elle consiste en une série de notes en bas de pages à Platon[2]. » À celle de Platon, il faut ajouter l'œuvre d'Aristote, qui eut une influence tout aussi grande en philosophie, en religion et en science.

Nous n'étudierons pas ici l'ensemble des œuvres de ces auteurs; nous retiendrons seulement ce qui vous aidera à comprendre leur position sur la question de la vérité telle que nous l'avons présentée ci-dessus. Mais avant d'entrer dans le vif du sujet, jetons un regard sur le contexte historique dans lequel ils ont évolué.

4.2.1 Le déclin d'Athènes

Athènes ne connaîtra plus la gloire qu'elle avait connue du temps de Périclès[3], et cela bien que certaines alliances politico-militaires se fussent refaites à son profit pendant la première moitié du ~IVe siècle (de ~403 à ~355). De nombreuses cités des Cyclades et de l'Asie Mineure se rapprochèrent d'Athènes, de sorte que le peuple athénien a pu espérer voir l'empire se reconstituer comme au temps de la Ligue de Délos. C'est en ~377 que la deuxième Confédération athénienne se constitua: il s'agissait d'une entente de défense mutuelle, ouvertement antispartiate, dans laquelle Athènes s'engageait formellement à respecter l'autonomie des cités alliées. Ce n'était donc pas un retour à la politique impérialiste d'avant la guerre du Péloponnèse. D'ailleurs Thèbes veillait au grain, elle était devenue une cité si puissante qu'elle brigua le pouvoir dans le but de réorganiser le monde hellénique dans son intérêt. Elle profita du climat d'agitation sociale qui régnait à Athènes pour tenter de s'imposer.

Il faut noter qu'à cette époque une partie importante de la population athénienne, de plus en plus pauvre, se désintéresse de la vie politique, trop occupée par des problèmes de subsistance. L'assemblée du peuple (l'*ecclésia*) a changé d'aspect. Les affaires publiques n'intéressent les Athéniens que dans la mesure où ils y trouvent un intérêt. Les pauvres ont compris qu'ils peuvent utiliser les outils de la démocratie pour soulager leur misère. À plusieurs reprises au cours du ~IVe siècle, l'assemblée vote une augmentation du **misthos**; elle a donc tendance à monnayer ses tâches, un peu à l'image de l'administration de la justice, qui monnaye la participation de juges dont la conscience est gauchie par l'intérêt personnel. De plus, on a tendance à condamner les gens à de fortes amendes et à la confiscation de leurs biens, dans l'intérêt évident de remplir la caisse du *misthos*. S'il est exagéré de parler de justice corrompue, il semble juste d'affirmer que l'administration de la justice faisait preuve de partialité. D'un côté, les pauvres ont eu tendance à abuser des assemblées démocratiques; de l'autre, les riches ont cherché à se soustraire à leurs devoirs. Comme on peut le constater, c'est dans

misthos
Rétributions minimales que l'État accordait à ceux qui occupaient des charges publiques.

---

2. Cité dans M. Canto-Sperber (dir.), *Philosophie grecque*, Paris, P.U.F., coll. «Premier cycle», 1997, p. 185.

3. Voir la section 3.2.1.

un contexte de négligence dans les affaires publiques — où devrait régner le bien commun — que la démocratie athénienne devait se défendre contre Thèbes.

Malgré cela, les Athéniens réussirent à freiner la **volonté hégémonique** des Thébains. Forts de cette victoire, ils cherchèrent, à leur tour, à profiter de la situation pour renforcer leur pouvoir sur les alliés de la nouvelle Ligue. Athènes viola le pacte fédéral en fondant de nouvelles colonies, en s'immisçant dans les affaires internes des cités alliées, en imposant des impôts, etc. Ce coup de force mit le feu aux poudres et provoqua la révolte des alliés, supportés en cela par les Perses : Rhodes, Chio, Cos et Byzance gagnèrent leur indépendance, ce qui mit fin à la seconde Confédération (~355) et à la dernière tentative d'hégémonie athénienne.

volonté hégémonique
Volonté d'établir la suprématie d'une cité, d'un peuple, dans une fédération.

Au moment où Athènes perdait lentement son pouvoir, une nouvelle force politico-militaire se constituait en Macédoine, et elle allait marquer la deuxième moitié du ~IVe siècle. L'affaiblissement des cités grecques poussa Philippe II de Macédoine à s'emparer de certains points stratégiques situés à l'est susceptibles d'assurer un succès à la fois économique et politique : la Chalcidique et la Thrace jusqu'à Byzance. Du côté sud-ouest jusqu'aux portes de l'Attique, l'armée de Philippe II s'empara de Phocide et de l'Eubée. Bref, Athènes était entourée, affaiblie. En ~341, Athènes, se sentant de plus en plus menacée, monta une nouvelle confédération pour arrêter Philippe II. L'affrontement devenait inévitable : « La bataille décisive eut lieu à Chéronée, en Béotie, en août ~338. Philippe II, assisté de son fils Alexandre, alors âgé de dix-huit ans, écrasa les Grecs, coalisés mais inférieurs en nombre et mal commandés[4]. » Après la bataille de Chéronée, Philippe II devint le maître de la Grèce et fonda la ligue des Hellènes, dont les objectifs étaient de faire cesser les révoltes des cités du monde grec et de conquérir la Perse.

C'est son fils Alexandre qui, deux ans plus tard, chercha à réaliser les objectifs de son père décédé. Non sans mal, car étant donné son jeune âge (à peine 20 ans), plusieurs cités comptaient se défaire aisément de la tutelle du jeune roi macédonien. Elles tentèrent donc un soulèvement armé qu'Alexandre réprima brutalement : pour donner l'exemple, il attaqua Thèbes, qui avait pris le leadership de la révolte. Il la détruisit complètement et vendit comme esclaves ceux de ses citoyens qui n'avaient pas été massacrés ! Il plaça ses garnisons militaires dans les cités soumises, organisa une grande armée et partit à la conquête de l'empire des Perses. Après avoir « libéré » les colonies grecques de la côte ionienne, il battit à deux reprises l'armée perse dans des combats inouïs (il combattait à un contre dix). Après ces deux victoires et la fuite de Darius III, il descendit vers l'Égypte, que les Perses dominaient alors. Il y fut accueilli en libérateur et se fit nommer pharaon ; lors d'une visite au grand prêtre du culte égyptien, il réussit à se faire attribuer par celui-ci un lien familial avec le dieu **Apollon** ! Reparti à la poursuite du roi des Perses, il se rendit jusqu'aux frontières de l'Inde, qu'il se préparait à

Apollon
Fils de Zeus, il est le dieu grec de l'ordre. C'est un dieu purificateur et législateur qui arrête la vengeance et inspire les lois protectrices des hommes. Mais c'est aussi un archer qui peut semer brutalement la mort, la peste.

---

4. C. Bonnet, *Athènes, des origines à 338 av. J.-C.*, Paris, P.U.F., coll., « Que sais-je ? », 1997, p. 113.

envahir lorsque ses soldats, fatigués de ces années de combats et de ces milliers de kilomètres de marche, refusèrent de continuer et forcèrent Alexandre à ordonner le retour à la patrie grecque. En douze ans, il avait non seulement conquis, mais aussi *changé* le monde connu par sa volonté de répandre universellement les valeurs de la culture grecque. Pourtant, à force de côtoyer les autres cultures, il manifesta un certain cosmopolitisme en adoptant certaines traditions des peuples conquis. Pendant son retour à Babylone, il organisa de grandioses mariages collectifs entre ses soldats et des femmes perses, dans le but de mélanger les peuples dans son nouvel empire. Il n'eut pas le temps de voir la consolidation de cet empire, car il mourut peu après d'une fièvre en ~323, à l'âge de 32 ans. À partir de ~322, on peut légitimement parler de la naissance d'un monde nouveau.

Les conquêtes d'Alexandre le Grand

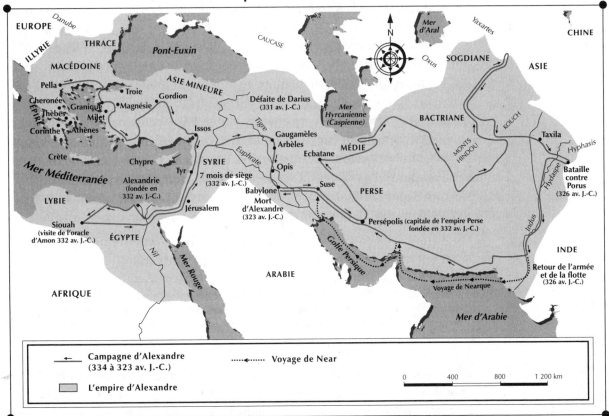

4.2.2 La vie intellectuelle au ~IVᵉ siècle

Pour beaucoup d'historiens, c'est « la fin d'une époque, la perte de l'indépendance athénienne, le terme de cet âge classique qui avait vu briller de tous ses feux la civilisation gréco-athénienne[5] ». La société a changé, mais le problème

---

5. *Ibid.*, p. 113.

fondamental de toute société demeurait: comment réaliser le bien-être de la société et le bonheur des individus? La conquête macédonienne amena un nombre de plus en plus important de Grecs à ne plus rien attendre des idéaux démocratiques, et même à accepter le pouvoir d'un roi qui se disait éclairé par la raison. Cette situation sociale et politique fera naître deux grandes tendances philosophiques: d'un côté, certains chercheront, à l'aide de la raison, les causes des problèmes de société, ou encore les conditions d'une société idéale; de l'autre côté, d'autres relégueront au second plan les réflexions rationnelles au profit de l'action et proposeront un autre mode de vie.

C'est à cette dernière tendance qu'appartiennent Antisthène et Diogène de Sinope, les fondateurs du cynisme. Ils s'opposèrent radicalement à la manière de vivre de leurs concitoyens et à l'attitude des philosophes qui consacraient leur vie à la réflexion. La rupture que provoquèrent les cyniques de cette époque fut brutale. Quand la guerre ou la révolte fait rage, quand règnent la pauvreté et la démagogie, le bonheur semble difficile à atteindre dans la cité. Les cyniques le cherchèrent ailleurs, dans l'individu en harmonie avec lui-même et non dans la recherche du pouvoir ou de l'argent. Ils considéraient que le bonheur est intérieur, qu'il est un sentiment, et qu'il faut donc réduire au strict minimum les besoins liés à la vie extérieure: boire, manger, dormir, et le reste. Ils rejetaient les lois, les règles, les normes, les valeurs, les us et coutumes que leurs concitoyens considéraient comme élémentaires pour la vie en société. Ils refusaient donc de tenir compte de conventions sociales telles la propreté, la politesse et le savoir-vivre; ils méprisaient le pouvoir et l'argent, ils n'hésitaient pas à mendier; ils étaient apatrides, itinérants, miséreux, vivaient au jour le jour; ce qui leur valut le nom de « cyniques », c'est-à-dire ceux qui vivent comme des chiens.

On dit que Diogène avait élu domicile dans un tonneau[6] et que sa besace ne contenait que le strict nécessaire à sa survie. Et pourtant:

> Voyant un jour un petit garçon boire dans ses mains, Diogène jeta son gobelet hors de sa besace en s'écriant: «Un gamin m'a dépassé en frugalité!» Il se débarrassa aussi de son écuelle quand il vit pareillement un enfant qui avait cassé son plat prendre ses lentilles dans le creux d'un morceau de pain[7].

Une autre anecdote montre que Diogène le cynique ne craignait ni ne respectait les puissants: un jour où il prenait du soleil «survint Alexandre qui lui dit, en se tenant devant lui: "Demande-moi ce que tu veux." — "Arrête de me faire de l'ombre!", répliqua Diogène[8].» Alexandre lui aurait aussi demandé: « "N'as-tu pas peur de moi?" — "Pourquoi? répliqua Diogène. Qu'es-tu? Un bien ou un mal?" — "Un bien", fit Alexandre. — "Mais qui donc a peur du bien?" répondit le cynique. Et comme on lui demandait si la mort était un mal, il dit: "Comment

---

6. Ou dans une amphore, selon d'autres sources.
7. Léonce Paquet, *Les cyniques grecs, fragments et témoignages,* Ottawa, Presses de l'Université d'Ottawa, 1988, p. 58.
8. *Ibid.,* p. 59.

serait-elle un mal puisqu'on n'est plus conscient quand elle se présente[9]?" »
Selon Platon, Diogène aurait été un « Socrate en délire », c'est-à-dire qu'il aurait
poussé à l'extrême l'attitude socratique qui consiste à remettre tout en question.
Diogène et ses disciples ne croyaient en rien, n'enseignaient aucune théorie, et
c'est par leur mode de vie qu'ils voulaient dénoncer
les vices et les faiblesses de leurs contemporains;
c'est donc par l'exemple et dans l'action qu'ils se
montrèrent critiques de la société de leur temps.

Platon et Aristote ont eux aussi critiqué la société,
mais par la réflexion critique et rationnelle. Pour
Platon, la démocratie est la cause des problèmes
sociaux que connaît Athènes. Dans un texte intitulé
La République, sur lequel nous nous attarderons plus
loin, il analyse les sociétés perverties et propose un
modèle de société idéale (la véritable société juste):
une monarchie où le Roi, devenu philosophe (à
moins que ce soit le philosophe qui soit devenu Roi)
règne de façon autoritaire sous la gouverne de la

Diogène de Sinope (~413-427).
(Œuvre de Sebastiano Ricci)

raison afin de mettre un terme à l'injustice. Aristote fut plus modéré dans sa critique de la démocratie ainsi que dans la formulation de son projet de société juste.
Il fit d'abord l'inventaire des systèmes politiques de son temps — certains commentateurs parlent de la description de 158 constitutions différentes —, et il en
arriva à la conclusion que chaque système pouvait, selon les circonstances, être
bon ou corrompu. Il fit le reproche suivant à la démocratie athénienne: les lois sont trop souvent établies sans tenir compte du
bien commun, dont la recherche est indispensable pour que la
justice règne dans une société. Du point de vue d'Aristote, si la
démocratie était capable de voter des lois soucieuses du bien
commun, elle ferait un bon régime politique pour Athènes. Mais
il ajoute que la monarchie ou l'aristocratie qui serait capable
d'administrer les affaires de l'État en fonction du bien commun
pourrait aussi, dans certaines circonstances et pour certaines

bien commun

Pour Aristote, le bien commun est
le but de l'État. La vie en commun
doit être organisée en fonction de la
justice pour tous et du bonheur des
individus, ce qui implique le dépassement des intérêts particuliers des
individus et des groupes dans la
manière de gérer les affaires de la
collectivité.

cités, constituer un bon régime politique. Pour Athènes, Aristote opte pour la
démocratie, mais une démocratie modérée, c'est-à-dire « renforcée par la recherche
des lois justes et du bien commun, grâce auxquels doit être mise en pratique la
fin souveraine des citoyens: le bonheur[10] ».

Nous nous pencherons d'abord sur la vie de Platon et d'Aristote, pour ensuite (section 4.3) analyser leurs positions respectives à propos de la connaissance et de
la vérité.

---

9. *Ibid.*, p. 79.
10. L. Couloubaritsis, *Aux origines de la philosophie européenne. De la pensée archaïque au néoplatonisme*, Bruxelles,
De Boeck Université, coll. « Le point philosophique », 1992, p. 505.

4.2.3 Les auteurs

Platon

Platon est né à Athènes en ~428 ou ~427, au moment où Périclès venait de mourir et en pleine guerre du Péloponnèse. Il était encore enfant quand mourut son père Ariston, un ami de Périclès. Il aurait eu deux frères plus âgés que lui, Adinante et Glaucon (des interlocuteurs de Socrate dans la *République*) et une sœur, Potoné. On lui connaît aussi un demi-frère, Antiphon (le narrateur du *Parménide*), issu du second mariage de sa mère, Périctionè. Il mourut en ~347, âgé d'environ quatre-vingts ans.

Platon (~428-347).

Dans la *Lettre VII*, Platon révèle qu'il a entretenu dans sa jeunesse le désir de faire de la politique. On sait aussi que c'est au début de la vingtaine qu'il est devenu un disciple de Socrate et un critique de l'éducation sophistique qui visait à préparer les jeunes à la vie politique en démocratie. Son opposition aux sophistes et à la démocratie explique probablement son enthousiasme lorsque, à la fin de la guerre du Péloponnèse, en ~404, Sparte mit le pouvoir de la cité athénienne entre les mains d'un groupe de trente personnes. Platon espérait que ces hommes étaient animés par le désir de justice et de vérité et qu'ils travaillaient à l'instauration d'une société plus juste. D'autant plus que parmi ces personnes se trouvaient Charmide, son oncle, et Critias, le cousin de sa mère. Mais Platon sera vite déçu. Les « Trente » instaureront une tyrannie sanglante dont l'objectif premier sera d'éliminer les défenseurs de la démocratie vivant encore dans la cité. Certains historiens parlent de la disparition, en quelques mois, du dixième des hommes libres vivant à Athènes. Quand la démocratie revint au pouvoir en ~403, on se doutait qu'il serait difficile d'éviter une période de règlement de comptes; malgré un vote de *l'ecclésia* en faveur de l'amnistie, l'animosité causa plusieurs injustices. On peut penser au procès de Socrate[11], qui n'est pas complètement étranger au fait que Critias, peut-être le plus sanguinaire des Trente, fut un élève de Socrate. Bref, la cruauté du gouvernement des Trente et la condamnation de Socrate dissuaderont Platon, alors âgé de 28 ans, de jouer un rôle politique dans la cité. Il se réfugia dans la philosophie, convaincu que l'humanité ne pourrait connaître de sociétés justes avant que des hommes animés par le désir du Bien n'aient accédé à la direction de l'État.

Entre 28 ans et 40 ans, Platon aurait voyagé. On ne connaît pas précisément l'itinéraire qu'il suivit, mais ses biographes parlent d'un voyage qui l'aurait conduit en Égypte, puis en Cyrénaïque (la Libye actuelle), où il aurait fait la rencontre de Théodore le mathématicien (un interlocuteur dans le *Théétète*); de là, il serait passé en Italie, où il aurait fait la connaissance d'Archytas, qui l'aurait introduit dans les cercles pythagoriciens dont les croyances marqueront sa

---

11. Voir la section 3.2.3.

pensée; et finalement en Sicile, où il fit la connaissance du tyran Denys et son beau-frère Dion, lequel deviendra le disciple et l'ami le plus important dans la vie de Platon après Socrate. On sait qu'en ~387 Platon était de retour à Athènes et qu'il fonda, en concurrence avec les écoles de rhétorique de l'époque, une école de philosophie: l'Académie[12]. Le but de cette école était de former des jeunes gens à la philosophie de telle sorte qu'ils puissent administrer la cité de manière juste. Platon accordait aux mathématiques un rôle primordial dans la formation de l'esprit, au point de faire inscrire sur le portail de son école: « Nul n'entre ici s'il n'est géomètre. » L'œuvre de Platon révèle aussi qu'il reprit, non sans la transformer, l'idée de l'immortalité de l'âme qui provenait des cercles pythagoriciens. Une idée, on le verra, centrale dans la philosophie platonicienne.

Ainsi, pour être fidèle à ses aspirations politiques, Platon dut se contraindre à un long détour: former des hommes nouveaux. Il enseigna pendant vingt ans. En ~367, son ami et disciple Dion le convainquit que les conditions étaient rassemblées pour qu'un homme d'État, Denys II (le neveu de Dion) de Syracuse, en Sicile, s'ouvre suffisamment à la philosophie pour espérer que la justice et la vérité deviennent des valeurs actives dans la politique d'une cité. Platon s'embarqua donc pour Syracuse. Mais, dans les faits, Denys II refusa de se soumettre à la **vie ascétique** que préconisait Platon pour ses élèves, et l'entreprise échoua. Quelques années plus tard, en ~361, le même Denys insista auprès de Platon pour tenter une deuxième expérience qui se soldera elle

vie ascétique

Vie qui s'impose, par piété, des exercices de pénitence, des privations, des mortifications.

aussi par un échec. Lors de ce dernier voyage à Syracuse, la sécurité de Platon et de son ami Dion fut menacée. Plus tard, celui-ci usurpera le pouvoir de son neveu et, contraint par les exigences du pouvoir, se transformera en tyran à son tour. Cette issue décevra Platon et le laissera « [...] de plus en plus convaincu que le roi-philosophe est introuvable et que le pouvoir, surtout le pouvoir tyrannique, corrompt immanquablement[13] ».

L. Couloubaritsis résume bien dans ce passage les conditions sociales et politiques dans lesquelles la vie de Platon s'est déroulée:

> La vie de Platon débute donc avec la fin de l'Âge d'Or de la démocratie athénienne et s'achève avec l'effacement de l'institution même de l'État-Cité; elle coïncide, autrement dit, avec la crise de la démocratie athénienne qui amorce la décadence de l'impérialisme athénien. Aussi Platon a-t-il le rare privilège de profiter de l'apport exceptionnel de la civilisation athénienne et de vivre en même temps sa désintégration progressive. Juge implacable de cette situation, il ne l'attribue ni au seul destin, ni à une quelconque cause surnaturelle, mais au manque de sens des responsabilités des hommes et plus particulièrement des dirigeants. Cela explique pourquoi son souci constant sera l'éducation de l'homme dans la Cité stable et heureuse[14].

---

12. Ainsi nommée parce que située dans les jardins d'*Akadémos,* un héros mythique de l'Attique.
13. A. Jeannière, *Platon,* Paris, Seuil, coll. «Écrivains de toujours», 1994, p. 40.
14. L. Couloubaritsis, *op. cit.,* p. 179.

Aristote

Aristote est né en ~385 ou ~384 à Stagire, une ville située au nord de la péninsule de Chalcidique où se trouve le mont Athos. Aristote n'est donc pas Athénien, il est Macédonien. Il était encore enfant quand il perdit ses parents. Son père, Nicomaque, était médecin auprès du roi de Macédoine, et sa mère, Phaestis, était originaire d'une vieille famille de Chalcis (métropole de la Chalcidique). Les parents d'Aristote eurent plusieurs enfants, mais on ignore combien. Le testament d'Aristote fait mention d'un frère et de deux sœurs. Il mourut en ~322.

Aristote (~385-322).

Aristote eut probablement une enfance aisée. Il fut élevé dans l'entourage de la cour de Macédoine et eut comme ami Philippe, le futur roi de Macédoine et père d'Alexandre le Grand. Orphelin et indépendant de fortune, Aristote décida vers l'âge de dix-sept ans de partir étudier à Athènes, qui était encore le centre intellectuel de la Grèce malgré le déclin politique et économique de la cité-État démocratique. Selon Pierre Louis, un biographe d'Aristote, il aurait d'abord fréquenté l'école la plus renommée d'Athènes, celle d'Isocrate, dont le programme était axé sur les succès oratoires. Déçu par les limites de la rhétorique, Aristote aurait été attiré par le programme de l'Académie, qui « [...] réoriente l'enseignement des présocratiques dans le sens d'une recherche authentique du savoir et de la vérité, et marque ainsi les débuts de ce qu'il est convenu de nommer *philosophie*[15] ». Aristote se fit vite remarquer par la vivacité de son intelligence et Platon lui confia, après seulement cinq ans d'études, l'enseignement de la rhétorique aux débutants. Aristote passa vingt ans de sa vie à l'Académie, période pendant laquelle il apprit lentement à se détacher du maître. En ~347, quand Platon meurt, Aristote a trente-sept ans et est en droit d'espérer succéder au maître à la tête de l'école. Mais ce ne sera pas le cas. Speusippe, le neveu de Platon, hérite de la direction de l'Académie. Aristote est déçu par ce choix. D'autre part, il craint le sentiment anti-macédonien qui règne à Athènes à la suite des conquêtes militaires de Philippe, le roi de Macédoine (et ami d'enfance d'Aristote). Il quitte définitivement l'Académie et s'éloigne d'Athènes.

Il choisit de s'installer à Atarnée, une ville côtière de l'Asie Mineure où régnait Hermias, un ami de longue date qu'Aristote avait connu lors d'un précédent séjour dans cette ville, après la mort de ses parents. Hermias avait la réputation d'être un tyran éclairé, et il était sensible à la philosophie platonicienne. Il est probable qu'Aristote ait rêvé de réussir là où son maître avait échoué, c'est-à-dire former un roi-philosophe. Observant son ami gérer les affaires de la cité, Aristote approfondit sa connaissance de la vie en société et s'inspira de cette expérience pour élaborer sa philosophie politique. Aristote constata rapidement que l'exercice du pouvoir avait transformé son ami en autocrate et non en philosophe. Soit pour sauver son amitié vieille de 25 ans, soit parce qu'il ne croyait plus aux

---

15. P. Louis, *Vie d'Aristote*, Paris, Hermann, coll. « Savoir », 1990, p. 29.

idéaux politiques platoniciens, Aristote s'éloigna de la cour d'Hermias et s'installa dans l'île de Lesbos, à une centaine de kilomètres d'Atarnée, où il fonda une école. Là, c'est à l'observation des animaux qu'il consacra la majeure partie de son temps, ce qui lui permettra de rédiger, plus tard, son *Histoire des animaux,* qui fera de lui le père de la biologie.

En ~343, Aristote reçut de la part de Philippe, qui était en train de s'imposer comme le maître du monde hellénique, une requête particulière: prendre en main l'éducation de son fils Alexandre, alors âgé de treize ans. Aristote s'embarqua donc pour la Macédoine. Il y a fort à parier que le rêve d'éduquer Alexandre à la vertu et à la philosophie avant qu'il ne devienne roi a dû jouer dans la décision d'Aristote d'accepter l'offre de Philippe. Mais, après quelques années d'instruction et d'éducation à la vie politique, au grand dam de son percepteur, Alexandre n'avait d'autre ambition que de suivre les traces de son père et de conquérir le monde. «Cruellement déçu, le Stagirite mesurait une nouvelle fois la difficulté pour un philosophe de se mêler des affaires publiques [...][16].» Cet échec et son mariage récent avec Pythias, la fille adoptive d'Hermias, le décidèrent à partir et à retourner à Stagire, sa ville natale. Pendant cette période (de ~340 à ~335), Aristote perdit sa femme, morte en couches en ~339. Il apprit la mort de Philippe, assassiné en ~336, et, l'année suivante, le triomphe de son fils, le nouveau roi Alexandre, contre Thèbes en ~335 (Thèbes symbolisait la résistance des cités démocratiques contre le pouvoir macédonien). Il apprit également la résignation des Athéniens face au pouvoir d'Alexandre: à Athènes, l'opinion publique à l'égard des gens proches du pouvoir macédonien avait changé du tout au tout, et on cherchait maintenant à se rapprocher d'eux.

Aristote décida donc de revenir dans la ville qu'il avait quittée douze ans plus tôt. «Le rôle qu'il avait joué auprès d'Alexandre adolescent, les réserves qu'il avait formulées sur son caractère et sur certains de ses actes, les relations qu'il conservait malgré tout avec lui firent que les Athéniens se montrèrent accueillants envers lui[17].» Il n'était pas question pour lui de retourner à l'Académie: l'enseignement de l'école de Platon, sous la direction de **Xénocrate**, tournait au **mysticisme**. Les positions philosophiques d'Aristote avaient évolué dans un autre sens. Il fonda sa propre école concurrente, le Lycée, ainsi nommée parce qu'installée dans un gymnase dédié à Apollon Lycien, un dieu chasseur de loups. Aristote enseignait en marchant de long en large; ses disciples devaient le suivre le long des allées du gymnase pour recevoir son enseignement, et c'est pourquoi ils ont été surnommés *péripatéticiens*[18]. Les domaines qu'on y enseignait ou qui y faisaient l'objet de recherches étaient très variés: musique, arts, rhétorique, mathématiques, cosmologie, histoire des sociétés, des plantes et des animaux, et, bien sûr, philosophie, éthique et politique. Aristote avait

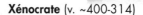

Xénocrate (v. ~400-314)
Successeur de Speusippe à la tête de l'Académie, en ~339.

mysticisme
Croyance ou doctrine qui s'inspire de principes irrationnels comme les sentiments et l'intuition.

---

16. *Ibid.,* p. 71.
17. *Ibid.,* p. 86.
18. Du grec *peripatein,* «se promener».

développé une méthode ayant des points en commun avec la méthode scientifique d'aujourd'hui. On sait qu'il pratiquait la dissection pour mieux décrire les animaux et que, pour étudier la vie en société, il voulait se doter d'un inventaire exhaustif des constitutions existantes. Contrairement à Platon, il soutient « [...] la primauté de l'observation sur le raisonnement. Il comprend qu'avant d'expliquer les phénomènes, le chercheur doit d'abord vérifier soigneusement leur réalité et s'assurer qu'il a bien examiné la totalité des faits. [...] *Il faut se fier*, dit-il, *aux observations plus qu'aux raisonnements, et aux raisonnements dans la mesure seulement où leurs conclusions s'accordent avec les faits*[19]. »

La quiétude dont jouissait Aristote dans les murs du Lycée fut ébranlée par la nouvelle de la mort d'Alexandre, en juin ~323. Athènes, profitant de la situation, se révolta contre le pouvoir macédonien dans le but de retrouver son indépendance politique. Dans ce climat de rébellion, il n'était pas bon d'être associé au pouvoir macédonien. Un certain Démophile traduisit Aristote en justice sous le prétexte d'impiété. Aristote décida de quitter Athènes. Il aurait déclaré qu'il ne voulait pas donner aux Athéniens l'occasion de «commettre un nouveau crime contre la philosophie[20] ». Il se réfugia à Chalcis, la ville natale de sa mère, avec sa seconde femme, Herpyllis, et ses deux enfants. Il y mourut l'année suivante.

4.3. Le débat: Vérité absolue ou vérité langagière?

Maintenant que vous connaissez mieux le contexte historique dans lequel ont évolué Platon et Aristote, nous pouvons revenir à la question formulée au début de ce chapitre: **L'être humain peut-il dépasser l'opinion et appréhender la vérité?** Nous avons vu que, pour Socrate, la recherche de la vérité était une activité sensée, mais aussi que sa méthode ne permettait pas d'atteindre la vérité. Platon et Aristote, dans le sillage de Socrate, ont cru, eux, en la possibilité de la vérité. Ils ont donc travaillé, chacun à sa manière, à sortir la vérité de l'impasse dans laquelle la méthode socratique l'avait placée. On peut dire que Platon et Aristote répondraient affirmativement à notre question: pour eux, l'être humain a effectivement la capacité de dépasser le niveau des opinions et de saisir, avec l'esprit, la vérité des choses et des phénomènes. Mais, sur la manière d'y arriver, ils s'opposent. Le débat dont il sera question ici porte donc sur cette opposition de Platon et Aristote à propos du dépassement des opinions et de l'atteinte de la vérité.

4.3.1 Des démarches différentes

La *dialectique*, c'est le nom que Platon donne à la démarche rigoureuse permettant de comprendre l'être véritable des choses et des phénomènes. Le premier pas de cette démarche consiste à détourner son regard des choses sensibles pour le

---

19. P. Louis, *op. cit.*, p. 94.
20. P. Aubenque, «Aristote», dans *Dictionnaire des Philosophes*, Paris, Albin Michel, coll. «Encyclopædia Universalis», 1998, p. 77.

porter vers les « choses véritables ». Et c'est par le dialogue[21] — on reconnaît ici l'influence de Socrate — qu'on y arrive. Platon fait examiner par les personnages de ses dialogues des conceptions opposées afin d'éprouver les opinions en jeu. Les personnages examinent des définitions, les réfutent, en proposent d'autres et recommencent le processus plusieurs fois. L'essentiel de la méthode dialectique ne réside pas dans la conversation mais dans le cheminement de la pensée vers la vérité. Contrairement au Socrate historique, Platon soutient que les essences des choses et des phénomènes existent et sont saisissables. Il faut donc trouver ces essences, qu'il nomme « Idées ». Dans cette entreprise, le discours joue un rôle de médiation entre l'opinion et l'Idée. La définition « dialectique » à laquelle aboutit Platon, dans ses dialogues, est le résultat d'un procédé complexe et d'un examen critique. Nous n'exposerons pas ici ce procédé, parce qu'il est complexe et qu'il n'a en réalité qu'un intérêt historique. Quant à l'examen critique, on se limitera à dire qu'il procède par analyse et synthèse. Celui qui procède à une analyse examine chaque question dans toutes ses possibilités. Il n'examine pas seulement la thèse qu'il veut justifier, mais aussi la thèse contraire, pour montrer non seulement la justesse de sa thèse mais aussi l'erreur dans la thèse adverse. Après ce travail d'épuration de l'objet de connaissance, il faut retrouver l'Idée, c'est-à-dire remonter vers la vue d'ensemble qui préexistait à toute vision confuse, c'est-à-dire faire la synthèse.

Quant à la *dialectique aristotélicienne,* elle est un intermédiaire entre l'ignorance (les opinions non réfléchies) et la sagesse. Elle n'est pas la sagesse, puisqu'elle y conduit ; elle est plutôt un procédé d'épreuve auquel on soumet la connaissance. Aristote est l'inventeur de la logique formelle ; il a découvert certaines règles de la pensée et les a utilisées pour critiquer les raisonnements fautifs. La méthode vise donc la réfutation :

> Dans le cas des questions philosophiques qu'elle interroge, la dialectique est une méthode critique qui permet d'examiner ce que les autres ont dit à propos de la même question et de les réfuter sur des bases solides. Pour Aristote le travail philosophique ne commence jamais à partir du néant, mais intervient dans un contexte historique[22].

On apprend autant de ceux qui partagent nos opinions que de ceux qui sont d'opinion contraire. Cette méthode est historique et permet de déterminer les opinions qui ont une certaine valeur ; en effet, l'examen critique n'arrive pas nécessairement à une seule position valable, il peut en exister plusieurs. Alors, il peut arriver que l'on soit dans l'embarras pour établir la meilleure position. Il faut donc, en plus de la réfutation (aspect critique de la pensée), avancer des idées nouvelles (aspect créateur de la pensée). Comment y arriver ? Aristote propose, pour guider l'esprit embarrassé, la formulation d'une question précise. Avant de répondre à la question, il propose d'examiner les avenues possibles, pas seulement celles qui ont été étudiées, mais aussi celles qui sont des possibilités pertinentes. Ensuite,

---

21. Platon a écrit ses œuvres sous la forme de dialogues, parce que selon lui la parole vivante est source de vérité.
22. L. Couloubaritsis, *op. cit.,* p. 415.

on répond à la question de manière à se sortir de l'embarras dans lequel on était plongé. La réponse doit être à la fois respectueuse des principes impliqués dans la question et des règles de la logique argumentative.

idéalisme
Nom donné à l'ensemble des systèmes philosophiques qui ramènent l'être à la pensée. Chez Platon, l'être ou la réalité n'est qu'un reflet des Idées.

Dans l'ensemble, on peut dire que la démarche de Platon est teintée d'un **idéalisme** fondamental tandis que celle d'Aristote, qui réagissait à la théorie platonicienne, est plutôt réaliste. Voyons maintenant plus en détail la position de Platon.

4.3.2 La position platonicienne

> *Ainsi ceux qui promènent leurs regards sur la multitude des belles choses, mais n'aperçoivent pas le beau lui-même et ne peuvent suivre celui qui les voudrait conduire à cette contemplation, qui voient la multitude des choses justes sans voir la justice même, et ainsi du reste, ceux-là, dirons-nous, opinent sur tout mais ne connaissent rien des choses sur lesquelles ils opinent.*
>
> PLATON, *La République* (479 *de*[23])

Le dialogue de Platon intitulé *La République* est probablement le livre le plus connu et le plus important de Platon. Il comporte une réflexion critique sur la cité grecque et une proposition de cité idéale. Les événements politiques que nous avons rapportés plus haut ont convaincu Platon de poser le problème politique dans les termes suivants :

> Comment éduquer les citoyens et organiser l'État afin non seulement que l'existence d'hommes parfaitement justes – qui doivent, pour la pratiquer, connaître ce qu'est la justice et être capable de la définir – y soit tolérée, mais pour que leur savoir soit reconnu comme leur donnant autorité à gouverner les hommes[24].

Le thème de la justice est central dans *La République*, et autour de ce grand thème se greffe celui de l'éducation des citoyens, donc celui aussi de la connaissance. Comment reconnaître parmi les hommes ceux qui sont aptes à gouverner la cité ? se demande Platon. Une sélection sera faite parmi les meilleurs qui auront été soumis à une série d'épreuves[25]. On mesurera leur courage, leur goût pour la justice et la tempérance, on éprouvera leur honnêteté en évaluant leur capacité à résister à la corruption, on leur enseignera les sciences afin de se faire une idée de leur facilité à apprendre, on les mettra dans des situations difficiles pour savoir s'ils sont capables de mesure ; et ceux qui sortiront vainqueurs de ces épreuves devront être éduqués à la raison. Et qu'est-ce que l'éducation de la raison ? D'abord, tout

---

23. Cette référence composée d'un chiffre et de lettres se rapporte à un système de renvois de l'œuvre de Platon établie au XVIe siècle : « [...] en 1578, Henri Estienne publie une édition capitale, qui dispose en deux colonnes sur une même page le texte grec et la traduction latine de Jean de Serres, chaque colonne étant divisée en cinq paragraphes notés de *a* à *e*. » (M. Dixsaut, « Platon », dans *Dictionnaire des Philosophes*, Paris, Albin Michel, coll. « Encyclopædia Universalis », 1998, p. 1222.) C'est la pagination de cette édition ancienne ainsi que la division de chaque page en cinq sections qui sert encore aujourd'hui de référence lorsqu'on cite Platon ; ainsi, peu importe l'édition que l'on possède, on peut toujours retrouver le passage cité par un auteur.

24. Dixsaut, « Platon », dans *Dictionnaire des philosophes*, Paris, Albin Michel, coll. « Encyclopædia Universalis, 1998, p. 1219.

25. Précaution nécessaire, Platon sachant d'expérience (rappelons-nous ses difficultés avec son ami Dion) que les hommes les plus doués peuvent se pervertir.

un chacun, hommes et femmes, possède la faculté d'apprendre par son âme, qui est l'organe de la connaissance. L'éducation de la raison ne consiste donc pas à introduire la puissance de la raison dans l'âme, puisqu'elle y est déjà. Elle se propose de guider l'âme, de l'amener dans la bonne direction. Platon appelle philosophe celui qui est capable de prendre la bonne direction, c'est-à-dire de s'élever jusqu'aux plus hautes sphères de la connaissance. Le philosophe est celui qui est capable d'harmoniser en lui, à la suite d'une éducation laborieuse, le pouvoir politique et la **science**, c'est-à-dire avoir la capacité d'administrer la chose publique en fonction de la justice et avoir la connaissance de ce qu'est la justice. Contrairement à l'homme de la rue, qui a des **opinions** mais qui ignore l'essence des choses, le philosophe a le pouvoir de connaître les choses et les phénomènes dans ce qu'ils ont d'authentique, d'immuable, d'éternel, bref d'essentiel. Pour Platon, la science est la connaissance de l'être réel des choses et des phénomènes, c'est-à-dire de ce qui constitue l'essence des choses et des phénomènes, par exemple de la Justice ou du Bien ; et le philosophe a le pouvoir et le devoir d'aller au-delà des apparences et des opinions.

science

Pour Platon, «La science est le nom qui désigne la perception par l'âme de la réalité, de ce qui est. Elle est de ce fait la seule connaissance vraie et stable qui soit possible de toutes choses, et son exercice est ce qui permet d'être philosophie.» (L. Brisson et J.-F. Pradeau, *Le vocabulaire de Platon*, Paris, Ellipses, coll. «Vocabulaire de...», 1998, p. 46.)

opinion

Chez Platon, l'opinion (*doxa*) est un intermédiaire entre l'ignorance et la science.

Comment Platon justifie-t-il le passage de l'opinion à la vérité ?

Le passage de l'opinion à la vérité suppose l'existence d'une préconnaissance de ce dont il est question. Platon montre que le philosophe peut, par la dialectique, trouver en lui-même un savoir qu'il n'avait pas conscience de posséder. Comment comprendre, par exemple, le sentiment d'injustice que nous connaissons tous à un moment ou l'autre de notre vie, sans supposer la présence d'une Idée de la justice à l'origine de ce sentiment ? La justice en tant que telle n'a rien d'empirique, c'est-à-dire qu'elle n'existe ni dans nos sociétés, ni parmi les hommes que nous côtoyons tous les jours ; alors d'où vient l'idée de la justice ? De même, nous avons en nous une empreinte de l'idéal de toute chose, sans être pour autant en

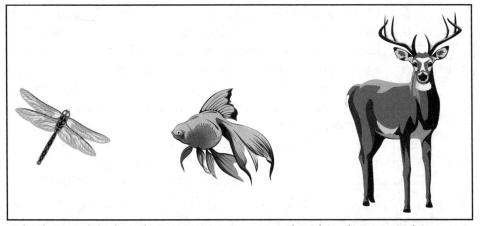

Selon Platon, c'est l'Idée d'animal, présente en nous, qui nous permet de voir l'animalité commune à des êtres aussi divers qu'une libellule, un poisson et un cerf, par exemple (voir p. 106).

pleine possession de cet idéal : pensons au beau, au bien ou à la vérité. Encore une fois, d'où viennent ces idées ? Pour Platon, la réalité se divise en deux parties : le monde sensible dans lequel nous vivons, un monde en devenir, toujours changeant et insaisissable parce qu'accessible aux sens seulement ; et le monde intelligible, un monde invisible où les essences des choses et des phénomènes, sous la forme d'Idées, existent de façon immuable et éternelle. Platon dit des choses multiples qu'elles sont « vues mais non pensées » et des Idées, qu'elles sont « pensées mais non vues ». Entre ces deux mondes, il existe une relation de modèle à copie : les choses multiples ne sont que des copies des essences du monde intelligible.

Comment les êtres humains, vivant dans le monde sensible, celui des choses et des êtres vivants, peuvent-ils comprendre que des êtres aussi divers que la libellule, le poisson et le cerf, par exemple, sont tous des *animaux* ? Comment arrivent-ils à réduire une si grande diversité d'apparences à une seule idée, à savoir l'animalité ? Pour Platon, nous avons le pouvoir de reconnaître l'animalité à travers la diversité parce que nous avons, en dedans de nous, avant même l'expérience de la diversité, l'Idée d'animal. Le monde intelligible est, du point de vue de Platon, l'essence du monde sensible ; en d'autres termes, le monde sensible n'est qu'un reflet du monde des Idées.

Affirmer l'existence d'un monde intelligible suppose qu'on puisse y avoir accès. C'est ici que s'insère la théorie de la connaissance de Platon, dont il a emprunté les idées principales aux cercles pythagoriciens. Elle peut se résumer ainsi : l'**âme** préexiste au **corps**, et c'est pourquoi nous avons une préconnaissance de l'essence des choses, inscrite dans l'âme humaine et accessible par **réminiscence**. L'âme est le principe d'animation de la vie et, en tant que telle, ne peut être mue par rien d'autre, *sinon elle ne pourrait être elle-même un principe d'animation.* Elle est donc autonome par rapport au corps. Antérieure à la naissance proprement dite d'un être humain, l'âme est également immortelle parce qu'elle fait partie du monde intelligible, qui est immuable, identique à lui-même et incorruptible. En s'incarnant dans un corps, elle entraîne avec elle les Idées des choses et des phénomènes qu'elle a pu contempler dans cet au-delà. Elle devient en cela une condition du savoir empirique ; mais le corps qui s'informe sur le monde par l'entremise des sens vient troubler le processus de la connaissance de telle manière que l'être humain est la plupart du temps tiraillé entre l'interprétation de ses sensations et un vague souvenir des essences ou des Idées ramenées à la surface par son âme insistante. C'est ce travail souterrain de l'âme que Platon, fidèle en cela à l'enseignement des cercles pythagoriciens, appelle réminiscence.

Selon Platon, c'est le philosophe qui, grâce à sa formation, est le plus habile dans l'art de se remémorer les Idées contenues dans l'âme. Il a d'abord appris à se méfier des perceptions sensibles, condition *sine qua non* pour pouvoir s'élever dans

âme (*psukhê* / « psyché »)

Chez Platon, l'âme est le principe du mouvement de tout : le monde, la vie, l'homme. Platon conçoit la réalité de l'âme comme un intermédiaire entre le monde sensible et le monde intelligible, ce qui lui permet de faire de celle-ci le sujet de la connaissance véritable. Comme cause du mouvement et sujet de la connaissance, l'âme, lorsqu'elle est incarnée, a le rôle d'animer et de gouverner le corps.

corps (*sôma*)

« Le corps est la partie élémentaire et sensible qui entre dans la constitution du vivant. Tous les vivants sont des organismes corporels (les dieux et démons, l'univers dans son ensemble, l'homme, les animaux et même les plantes). Le terme de corps ne peut désigner qu'un composé élémentaire associé à une âme. Dans le cas du monde aussi bien que dans celui de l'être humain, le corps, qui a un devenir et qui est perceptible par les sens, se distingue donc de l'âme, que son immortalité et son immatérialité apparentent à l'intelligible. » (L. Brisson et J.-F. Pradeau, *Le vocabulaire de Platon*, Paris, Ellipses, coll. « Vocabulaire de... », 1998, p. 19.)

réminiscence

Souvenir confus et vague, où domine la tonalité affective. « Chez Platon, acte par lequel les âmes incarnées se rappellent les Idées qu'elles ont contemplées dans le monde intelligible, avant d'être unies à un corps. » (R. Jolivet, *Vocabulaire de la philosophie*, 5e édition, Lyon, Emmanuel Vitte éditeur, 1962, p. 171.)

le domaine de la connaissance ; ensuite, il s'est exercé, à l'aide des mathématiques, à penser à des réalités qui n'ont rien à voir avec le monde **empirique** ; et finalement, son âme est disposée à se dévoiler à cause de l'intensité du désir de vérité qui l'anime.

Platon explique l'ascension vers la vérité à l'aide d'un mythe

Saisir ce qu'est l'âme et ses manifestations (préexistence, immortalité, réminiscence), le monde intelligible et les Idées, n'est pas une chose facile. Le discours argumentatif ne réussit pas à faire accepter l'existence de telles réalités **métaphysiques**. Platon est un philosophe rationnel, mais quand il se frappe aux limites du discours argumentatif, plutôt que de nier les réalités métaphysiques, il préfère recourir à un procédé d'explication encore dominant dans la culture grecque : le récit mythique. Même s'il précise à plusieurs reprises qu'il ne faut pas prendre à la lettre les récits mythiques, il n'en demeure pas moins qu'il y recourt lorsqu'il s'agit de faire une hypothèse sur une question obscure. C'est donc par un mythe de son invention que Platon s'efforcera d'expliquer l'ascension vers la vérité.

empirique
Ce qui concerne l'expérience sensible, par opposition aux lois de la raison.

métaphysique
(*meta (ta) phusika* / « après les choses de la nature »)
Étude des réalités immatérielles qui ne peuvent être perçues par les sens.

Les éléments de la philosophie platonicienne que nous avons exposés dans la section précédente, Platon les a brillamment condensés dans un passage célèbre de *La République* appelé le mythe de la caverne. Au lieu de le résumer, nous allons le citer intégralement pour que vous puissiez en apprécier toute la beauté et la force explicative.

Le mythe de la caverne

Figure-toi, en comparaison avec une situation telle que celle-ci, la condition de notre propre naturel sous le rapport de la culture ou de l'inculture. Représente-toi donc des hommes qui vivent dans une sorte de demeure souterraine en forme de caverne, possédant, tout le long de la caverne, une entrée qui s'ouvre largement du côté du jour ; à l'intérieur de cette demeure ils sont, depuis leur enfance, enchaînés par les jambes et par le cou, en sorte qu'ils restent à la même place, ne voient que ce qui est en avant d'eux, incapables d'autre part, en raison de la chaîne qui tient leur tête, de tourner celle-ci circulairement. Quant à la lumière, elle leur vient d'un feu qui brûle en arrière d'eux, vers le haut et loin. Or, entre ce feu et les prisonniers, imagine la montée d'une route, en travers de laquelle il faut te représenter qu'on a élevé un petit mur qui la barre, pareil à la cloison que les montreurs de marionnettes placent devant les hommes qui manœuvrent celles-ci et au-dessus de laquelle ils présentent ces marionnettes aux regards du public. — Je vois ! dit-il. — Alors, le long de ce petit mur, vois des hommes qui portent, dépassant le mur, toutes sortes d'objets fabriqués, des statues, ou encore des animaux en pierre, en bois, façonnés en toute sorte de matière ; de ceux qui le longent en les portant, il y en a, vraisemblablement, qui parlent, il y en a qui se taisent. — Tu fais là, dit-il, une étrange description et tes prisonniers sont étranges ! —

C'est à nous qu'ils sont pareils ! repartis-je. Peux-tu croire en effet que des hommes dans leur situation, d'abord, aient eu d'eux-mêmes et les uns des autres aucune vision, hormis celle des ombres que le feu fait se projeter sur la paroi de la caverne qui leur fait face ? — Comment en effet l'auraient-ils eue, dit-il, si du moins ils ont été condamnés pour la vie à avoir la tête immobile ? — Et, à l'égard des objets portés le long du mur, leur cas n'est-il pas identique ? — Évidemment ! —

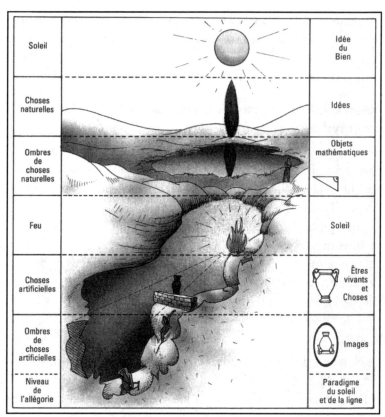

Illustration du mythe de la caverne.

Et maintenant, s'ils étaient à même de converser entre eux, ne croiras-tu pas qu'en nommant ce qu'ils voient ils penseraient nommer les réalités mêmes ? – Forcément. – Et si, en outre, il y avait dans la prison un écho provenant de la paroi qui leur fait face ? Quand parlerait un de ceux qui passent le long du petit mur, croiras-tu que ces paroles, ils pourront les juger émanant d'ailleurs que de l'ombre qui passe le long de la paroi ? – Par Zeus ! dit-il, ce n'est pas moi qui le croirai ! – Dès lors, repris-je les hommes dont telle est la condition ne tiendraient, pour être le vrai, absolument rien d'autre que les ombres projetées par les objets fabriqués. – C'est tout à fait forcé ! dit-il –

Envisage donc, repris-je, ce que serait le fait, pour eux, d'être délivrés de leurs chaînes, d'être guéris de leur déraison, au cas où en vertu de leur nature ces choses leur arriveraient de la façon que voici. Quand l'un de ces hommes aura été délivré et forcé soudainement à se lever, à tourner le cou, à marcher, à regarder du côté de la lumière ; quand, en faisant tout cela, il souffrira ; quand, en raison de ses éblouissements, il sera impuissant à regarder lesdits objets, dont autrefois il voyait les ombres, quel serait, selon toi, son langage si on lui disait que, tandis qu'autrefois c'étaient des **billevesées** qu'il voyait, c'est maintenant, dans une bien plus grande proximité du réel et tourné vers de plus réelles réalités, qu'il aura dans le regard une plus grande rectitude ? et, non moins naturellement, si, en lui désignant chacun des objets qui passent le long de la crête du mur, on le forçait de répondre aux questions qu'on lui poserait sur ce qu'est chacun d'eux ? Ne penses-tu pas qu'il serait embarrassé ? qu'il estimerait les choses qu'il voyait autrefois plus vraies que celles qu'on lui désigne maintenant ? – Hé oui ! dit-il, beaucoup plus vraies ! – Mais, dis-moi, si on le forçait en outre à porter ses regards du côté de la lumière elle-même, ne penses-tu pas qu'il souffrirait des yeux,

billevesée

Parole vide de sens, idée creuse.

que, tournant le dos, il fuirait vers ces autres choses qu'il est capable de regarder ? qu'il leur attribuerait une réalité plus certaine qu'à celles qu'on lui désigne ? — Exact ! dit-il. —

Or, repris-je, suppose qu'on le tire par force de là où il est, tout au long de la rocailleuse montée, de son escarpement, et qu'on ne le lâche pas avant de l'avoir tiré dehors, à la lumière du soleil, est-ce qu'à ton avis il ne s'affligerait pas, est-ce qu'il ne s'irriterait pas d'être tiré de la sorte ? et est-ce que, une fois venu au jour, les yeux tout remplis de son éclat, il ne serait pas incapable de voir même un seul de ces objets qu'à présent nous disons véritables ? — Il en serait, dit-il, incapable, au moins sur-le-champ ! — Il aurait donc, je crois, besoin d'accoutumance pour arriver à voir les choses d'en haut. Ce sont leurs ombres que d'abord il regarderait le plus aisément, et, après, sur la surface des eaux le simulacre des hommes aussi bien que des autres êtres ; plus tard, ce serait ces êtres eux-mêmes. À partir de ces expériences, il pourrait, pendant la nuit, contempler les corps célestes et le ciel lui-même, fixer du regard la lumière des astres, celle de la lune, plus aisément qu'il ne le ferait, de jour, pour le soleil comme pour la lumière de celui-ci. — Comment n'en serait-il pas ainsi ? — Finalement, ce serait, je pense, le soleil qu'il serait capable dès lors de regarder, non pas réfléchi sur la surface de l'eau, pas davantage l'apparence du soleil en une place où il n'est pas, mais le soleil lui-même dans le lieu qui est le sien ; bref, de le contempler tel qu'il est. — Nécessairement ! dit-il. — Après quoi, il ferait désormais à son sujet ce raisonnement que, lui qui produit les saisons et les années, lui qui a le gouvernement de toutes les choses qui existent dans le lieu visible, il est aussi la cause, en quelque manière, de tout ce que, eux, ils voyaient là-bas. — Manifestement, dit-il, c'est là qu'après cela il en viendrait. — Mais quoi ! Ne penses-tu pas que, au souvenir du lieu qu'il habitait d'abord, au souvenir de la sagesse de là-bas et de ses anciens compagnons de prison, il se louerait lui-même du bonheur de ce changement et qu'il aurait pitié d'eux ? — Ah ! je crois bien ! —

Pour ce qui est des honneurs et des éloges que, je suppose, ils échangeaient jadis, de l'octroi de prérogatives à qui aurait la vue la plus fine pour saisir le passage des ombres contre la paroi, la meilleure mémoire de tout ce qui est habituel là-dedans quant aux antécédents, aux conséquents et aux concomitants, le plus de capacité pour tirer de ces observations des conjectures sur ce qui doit arriver, es-tu d'avis que cela ferait envie à cet homme, et qu'il serait jaloux de quiconque aura là-bas conquis honneurs et crédits auprès de ses compagnons ? ou bien, qu'il éprouverait ce que dit Homère et préférerait très fort « vivre, valet de bœufs, en service chez un pauvre fermier » ; qu'il accepterait n'importe quelle épreuve plutôt que de juger comme on juge là-bas, plutôt que de vivre comme on vit là-bas ? — Comme toi, dit-il, j'en suis bien persuadé : toute épreuve serait acceptée de lui plutôt que de vivre à la façon de là-bas ! — Voici maintenant quelque chose encore à quoi il te faut réfléchir : suppose un pareil homme redescendu dans la caverne, venant se rasseoir à son même siège, ne serait-ce pas d'obscurité qu'il aurait les yeux tout pleins, lui qui, sur-le-champ, arrive de la lumière ? — Hé oui ! ma foi, je crois bien ! dit-il. — Quant à ces ombres de là-bas, s'il lui fallait recommencer à en connaître et à entrer, à leur sujet, en contestation avec les gens qui là-bas n'ont pas cessé d'être enchaînés, cela pendant que son regard est trouble et avant que sa vue y soit faite, si d'autre part on ne lui laissait, pour s'y accoutumer, qu'un temps tout à fait court, est-ce qu'il ne prêterait pas à rire ? est-ce qu'on ne dirait pas de lui que, de son ascension vers les hauteurs, il arrive la vue ruinée, et que cela ne vaut pas la peine, de seulement tenter d'aller vers les hauteurs ? et celui qui entreprendrait de les délier, de leur faire gravir la pente, ne crois-tu pas que, s'ils pouvaient de quelque manière le tenir en leurs mains et le mettre à mort, ils le mettraient à mort, en effet ? — C'est tout à fait incontestable ! dit-il[26].

---

26. Platon, *La République*, Livre VII, dans *Œuvres complètes*, trad. par Léon Robin, Paris, Gallimard, coll. «Bibliothèque de la Pléiade», 1950, p. 1101-1105 (514a–517a).

Essentiellement, ce récit montre que la nature humaine n'est pas en relation directe avec la nature de la vérité : il ne lui suffit pas d'ouvrir les yeux pour connaître la vérité. Cependant, l'être humain possède le pouvoir de s'élever au-dessus de son état de nature et ainsi d'atteindre la vérité. C'est la démarche de l'esprit, en quête de la vérité, que Platon appelle « dialectique ».

Le mythe de la caverne suggère que l'éducation à la philosophie permet de conduire les meilleurs d'entre les hommes de l'ignorance à la connaissance. Dépasser les opinions, s'élever jusqu'à la vérité, apparaît comme un apprentissage difficile, voire douloureux. Ailleurs dans *La République*, Platon réfléchit à l'aide d'une analogie sur cette ascension. Il se représente le domaine de la connaissance à l'aide d'une ligne :

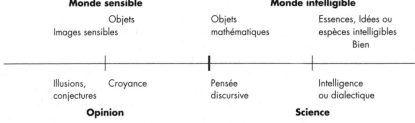

Chaque section de cette ligne correspond à une étape de l'ascension de l'esprit vers la vérité. La ligne est divisée d'abord en deux sections (séparées par le trait plus épais) représentant le *monde sensible* et le *monde intelligible,* associés respectivement à l'opinion et à la science dans l'ordre de la connaissance. Chacune de ces sections est à nouveau coupée en deux. À la première sous-section du monde sensible, Platon associe les images et les impressions que nous avons du monde qui nous entoure. À la sous-section suivante, il attribue les objets matériels et les êtres vivants qui sont à l'origine des images de la sous-section précédente. Avec cette analogie, Platon veut nous faire comprendre que le domaine des opinions se divise aussi en deux parties : d'une part, les illusions ou les perceptions trompeuses et les **conjectures**, qui sont des opinions sans justification, et d'autre part, les croyances et les opinions qui s'enracinent plus profondément dans l'âme et qui demeurent malgré cela étrangères à la vérité. Le fait, dirait Platon, d'avoir la ferme conviction que le maître est devant soi ne donne pas la connaissance de ce qu'est un maître. Le philosophe doit d'abord se libérer du piège des illusions et des conjectures pour entreprendre son ascension vers la vérité.

conjecture
Opinion fondée sur une opinion non vérifiée.

Ce sont les concepts mathématiques qui permettent, selon Platon, de s'élever au-dessus du monde sensible et d'atteindre le monde intelligible représenté à la deuxième section. Les concepts mathématiques ont ceci de particulier : ils sont indépendants du monde empirique ; en d'autres termes, ils n'ont pas besoin des objets matériels pour être pensés. Les exemples des nombres irrationnels[27] et, dans

---

27. Le nombre π était déjà connu des Égyptiens, des Sumériens et des Indiens.

le domaine de la géométrie, du théorème de Pythagore, illustre bien cette idée. Dans l'ordre de la connaissance, Platon associe aux objets mathématiques la pensée discursive, c'est-à-dire la pensée qui s'élabore à partir d'hypothèses et qui produit des conclusions. Il s'agit d'un travail de la raison complètement indépendant des sens. Quant à la dernière section de la ligne, elle représente le domaine des Idées ou du Bien, c'est-à-dire ces réalités suprêmes dont l'âme humaine porte l'empreinte, mais qui sont si difficiles à concevoir. Ce n'est qu'à la suite d'un long travail dialectique sur soi que le philosophe, après beaucoup de peine, parviendra à connaître les choses dans ce qu'elles ont d'authentique, d'immuable et d'essentiel, c'est-à-dire de vrai.

Conclusion

Pour Platon, le monde, tel qu'il nous apparaît, ne peut pas être objet de science, mais seulement objet d'opinion. Les sophistes, qui n'avaient pas postulé l'existence d'un au-delà du monde, avaient abouti au relativisme de la connaissance. En bon disciple de Socrate qu'il était, Platon a refusé d'abandonner l'idéal de la vérité. Mais, pour éviter le relativisme, il a dû penser la vérité comme un absolu, c'est-à-dire comme une réalité totalement indépendante du monde sensible. Le monde intelligible s'oppose donc pour lui au monde sensible. Dans le monde intelligible, l'harmonie des êtres véritables règne sous la forme du Bien et des Idées. Celles-ci sont accessibles à l'être humain, à condition qu'il fasse les efforts nécessaires pour s'élever au-dessus des opinions, c'est-à-dire qu'il utilise une méthode, la dialectique, pour saisir les êtres véritables.

4.3.3 La position aristotélicienne

> Certes la recherche est difficile du fait que ce sont de nos amis qui ont introduit la doctrine des Idées. Peut-être, de l'aveu général, vaut-il mieux et faut-il même, pour sauver la vérité, sacrifier nos opinions personnelles, d'autant plus que nous aussi nous sommes philosophes. On peut avoir de l'affection pour les amis et la vérité; mais la moralité consiste à donner la préférence à la vérité.
>
> ARISTOTE, Éthique de Nicomaque.

Platon avait imaginé un monde intelligible et élaboré une théorie des Idées parce qu'il s'opposait au relativisme et qu'il avait besoin d'atteindre les choses dans ce qu'elles avaient d'immuable pour parler de vérité. Conformément à son maître Socrate, il croyait qu'il n'y avait de science que de l'universel. C'est aussi dans cette direction qu'Aristote inscrira sa recherche de la vérité, mais il causera un bouleversement important en montrant qu'il n'est pas nécessaire d'imaginer un Au-delà au monde réel pour atteindre l'universel. *Aristote critiquera la conception platonicienne de la vérité et proposera une autre méthode de dépassement des opinions.*

Critique de l'idéalisme platonicien

Cicéron (~106-43)

Homme d'État de la Rome antique, orateur célèbre et théoricien de la rhétorique. Cicéron fut également un philosophe et un commentateur de la pensée philosophique de l'Antiquité.

Avec Aristote, il n'est pas question d'expliquer les choses complexes à l'aide du mythe lorsque le discours rationnel rencontre des difficultés. Aristote a reproché à Platon d'avoir conçu les Idées comme des «choses en soi» appartenant à un monde séparé de la réalité. Il a refusé de suivre son maître quand celui-ci inventa un monde transcendant la réalité parce que les justifications et les explications platoniciennes, toutes élégantes qu'elles fussent, étaient peu convainquantes. Relativement au monde des Idées, il aurait fallu croire Platon au lieu de comprendre ses raisons, ce que refusa de faire Aristote. Dans une œuvre de jeunesse, du moins c'est ce qu'affirme **Cicéron** dans *De la Nature des Dieux*, Aristote aurait pris ses distances à l'égard du platonisme en donnant une version démythifiée du mythe de la caverne. Voici ce passage que Cicéron attribue à Aristote:

> Supposons qu'il y ait des gens qui aient toujours habité sous terre, dans de bonnes demeures bien éclairées, ornées de statues et de peintures et pourvues de tout ce qu'ont en abondance les hommes réputés heureux; supposons qu'ils ne soient jamais sortis à la surface de la terre, mais qu'ils aient appris, pour l'avoir entendu dire, qu'il existe des dieux puissants et forts; puis des passages se sont ouverts à un certain moment dans la terre et ils ont pu s'échapper de leur séjour caché pour aller aux lieux que nous habitons; en voyant brusquement la terre, la mer et le ciel, en connaissant l'étendue des nuages et la force des vents, en regardant le soleil, en reconnaissant non seulement sa grandeur et sa beauté, mais sa capacité de produire le jour par la diffusion de sa lumière à travers le ciel tout entier; puis en voyant, une fois la terre obscurcie par la nuit, le ciel entier orné d'étoiles et la diversité de l'éclairement de la lune tantôt croissante, tantôt sur son déclin, le lever et le coucher de tous les astres, leur cours fixe et immuable de toute éternité, en voyant, dis-je, tout cela, ils croiraient certainement que les dieux existent et que de si grandes choses sont leurs ouvrages[28].

Cette allégorie permet à Aristote de se démarquer du platonisme dans la mesure où la conquête du savoir n'implique plus la démarche d'une âme indépendante du corps, mais plutôt une observation attentive du monde qui nous entoure. Le ciel dont il est question est le ciel réel, celui sous lequel nous vivons et qui affecte autant nos sens que notre intelligence. Par ce récit, Aristote laisse entendre que nous avons le pouvoir d'atteindre l'intelligible, tant recherché par Platon, sans supposer l'existence d'un monde intelligible indépendant du monde sensible. Le monde qui se donne à voir aux sens stimule l'intelligence humaine, qui est capable d'en dégager les principes cachés. L'idée que le monde est l'œuvre des dieux peut être dégagée de l'expérience du monde, ce qui rend la croyance platonicienne en un monde intelligible moins crédible.

Cela ne signifie pas qu'Aristote renonce pour autant à l'idée platonicienne d'un monde divisé. Selon Pierre Aubenque, spécialiste de la pensée aristotélicienne, le Stagirite aurait simplement déplacé la division[29]. Au lieu de parler de deux mondes séparés, l'un sensible et l'autre intelligible, Aristote s'en tient au monde

---

28. P.-M. Schuhl (dir.), *Les stoïciens 1*, Paris, Gallimard, coll. «Tel», p. 443.
29. P. Aubenque, *op. cit.*, p. 82.

réel tel qu'il se présente à nous. Par contre, il le divise en deux parties : une région supralunaire (située au-dessus de la sphère[30] lunaire), où le monde céleste bouge de façon circulaire et régulière ; et une région sublunaire (située au-dessous de la sphère lunaire), où les réalités physiques sont soumises aux changements, c'est-à-dire à la génération et à la corruption. Les deux mondes de Platon sont ainsi ramenés à une seule réalité capable de rendre compte de la complexité d'un monde changeant, mais néanmoins intelligible. Les objets célestes comme les étoiles fixes et les sphères des planètes (toujours identiques à elles-mêmes et éternelles) sont des réalités physiques immuables soit perceptibles par les sens, soit perceptibles par le mouvement qu'elles (les sphères) engendrent. C'est donc une réalité complexe, où cohabitent la perfection céleste et les imperfections terrestres, qu'Aristote chercha à comprendre.

Aristote, tout comme son maître Platon, était convaincu que, pour pouvoir expliquer le monde tel qu'il est, c'est-à-dire pour que la science soit possible, il fallait qu'il soit soustrait aux changements. Un monde en perpétuel changement dans toutes ses manifestations, un monde tel qu'Héraclite le concevait (voir la section 2.3.1) ne pouvait s'accorder avec la recherche de la vérité. Aristote ne nie pas le changement, mais il le confine au monde sublunaire, où il est inhérent à la nature des réalités physiques et consiste en un passage incessant de la **puissance** à l'**acte**. En effet, tout dans le monde physique contient en puissance ce vers quoi il tend ; par exemple, l'enfant est un adulte en puissance, l'arbre grandit selon ses propres déterminations, etc.

puissance, acte

Chez Aristote, concepts qui se définissent l'un par rapport à l'autre. La puissance est le potentiel de tout être en devenir ; on pourrait dire que c'est l'être non pleinement réalisé. Quant à l'acte (principe de détermination), c'est l'être achevé, réalisé, qui incarne mieux la perfection.

Comment expliquer le passage de la puissance à l'acte ? Aristote fait intervenir *quatre causes* pour expliquer le monde changeant. D'abord chaque individu ou chaque être tend à se réaliser pleinement, comme s'il était attiré de façon irrésistible par un idéal ; c'est ce qu'Aristote appelle la *cause formelle*. Cet idéal, c'est aussi un but, qu'Aristote nomme *cause finale*. Pour illustrer cette différence, prenons l'exemple d'un sculpteur à l'œuvre : le sculpteur est mû par un idéal, qu'il cherche à représenter : c'est la cause formelle ; mais dans son projet l'artiste se donne un but, par exemple orner le temple de la ville : c'est la cause finale. Bien sûr, tout travail suppose une matière première, ici le bloc de marbre, qu'Aristote appelle *cause matérielle* ; et une force manuelle, celle de l'artiste qui exécute le travail, ce qui correspond à la *cause motrice*.

C'est, bien sûr, la force motrice qui met en œuvre le mouvement. Mais comme elle a elle-même été engendrée, il faudrait remonter à une cause antécédente pour l'expliquer. Et cette cause antécédente, à son tour, a été engendrée par un autre cause… On imagine la suite : nous faisons face à une régression *à l'infini*. Aristote refuse cette idée, qu'il juge absurde, et conçoit un « Premier Moteur » à l'origine de tout mouvement. Il faut bien, croit-il, que tout ait commencé quelque part.

---

30. Le monde supralunaire d'Aristote est composé de neuf sphères de cristal sur lesquelles s'accrochent les étoiles et la Lune. Il ne s'agit donc pas d'orbites, une idée moderne inconnue de l'Antiquité.

Le Premier Moteur a le pouvoir de mouvoir sans être mû par autre chose que lui-même, il est éternel. Si ce Premier Moteur existe quelque part, c'est dans la région supralunaire qu'il se trouve, puisque c'est le monde des astres qui engendre, par le mouvement circulaire, le jour et la nuit, les saisons et les années. Si on peut être tenté de comparer le Premier Moteur à Dieu, il faut bien comprendre qu'il ne s'agit pas, du point de vue d'Aristote, d'un Esprit créateur du monde, mais plutôt de la cause formelle et finale du monde. Armé du Premier Moteur et des quatre causes, Aristote prétend pouvoir expliquer tous les phénomènes en mouvement.

En refusant l'existence du monde intelligible transcendant la réalité et en proposant ses propres principes d'explication du monde, Aristote peut faire l'économie de l'hypothèse des Idées platoniciennes. Celles-ci avaient été supposées pour rendre possible l'existence d'une science rigoureuse. Aristote n'en a plus besoin, le monde supralunaire, immuable de par sa nature, fournissant à la science la base stable dont elle a besoin. Faut-il le rappeler, un monde héraclitéen conduit plus au relativisme qu'à la science, puisque le devenir se laisse difficilement « fixer » par la connaissance. Il faut faire cesser le changement quelque part si on croit en la possibilité de saisir les choses et les phénomènes tels qu'ils sont. Aristote fait descendre les Essences platoniciennes dans le monde réel. Pour lui, les essences ne sont plus ces Idées qui rendent possible les choses sensibles, elles deviennent plutôt des réalités distinctes, des *essences sensibles* qui sont présentes dans le monde et qu'il appelle *substances* (par exemple : homme). Aristote ajoute que les substances peuvent apporter avec elles, accessoirement, des éléments comme la qualité, la quantité, la relation, etc., qui ne font pas partie de leur réalité essentielle, mais la modifient, la modulent. Ce sont autrement dit des manières d'être. Par exemple, l'homme peut être blanc ou noir, grand ou petit, ami ou amant, etc. : « homme » est la substance stable, l'essence sensible, alors que le fait d'être blanc ou noir, grand ou petit, n'est qu'un *attribut,* c'est-à-dire un élément qui qualifie la substance, mais qui ne lui est pas essentiel. L'attribut n'est pas nécessaire, il est au contraire *accidentel*[31], c'est-à-dire qu'il varie selon les circonstances.

Pour Aristote, la réalité du monde peut se traduire naturellement dans le langage, du moins dans les propositions attributives où la substance correspond au sujet de la phrase et où l'accident correspond à l'attribut. Dans l'exemple « Cet homme est grand », « homme » est la substance concrète ou la réalité distincte, à laquelle on attribue accessoirement la grandeur. *Aristote constate donc que, par le langage, l'être humain peut dire ce que sont essentiellement et accidentellement les choses.* En tournant sa réflexion du côté d'une analyse du langage, il traite différemment la difficulté qui consiste à saisir et à analyser la réalité changeante. On peut dire que la première conséquence de la critique aristotélicienne de l'idéalisme platonicien est la formation d'une nouvelle philosophie du langage. Aristote n'a pas abandonné la recherche de l'universel, si nécessaire à la vérité, il l'a tout simplement située ailleurs, dans le langage.

---

31. Incidemment, notons que la terminologie aristotélicienne distingue la substance de ses « accidents ».

Au-delà de l'opinion

À l'idéalisme platonicien, Aristote a opposé une logique du langage, c'est-à-dire une façon d'enchaîner des propositions qui respecte à la fois les règles du raisonnement et les principes fondamentaux de la raison. C'est cette tentative d'Aristote de *dépasser l'opinion* et d'*atteindre la vérité* que nous allons étudier dans cette section.

Logique des propositions

Pour aller à l'essentiel, nous allons limiter cette étude aux propositions dites attributives, c'est-à-dire aux propositions qui affirment d'abord un sujet et qui attribuent à celui-ci une substance, une qualité, une quantité, une relation, etc. Prenons l'exemple suivant : « L'homme est un animal. » Du point de vue grammatical, cette proposition est composée d'un *sujet* (l'homme), d'un *verbe* (être) qui affirme l'existence du sujet et d'un attribut du sujet (animal), que l'on peut aussi nommer *prédicat*. Aristote précise dix *catégories*[32] permettant d'attribuer quelque chose à un sujet. Ce sont, en fait, des façons différentes de dire la réalité des choses. Parmi celles-ci, la substance est une catégorie spéciale, puisqu'elle est censée dire ce qu'est le sujet en tant que tel. Attribuer la substance à un sujet, c'est ni plus ni moins chercher à le *définir* : dire que l'homme est un animal, c'est dire qu'il appartient au genre animal ; en termes plus modernes, on dirait qu'il est un sous-ensemble de l'ensemble animal[33]. Le pouvoir de définir que procure le langage est du point de vue d'Aristote une « machine de guerre[34] » contre la croyance platonicienne en l'existence d'Idées indépendantes de tout individu.

En faisant l'analyse systématique des différentes formes de propositions attributives, Aristote a jeté les bases de la logique classique, un outil indispensable pour le développement de la pensée discursive. Dans un texte intitulé les *Premiers Analytiques,* Aristote précise qu'il existe quatre types de proposition attributive. Il s'agit des propositions suivantes :

a) Universelles affirmatives (Tous les hommes sont des animaux.)
b) Universelles négatives (Tous les hommes ne sont pas éternels.)
c) Affirmatives particulières (Quelques hommes sont blancs.)
d) Négatives particulières (Quelques hommes ne sont pas blancs.)

Afin de mieux comprendre les rapports entre les termes d'une proposition, Aristote a transcrit les diverses formes de propositions en langage schématique, comme en mathématiques. La forme générale d'une proposition attributive (qu'on appelle aussi « prédicative ») est donc *S est P,* ce qui signifie que le sujet

---

32. Les catégories sont la substance (la définition), la quantité, la qualité, la relation, le lieu, le temps, la position, l'état, l'action et la passion.
33. Nous verrons plus loin que, pour bien définir, il faut préciser les différences spécifiques qui permettent de distinguer la substance en question des autres appartenant au même genre. Il faut dire quel type d'animal est l'homme pour bien le définir : l'homme est un animal raisonnable.
34. L'expression est de Monique Canto-Sperber, dans *Philosophie grecque,* Paris, P.U.F., coll. « Premier cycle », 1997, p. 387.

appartient au prédicat. Si on reprend les distinctions de tout à l'heure, les propositions attributives peuvent s'écrire de la façon suivante :

a) Universelles affirmatives (Tous les S sont P.)
b) Universelles négatives (Tous les S ne sont pas P.)
c) Affirmatives particulières (Quelques S sont P.)
d) Négatives particulières (Quelques S ne sont pas P.)

Cette réécriture met en évidence les relations entre les termes de la proposition et facilite du même coup l'analyse des relations entre les propositions, c'est-à-dire du raisonnement.

Logique des raisonnements (les syllogismes)

Aristote a montré que lorsque les propositions s'enchaînent d'une certaine façon, elles forment des raisonnements dont les conclusions peuvent s'imposer de façon nécessaire auprès de toute personne capable de raison. Ainsi, pour Aristote, il est possible de dépasser l'opinion grâce au raisonnement rigoureux, dont la conclusion est nécessaire. Il appelle *syllogisme* ce type de raisonnement et le définit comme suit :

> Le *syllogisme* est un discours dans lequel, certaines choses étant posées, quelque chose d'autre que ces données en résulte nécessairement par le seul fait de ces données. *Par le seul fait de ces données* : je veux dire que c'est par elles que la conséquence est obtenue ; à son tour, l'expression *c'est par elles que la conséquence est obtenue* signifie qu'aucun terme étranger n'est en sus requis pour produire la conséquence nécessaire[35].

Aristote a créé une méthodologie du raisonnement capable de conclure de façon nécessaire. Il distingue trois sortes de syllogismes : le syllogisme démonstratif, le syllogisme dialectique et le syllogisme rhétorique. Nous allons nous intéresser seulement au syllogisme démonstratif, parce qu'il concerne de façon plus particulière les conclusions nécessaires dont il est question ici. On pourrait dire que *la démonstration* aristotélicienne, lorsqu'elle est bien faite, *part de prémisses vraies et aboutit à une conclusion nécessaire*, qui n'est en réalité qu'une conséquence irréfutable tirée de l'acceptation des prémisses. Prenons le syllogisme suivant :

> *Tous les animaux sont mortels.*
> *Tous les hommes sont des animaux.*
> *Donc tous les hommes sont mortels.*

On constate que le syllogisme est composé de trois propositions. Les deux premières sont des *prémisses* et la troisième, qui se distingue par le marqueur « donc », est la *conclusion*. Dans ces propositions, il y a trois termes : le *sujet (S)* « hommes » et le *prédicat (P)* « mortels » de la conclusion, qui apparaissent aussi dans les prémisses, où ils sont comparés à un même troisième terme, qu'Aristote appelle

---

35. Aristote, *Organon III — Les premières analytiques*, trad. par J. Tricot, Paris, Vrin, coll. « Bibliothèque des textes philosophiques », 1992, p. 4-5.

le *moyen terme (M)* («animaux»). On peut donc réécrire schématiquement le syllogisme de la façon suivante:

Tous les M sont P.
Tous les S sont M.
Donc tous les S sont P.

Cette réécriture permet de mettre en évidence le squelette du raisonnement et facilite l'analyse des relations entre les propositions. Aristote a formulé neuf règles (lire l'encadré ci-dessous) que tout syllogisme doit respecter pour que la conclusion s'impose comme nécessaire.

Règles de construction et de validité du syllogisme

1. Tout syllogisme doit avoir trois termes et trois termes seulement.
2. Le moyen terme ne doit jamais apparaître dans la conclusion.
3. Le moyen terme doit être pris universellement au moins une fois.
4. Si le terme est pris universellement dans la conclusion (qu'il soit sujet ou attribut), il doit avoir été pris universellement dans la prémisse où il apparaît.
5. Si une prémisse est négative, la conclusion doit être négative.
6. Si les deux prémisses sont négatives, on ne peut logiquement rien conclure.
7. Si une prémisse est particulière, la conclusion doit être particulière.
8. Si les deux prémisses sont particulières, on ne peut logiquement rien conclure.
9. Si les deux prémisses sont affirmatives, la conclusion doit être affirmative[36].

On peut constater que le syllogisme que nous avons formalisé plus haut respecte les règles de validité du syllogisme et que, par conséquent, sa conclusion apparaît *nécessaire* du point de vue de la raison. Mais peut-on parler de conclusion *vraie* pour autant? En d'autres termes, est-ce qu'une conclusion logiquement acceptable, c'est-à-dire qui respecte les règles de la logique, est nécessairement vraie? On peut en douter. Il suffit de trouver un exemple dont la conclusion est logiquement acceptable tout en étant incertaine pour s'en convaincre.

Tous les esprits sont créateurs.	*Tous les M sont P.*
Dieu est un esprit.	*S est M.*
Donc Dieu est créateur.	*Donc S est P.*

Ce syllogisme respecte les règles: sa conclusion est valable, c'est-à-dire que le passage des prémisses à la conclusion n'est pas fautif. Mais elle n'est pas vraie pour autant. Vous l'avez remarqué, la première prémisse ne correspond pas à la réalité. La vérité n'est pas qu'une affaire de **déduction**. En effet, dans le syllogisme

déduction

Procédé de pensée par lequel on conclut d'une ou de plusieurs propositions données (prémisses) à une proposition qui en résulte, en vertu de règles logiques (*Le Petit Robert*).

---

36. G. Doyon et P. Talbot, *La logique du raisonnement*, Québec, Le Griffon d'argile, coll. «Philosophie», p. 83-95.

démonstratif, la vérité n'appartient pas qu'à la conclusion, elle est déjà inscrite dans le contenu des prémisses. Par exemple :

Tous les hommes sont mortels.	*Tous les M sont P.*
Socrate est un homme.	*S est M.*
Donc Socrate est mortel.	*Donc S est P.*

La vérité de la conclusion est une conséquence de la vérité du contenu des prémisses. Par ailleurs, pour Aristote, chaque science repose sur des prémisses indémontrables ; il n'est pas besoin de démontrer par exemple que « le tout est plus grand que la partie ». La déduction d'une conclusion suppose donc une opération préalable qui permet de formuler les prémisses : l'induction.

L'induction et la généralisation

induction

Raisonnement dont la conclusion est le résultat d'une généralisation empirique. Cette conclusion peut être obtenue après l'examen exhaustif de tous les cas possibles ou d'un grand nombre de cas.

Aristote croit que l'esprit humain a le pouvoir de produire l'universel à partir de l'examen de cas particuliers, c'est-à-dire par **induction**. Il cherche par là à réhabiliter le monde sensible, que Platon avait présenté comme un théâtre d'ombres et d'illusions. Dans l'exemple que nous avons donné plus haut, la prémisse « Tous les hommes sont mortels » est le résultat d'une induction ; en d'autres termes, elle est la généralisation du fait maintes fois observé (et pour lequel nous ne connaissons pas d'exception) que les hommes meurent. Même si le procédé d'induction n'a pas la rigueur du syllogisme démonstratif, puisqu'il suffirait d'observer un seul cas contraire pour démolir l'induction, il nous élève à l'intuition de l'universel.

L'élévation dont il est question ici est sans commune mesure avec l'élévation de l'âme chez Platon. Pour Aristote, l'âme est la forme du corps, c'est-à-dire un principe d'animation qui donne vie au corps ; un corps sans âme est un cadavre et une âme sans corps est une absurdité. En tant que forme, l'âme n'est pas une réalité distincte ; c'est le composé « corps et âme » qui constitue la substance. Donc, pour le Stagirite, l'âme n'est pas indépendante du corps, elle ne peut pas se prolonger dans une autre vie ni préexister à une vie particulière. Mais alors, qu'en est-il de l'élévation à l'intuition de l'universel ? En tant que principe de vie, l'âme n'est pas le propre de l'être humain. La plante est elle aussi capable de croître, de se nourrir et de se reproduire, et c'est parce qu'elle est animée par un principe de vie qu'Aristote appelle « âme végétative ». L'animal possède en outre la capacité d'utiliser ses sens, c'est-à-dire de percevoir le monde ; aussi possède-t-il une « âme sensitive ». On le constate, Aristote a construit sa conception de l'âme selon un schéma ascendant : à partir de la fonction végétative, l'âme peut s'élever à la fonction sensitive ; puis, de la fonction sensitive elle peut s'élever à la fonction « intellective », qui conserve les qualités des niveaux précédents tout en les dépassant. L'être humain est capable d'aller au-delà de la perception du monde ; il peut comprendre le monde, c'est-à-dire remonter jusqu'au principe qui l'anime parce qu'il a une âme qui le permet :

> Dans plusieurs parties de son œuvre [...] Aristote insiste sur la continuité du passage qui permet de s'élever de la sensation à la science, passage qui n'est au

demeurant que l'actualisation de ce qui est en puissance dans la sensation: car le particulier, objet de la sensation, est en puissance l'universel, objet de la science[37].

Les principes de la raison

Le raisonnement idéal, pour Aristote, est le syllogisme démonstratif, parce que celui-ci repose sur des prémisses universelles (axiomes) qui n'ont pas besoin d'être démontrées, tandis que les syllogismes rhétorique et dialectique partent d'opinions probables, idéalement crédibles, pour aboutir à des conclusions valides dans le but de réfuter (dialectique) ou de persuader (rhétorique). Mais, dans la vie, nous ne raisonnons pas seulement pour donner des preuves de ce qu'on avance: dans certaines circonstances, nous cherchons à réfuter des raisonnements; en politique, nous raisonnons pour persuader la majorité; au tribunal, nous raisonnons pour accuser ou pour défendre; en somme, la raison n'est pas l'apanage de la science. Toutefois, pour Aristote, il existe des principes communs à tous les types de raisonnement qui sont fondamentalement indémontrables et qui s'imposent à tout esprit rationnel. Nous allons en examiner quelques-uns dans ce qui suit. Le *principe d'identité* (S est S) doit être respecté pour que le raisonnement puisse être acceptable du point de vue de la raison. Tout comme en algèbre le terme x doit garder la même valeur tout le long de l'opération, en logique le sujet de la conclusion doit se retrouver dans les prémisses. Si j'avance les prémisses suivantes: « Tous les hommes sont mortels » et « Socrate est un homme », il serait inacceptable du point de vue de la raison de conclure « Platon est mortel. » Et cela même s'il est vrai que Platon soit mortel. La seule conclusion acceptable est « Socrate est mortel. » Le principe d'identité s'impose comme une loi pour quiconque veut faire usage de la raison.

Un autre principe s'impose de lui-même comme une loi de la raison, c'est le *principe de non-contradiction*. Aristote l'emprunte, nous l'avons déjà vu, à Parménide. Il en fait une loi du raisonnement, un élément de sa logique. *On ne peut affirmer une chose et son contraire en même temps*. Si, dans un raisonnement, j'affirme un sujet ou un prédicat, je ne peux pas le nier dans le même raisonnement sans paralyser la raison. Si j'affirme « Tous les hommes sont mortels » et que j'enchaîne avec « Aucun homme n'est mortel », que puis-je logiquement conclure? Rien! La raison s'en trouve neutralisée.

Aristote propose un troisième *principe,* moins connu que les deux autres, mais non moins important du point de vue de la direction de la raison, celui *du tiers exclu.* Très souvent, en démocratie, on a tendance à résoudre les controverses, disons les controverses politiques, en cherchant un compromis, qu'on appelle « troisième voix » ou « juste milieu ». Aristote n'est pas contre la recherche du juste milieu en politique, au contraire. Mais lorsqu'il s'agit de propositions attributives, il soutient qu'on ne peut qu'affirmer ou nier un sujet ou un prédicat, qu'il n'y a

---

37. P. Aubenque, « Aristote et le Lycée », dans Brice Parain (dir.), *Histoire de la philosophie*, vol. 1: *Orient — Antiquité* » Paris, Gallimard, coll. « Folio Essais », 1999, p. 668.

pas de troisième voix. Ou bien « Socrate est un homme », ou bien « Socrate n'est pas un homme » ; il n'y a pas d'intermédiaire, dirait Aristote, entre homme et non homme. La proposition « Socrate est un chat » n'est pas un intermédiaire ; c'est une autre proposition attributive.

En somme, pour Aristote, ces trois principes ont force de loi pour quiconque veut faire usage de sa raison.

4.4 Retour sur la question

Dans le chapitre 3, nous avons vu que certaines opinions pouvaient être meilleures que d'autres. Est-ce là une raison suffisante pour parler de vérité ? Pour Platon et Aristote, il existe des opinions dont la valeur est telle qu'elles semblent faire un saut qualitatif, c'est-à-dire quitter le domaine des opinions subjectives et atteindre le domaine de l'universel et des vérités.

Chez Platon, c'est la valeur des raisonnements mathématiques qui permet de croire au dépassement des opinions subjectives : l'être humain est capable de produire des raisonnements mathématiques dont la valeur est universelle et incontestable. Mais, dans des domaines comme celui de la justice ou de l'amour, peut-on arriver à des résultats aussi probants qu'en mathématiques ? Platon en est convaincu. Le fait que nous soyons capables de reconnaître l'injustice constitue à ses yeux une preuve que nous avons une connaissance implicite de la justice. Pour reconnaître l'injustice, il faut avoir une Idée de ce que la justice est. De la même manière, on reconnaît l'amour ; il s'impose avec force, nous le vivons intensément, on ne peut l'ignorer. L'Idée d'amour doit donc exister, sinon le fait d'être en amour n'aurait pas de sens. On peut dépasser la reconnaissance du sentiment amoureux ou du sentiment d'injustice et connaître ces Idées de manière explicite. Mais cela exige de l'effort : il faut d'abord, selon Platon, éviter les pièges des premières impressions et des préjugés ; ensuite, nous l'avons vu, analyser de façon critique les différents points de vue, de manière à se libérer de l'empire des opinions ; et, finalement, appréhender les Idées que notre âme peut révéler. *Platon a-t-il raison de croire que l'être humain a le pouvoir de saisir la vérité des choses avec l'esprit ?*

La façon dont Aristote envisage le dépassement des opinions et l'atteinte de la vérité diffère considérablement de celle de Platon. Pour lui, c'est la capacité qu'a l'être humain de produire des syllogismes, c'est-à-dire des raisonnements dont la conclusion s'impose avec nécessité pour toute personne raisonnable, qui démontre la possibilité du dépassement des opinions. Cette nouvelle recherche d'une certaine forme d'universalité entraîne la remise en cause du relativisme prôné par les sophistes. Mais pas complètement. En effet, il y a une distinction importante à faire entre la *vérité* et la *validité* des raisonnements. Nous l'avons vu, un raisonnement peut être fait dans les règles, c'est-à-dire être valide, et ne pas être vrai pour autant ; la vérité est une question de correspondance avec la réalité, tandis que la validité ne concerne que la forme du raisonnement. Dans le syllogisme démonstratif, la vérité est contenue (ou non) à la base du raisonnement, c'est-à-dire dans ses prémisses, et sa conclusion ne peut que la confirmer. La démonstration consiste simplement à tirer les conséquences de vérités déjà admises. Ce n'est donc pas son pouvoir qui fonde les vérités, mais un autre pouvoir de la raison: l'induction. L'induction, elle, relève de l'expérience sensible. Par exemple, nous avons l'expérience de la mort des êtres vivants qui se répète indéfectiblement, nous gardons en mémoire l'essentiel de cette expérience et nous *induisons* de celle-ci une proposition générale pour laquelle nous ne connaissons pas d'exception: «Tous les êtres vivants sont mortels»; puis nous considérons cette proposition comme une vérité, puisqu'aucune personne raisonnable ne peut la contredire. Mais le raisonnement inductif a ses limites, car nous ne pouvons faire l'expérience de tous les cas possibles; il existe peut-être un cas situé hors du champ de notre expérience qui contredit l'énoncé. Aristote le sait et défend malgré tout l'idée que la vérité s'impose à l'esprit et n'a pas besoin d'être démontrée: «Tous les êtres vivants sont mortels», «Tous les enfants sont nés d'une mère[38]» sont des exemples de propositions qui n'ont pas besoin d'être démontrées, selon Aristote. N'empêche, la question se pose: *Aristote a-t-il raison de soutenir que l'être humain peut appréhender la vérité malgré les limites de l'induction et le caractère indémontrable des principes fondamentaux de la raison?*

---

38. Aujourd'hui, on sait qu'un enfant peut naître de deux mères, une mère biologique et une mère porteuse; cela montre la fragilité des propositions induites de l'expérience.

Conceptualiser et problématiser

des habiletés à développer

Platon et Aristote sont les premiers philosophes à part entière, du moins d'après ce que nous pouvons juger au vu des documents qui nous sont parvenus de l'Antiquité. Rappelons que notre connaissance des penseurs présocratiques est principalement indirecte, c'est-à-dire que c'est par l'intermédiaire d'autres auteurs anciens que nous connaissons leur pensée; de leurs textes originaux, il ne nous est parvenu que des fragments. Quant à Socrate, qui s'est toujours refusé à écrire, nous ne le connaissons lui aussi qu'indirectement, surtout par l'entremise des dialogues de Platon. Les œuvres de Platon et d'Aristote ont au contraire traversé sans trop de dommages ni de pertes les nombreux siècles qui nous en séparent.

L'étude de ces deux philosophes montre que c'est surtout à l'aide de la raison qu'ils traitent des questions fondamentales. D'abord, ils sont capables de justifier leur propre point de vue: ce sont des maîtres dans l'art de l'argumentation. Mais ils poussent plus loin l'exercice de la pensée rationnelle lorsqu'ils pratiquent la conceptualisation et la problématisation. Dans les pages qui suivent, nous allons exposer l'essentiel de leur enseignement de façon simplifiée, afin de vous permettre de vous approprier ces deux habiletés.

La conceptualisation

La capacité de définir d'une façon claire et précise les notions importantes d'une question philosophique est un élément important de la rationalité. Platon et Aristote ont proposé, chacun à sa manière, une méthode pour dépasser la préoccupation qui consiste à préciser le sens des mots, et du même coup ils ont fait faire à la pensée rationnelle un pas en avant. Nous l'avons déjà souligné, la méthode platonicienne de la définition n'est plus vraiment utilisée tandis que celle d'Aristote est au contraire encore utile pour toute personne qui veut pratiquer la conceptualisation.

En développant une philosophie du langage, Aristote place dans une nouvelle perspective l'exigence de précision du sens des mots. Il s'interroge sur l'opération de l'esprit qui mène à la définition, c'est-à-dire qu'il cherche à comprendre la *logique de la définition*. Définir une chose, cela veut dire aller au-delà de la notion d'une chose, la notion n'étant qu'une idée spontanée qui reste vague parce qu'elle n'est pas réfléchie; par exemple, c'est la notion de justice que l'on invoque lorsqu'on parle du sentiment d'injustice qui nous habite et dont nous faisons tous l'expérience à un moment ou l'autre de notre existence. Aller au-delà de la notion d'une chose, c'est en saisir les caractéristiques. Pour Aristote, l'être humain utilise le langage, et en particulier la proposition attributive, pour dire ce que sont les choses. Dans la proposition « L'homme est... », il manque les attributs du sujet qui permettraient d'en comprendre le sens. *Conceptualiser c'est* donc, dans un premier temps, *cerner les attributs du sujet* que l'on cherche à comprendre. Mais il ne s'agit pas ici de dresser une simple liste des attributs ; il faut exercer son jugement, évaluer la pertinence des attributs en fonction du contexte et ne conserver que les attributs significatifs.

Aristote montre que *la conceptualisation consiste aussi à mettre de l'ordre dans les idées*. Mettre de l'ordre, classer, est une opération qui ajoute du sens. Il faut donc ordonner les attributs. Comment ? Du général au particulier. Pourquoi ? Parce qu'il faut d'abord trouver un *attribut* assez *général* pour contenir le sujet, c'est-à-dire placer celui-ci dans l'ensemble auquel il appartient. Par exemple, placer l'amour parmi l'ensemble des sentiments constitue un premier effort de conceptualisation. Mais l'esprit ne peut pas se contenter d'une caractéristique générale, parce qu'il existe, dans l'ensemble « sentiments », des sous-ensembles qui ne sont pas l'amour. Alors comment distinguer ce sentiment des autres sentiments ? Comment distinguer l'amour de la haine ou, plus difficile encore, de l'amitié ? Il faut cerner les *attributs* qui sont *particuliers* à l'amour et qui le distinguent des autres sentiments appartenant au même ensemble. Dans le choix de ces attributs de second niveau, il faut s'en tenir à ceux qui sont propres à la chose ; par exemple, l'homme est un *animal* (attribut général) qui se distingue par le fait d'être *raisonnable, libre, capable de distinguer le bien du mal, capable d'aimer ou de rire* (attributs propres ou spécifiques au sujet), etc. Ici aussi, il faut faire preuve de jugement et retenir ce qui est le plus pertinent selon le contexte. Les définitions suivantes : « L'homme est un animal raisonnable » et « L'homme est un animal capable de rire », toutes acceptables soient-elles, peuvent être insensées dans certains contextes.

En résumé, la conceptualisation est un effort d'abstraction qui consiste à cerner l'attribut essentiel et les attributs propres du sujet, et à ordonner ces derniers de façon à établir des liens qui donnent un sens à la réalité étudiée.

La problématisation

La capacité de bien poser un **problème** est aussi un élément important de la rationalité. L'habileté qui consiste à exposer le problème impliqué dans une affirmation ou une question est incontournable pour quiconque veut pratiquer la philosophie.

problème
Question ou difficulté à résoudre, ce qui prête à discussion.

Platon a développé l'art de dévoiler les fausses évidences et les préjugés qui se profilent derrière certaines affirmations. Pour y parvenir, il questionne les affirmations à la manière de Socrate (le personnage principal de ses dialogues) dans le but de les rendre douteuses et du même coup d'ébranler les certitudes. Mais problématiser, ce n'est pas simplement désorienter la pensée, secouer les convictions, c'est aussi découvrir la question philosophique cachée derrière une affirmation. Par exemple, l'affirmation « Socrate devrait s'évader[39] » cache une question philosophique fondamentale, qui ne peut pas être ramenée à la simple forme interrogative de

---

39. Voir les exercices du chapitre 3.

l'affirmation, «Socrate devrait-il s'évader?» En *examinant le débat* sous-entendu dans l'affirmation, on constate que, pour certains, la condamnation de Socrate constitue une telle injustice qu'il faut tout mettre en branle pour en empêcher l'exécution; tandis que, du point de vue juridique, il importe de respecter les lois, et cela même au risque de l'erreur judiciaire; on ne peut répondre à l'injustice par une autre injustice. Et ainsi on en arrive à formuler une question beaucoup plus fondamentale que la précédente: «Faut-il toujours respecter les lois?» Il importe donc de remonter à la question fondamentale. Celle-ci permet de découvrir la vraie nature du problème discuté; dans notre exemple, on constate que ce sont les attitudes face à la loi qui prêtent à discussion. Problématiser, c'est donc questionner une affirmation de manière à découvrir la question fondamentale qu'elle implique et à mettre en évidence la difficulté à résoudre.

En philosophie, les questions fondamentales sont primordiales. Il faut donc savoir les reconnaître et mettre en évidence les difficultés qu'elles impliquent. Aristote, au tout début du livre B de la *Métaphysique*, réfléchit sur la démarche de la problématisation dans les termes suivants:

> Dans l'intérêt de la science que nous cherchons à déterminer, un premier soin tout à fait nécessaire, c'est d'indiquer les questions préliminaires que nous devons traiter avant toutes les autres. Ces questions sont d'abord celles que les philosophes ont discutées en sens contraires, et, indépendamment de ces questions controversées, celles qui ont pu être omises par nos devanciers. Pour arriver aux solutions vraies qu'on désire, il faut préalablement bien poser les problèmes; car la conclusion définitive et satisfaisante qu'on obtient n'est que la solution des doutes qu'on avait tout d'abord soulevés. Il n'est guère possible de défaire un nœud si l'on ignore comment il a été noué; et c'est la question que l'intelligence se pose qui nous montre le nœud de la difficulté pour l'objet qui nous occupe. L'esprit, quand il est embarrassé par un doute, est à peu près dans le cas d'un homme chargé de chaînes. Des deux parts, on est hors d'état de pouvoir avancer et faire un pas. C'est déjà là un motif pour passer premièrement en revue toutes les difficultés du sujet. Mais à ce motif, s'en joint un second: c'est que, si l'on se livre à des recherches avant de s'être posé les questions qu'on veut résoudre, on fait à peu près comme ceux qui marchent sans savoir où ils vont; et, en outre, on s'expose à ne pas même savoir reconnaître si l'on a trouvé, ou si l'on n'a pas trouvé ce qu'on cherche. Dans cette situation, on ne voit pas clairement le but qu'on poursuit, tandis que ce but est de toute évidence, si tout d'abord on s'est bien posé les questions à débattre. Enfin, on est nécessairement bien mieux en mesure de juger, lorsque l'on a entendu toutes les opinions, qui se combattent entre elles comme le font les plaideurs devant un tribunal[40].

Aristote propose de procéder à un examen exhaustif et critique des opinons des philosophes qui ont déjà réfléchi sur un sujet de manière à se faire une idée précise des difficultés en jeu. Convaincu qu'on apprend de la controverse, il impose

---

40. Aristote, *La Métaphysique,* trad. par J. Barthélemy-Saint-Hilaire, Angleterre, Pocket, coll. «Agora Les Classiques», 1995, p. 93 (995*a-b*).

comme un chemin nécessaire l'examen des opinions contraires avant de juger par soi-même. Un tel inventaire permet soit de découvrir des questions oubliées, soit de mettre en lumière le débat qui est au cœur du problème.

Prenons par exemple une question qui a préoccupé les prédécesseurs d'Aristote : « Tout ce qui apparaît est-il vrai ? » Un examen attentif des opinions divergentes sur cette question peut faire apparaître un débat et révéler du même coup la nature du problème discuté. Utilisons les chapitres précédents pour faire l'inventaire des opinions sur cette question. D'un côté, les penseurs héraclitéens croient que le monde dans lequel ils vivent est en tant que tel insaisissable parce qu'il est essentiellement en devenir. Un tel monde ne peut qu'échapper à la connaissance véritable, puisqu'à chaque fois qu'on tente de dire ce qu'il est, il n'est déjà plus le même. Si l'être du monde n'est pas, parce que le monde n'est que devenir, *la vérité* ne peut exister. Protagoras, en bon héraclitéen qu'il est, est convaincu qu'on ne peut pas dire la vérité sur le monde et que, par conséquent, l'idée même de vérité universelle est une absurdité. Par contre, il défend l'idée que si jamais elle existe, la vérité se trouve dans les impressions. La façon dont le monde apparaît à un individu est irréfutable ; on ne peut récuser une perception. Bien sûr, la vérité dont il est ici question est toute relative et suppose la négation de la vérité universelle. De l'autre côté, certains penseurs, plus fidèles à Parménide qu'à Héraclite, croient que la thèse d'après laquelle « Tout ce qui apparaît est vrai » est insoutenable parce que contradictoire. Même leurs adversaires, disent-ils, seraient obligés de reconnaître qu'*une même chose* peut paraître lisse de loin et rugueuse de proche ; or, si vraiment « tout ce qui apparaît est vrai », il y aurait là une sérieuse contradiction, car comment une même chose pourrait-elle posséder, au même moment, des qualités opposées ? Pour Platon, l'objet qui paraît lourd aux faibles et léger aux forts existe en réalité indépendamment des perceptions que les individus peuvent en avoir. C'est la réalité qui est la cause des perceptions individuelles. Qui plus est, Platon croit que cette réalité est connaissable, à la condition que l'individu soit capable de mettre entre parenthèses ses perceptions et qu'il s'élève au niveau abstrait des Idées conçues comme des réalités absolues existant dans un monde intelligible.

Bref, les uns prétendent que le monde n'est que devenir et que sa connaissance ne peut qu'être relative aux circonstances et aux individus, tandis que les autres affirment que le monde est *une réalité* qui est connaissable en tant que telle. Cette controverse révèle un problème relatif à l'existence de l'Être du monde et à la possibilité de sa connaissance. La nature du problème étant cernée, nous pouvons maintenant poser des questions nouvelles, soulever des doutes, entreprendre une réflexion personnelle et critique. Ce que propose Aristote, c'est de prendre la peine de s'informer sur le sujet, de faire un effort pour cerner la nature du problème avant de formuler ses propres questions ou ses propres opinions : « [...] il faut préalablement bien poser les problèmes ; car la conclusion définitive et satisfaisante qu'on obtient n'est que la solution des doutes qu'on avait tout d'abord soulevés. »

Questions *et exercices*

Questions de compréhension

1. Quels sont les signes du déclin de la démocratie athénienne pendant la première moitié du ~IVᵉ siècle?

2. Qu'est-ce que le cynisme?

3. Sur quoi porte principalement le désaccord entre Platon et Aristote concernant le dépassement de l'opinion?

4. Comment s'effectue le passage de l'opinion à la vérité chez Platon?

5. Comment s'effectue le passage de l'opinion à la vérité chez Aristote?

6. Quels sont les trois principes de la raison chez Aristote? Expliquez-les.

Exercice 4.1 *Analyse du mythe de la caverne de Platon (voir à la p. 107)*

- Décrivez les différentes épreuves que doit subir le prisonnier que l'on force à sortir de la caverne.

- Quelle vison de la réalité le prisonnier a-t-il à chaque étape de sa libération forcée?

- Établissez le parallèle entre les étapes de la libération du prisonnier et la métaphore de la ligne (voir à la p. 110) utilisée par Platon pour expliquer l'ascension vers la vérité.

Exercice 4.2 *La conceptualisation de la notion de citoyen chez Aristote*

Voici un extrait tiré de *La Politique* d'Aristote:

> Nous devons examiner qui a droit à l'appellation de citoyen, et quelle est la nature du citoyen. C'est qu'en effet, sur la question du citoyen, les avis sont partagés, et le même individu n'est pas reconnu par tous les États comme étant un citoyen: ainsi celui qui est citoyen dans une démocratie, souvent n'est pas citoyen dans une oligarchie.
>
> Laissant de côté ceux qui acquièrent le titre de citoyen de quelque façon exceptionnelle, par exemple les citoyens naturalisés, nous dirons d'abord que le citoyen n'est pas citoyen par le seul fait d'habiter un certain territoire (puisque métèques et esclaves ont en commun avec les citoyens le droit à domicile); ne sont pas non plus citoyens ceux qui participent aux seuls droits politiques leur permettant de jouer le rôle de défendeur ou de demandeur dans les procès

(car ce droit appartient aussi aux bénéficiaires de traités de commerce, auxquels on le reconnaît également ; bien plus, en beaucoup d'endroits, les métèques ne participent même pas complètement à ces avantages, puisqu'ils sont obligés de se choisir un patron, de sorte qu'ils n'ont part que d'une manière en quelque sorte incomplète à cette ébauche de communauté), mais ils sont citoyens à la façon des enfants qui, en raison de leur âge, n'ont pas encore été inscrits, ou des vieillards qui ont été déchargés de leurs devoirs civiques, et dont on doit dire qu'ils sont des citoyens en un certain sens seulement : ce ne sont pas des citoyens au sens tout à fait complet du terme, mais on spécifiera que les premiers sont des citoyens encore imparfaits et les seconds des citoyens ayant passé l'âge de la maturité, ou quelque autre désignation analogue (peu importe laquelle, ce que nous disons là étant suffisamment clair). Nous cherchons, en effet, à définir le citoyen au sens plein, qui ne donne prise à aucune disqualification du genre que nous venons de voir, nécessitant l'addition d'un terme rectificatif : car des difficultés du même ordre peuvent aussi être soulevées et résolues de la même façon au sujet des citoyens frappés d'*atimie*[41] ou de peines d'exil. Un citoyen au sens absolu ne se définit par aucun autre caractère plus adéquat que par la participation aux fonctions judiciaires et aux fonctions publiques en général[42]. Or, parmi les fonctions publiques, les unes sont discontinues sous le rapport du temps, de sorte que certaines ne peuvent absolument pas être remplies deux fois par le même titulaire, et que d'autres ne peuvent l'être qu'après certains intervalles de temps déterminés ; d'autres, au contraire, peuvent être remplies sans limitation de durée : par exemple celles de juge ou de membre de l'Assemblée. On pourrait peut-être objecter que juges et membres de l'Assemblée ne sont nullement des magistrats, et que leurs fonctions ne les font pas participer au gouvernement ; cependant il est ridicule de refuser le titre de magistrat à ceux qui détiennent l'autorité suprême ! Mais n'insistons pas sur la différence alléguée, car c'est une pure question d'appellation, du fait qu'il n'existe pour un juge et un membre de l'Assemblée aucun terme commun qu'on puisse appliquer à l'un ou l'autre. Désignons donc, pour marquer la différence, ces deux fonctions du nom global de *fonction à durée définie*. Dès lors, nous pouvons poser que sont des citoyens ceux qui participent aux fonctions publiques de la façon que nous venons d'indiquer. Telle est donc à peu près la définition de citoyen, susceptible de s'ajuster avec le plus d'exactitude à tous ceux qu'on désigne du nom de citoyen [...]. Le citoyen, de toute nécessité, diffère suivant chaque forme de constitution, et telle est la raison pour laquelle la définition du citoyen que nous avons donnée est surtout celle de citoyen dans une démocratie. Au citoyen d'autres régimes elle est susceptible assurément de s'appliquer, mais pas forcément [...][43].

---

41. L'atimie est « la *dégradation civique* totale ou partielle pour certains crimes ou certaines fautes graves. Elle s'accompagne parfois de la confiscation des biens. » (Note de J. Tricot, dans Aristote, *La Politique,* trad. par J. Tricot, Paris, Vrin, 1970, p. 167.)
42. Voir le chapitre 2 à la section 2.2.1.
43. Aristote, *La Politique,* trad. par J. Tricot, Paris, Vrin, 1970, p. 165-170.

À partir de cet extrait, déterminez
a) l'attribut général ;
b) les attributs spécifiques ;
c) le contexte dans lequel s'applique principalement la définition de citoyen.

Exercice 4.3 *La problématisation chez Aristote*

Voici un extrait tiré de la *Métaphysique* d'Aristote :

> C'est de la même opinion[44] que procède la conception de Protagoras, et les deux doctrines doivent être également vraies ou également fausses. En effet, d'un côté, si toutes les opinions et toutes les impressions sont vraies, il est nécessaire que tout soit, en même temps, vrai et faux ; car un grand nombre d'hommes ont des conceptions contraires les unes aux autres, et chacun croit que ceux qui ne partagent pas ses propres opinions sont dans l'erreur ; de sorte que, nécessairement, la même chose doit, à la fois, être et n'être pas. D'un autre côté, s'il en est ainsi, toutes les opinions doivent être vraies, car ceux qui sont dans l'erreur et ceux qui sont dans la vérité ont des opinions opposées ; si donc les choses elles-mêmes se comportent conformément à cette doctrine, ils seront tous dans la vérité [...].
>
> Et pareillement encore, c'est la considération du monde sensible qui conduit certains à croire à la vérité des apparences. Ils pensent, en effet, que la vérité ne doit pas se décider d'après le plus ou moins grand nombre de voix ; or la même chose paraît, à ceux qui en goûtent, douce aux uns et amère aux autres ; il en résulterait que si tout le monde était malade, ou si tout le monde avait perdu l'esprit, à l'exception de deux ou trois personnes seulement qui eussent conservé la santé ou la raison, ce serait ces dernières qui passeraient pour malades ou folles, et non pas les autres ! Ces philosophes ajoutent que beaucoup d'animaux reçoivent pour les mêmes choses, des impressions contraire aux nôtres, et que, même pour chaque individu, ses propres impressions sensibles ne lui semblent pas toujours les mêmes. Lesquelles d'entre elles sont vraies, lesquelles sont fausses, on ne le voit pas bien : telles choses ne sont en rien plus vraies que telles autres, mais les unes et les autres le sont à égal degré. C'est pourquoi Démocrite assure que, de toute façon, il n'y a rien de vrai, ou que la vérité, du moins, ne nous est accessible. Et, en général, c'est parce que ces philosophes identifient la pensée avec la sensation, et celle-ci avec une simple altération physique, que ce qui apparaît aux sens est nécessairement, selon eux, la vérité [...]. Si, en effet, ceux qui ont le plus nettement aperçu toute la vérité possible pour nous (et ces hommes sont ceux qui la cherchent et l'aiment avec le plus d'ardeur), si ces hommes ont de pareilles opinions et professent ces doctrines sur la vérité,

---

44. Cette opinion consiste à affirmer que « tout ce qui apparaît est vrai », ce qui implique qu'une même chose puisse être à la fois « ainsi et non ainsi », car différentes personnes n'ont pas nécessairement les mêmes impressions à son sujet. Pour plus de détails sur cette question, reportez-vous au chapitre 3 (section 3.3.1) et au chapitre 4 (section sur la problématisation).

comment n'est-il pas naturel qu'on aborde avec découragement les problèmes de la Philosophie? Poursuivre des oiseaux au vol: voilà ce que serait la recherche de la vérité[45]?

À partir de cet extrait, déterminez
a) les différentes tendances soulevées par Aristote dans son texte;
b) le problème soulevé par Aristote concernant ces différentes tendances.

Exercice 4.4 *Conceptualiser et problématiser*

Conceptualisez et problématisez l'affirmation suivante: « Tout n'est qu'opinion. »

Pour conceptualiser cette affirmation, vous devez définir la notion d'opinion:
   a) Cherchez différentes définitions dans les dictionnaires usuels et philosophiques.
   b) Trouvez un attribut général de la notion d'opinion qui correspond au contexte.
   c) Trouvez des attributs spécifiques de la notion d'opinion qui correspondent au contexte.
   d) Formulez la définition de la notion d'opinion.

Pour problématiser cette affirmation, vous devez:
   a) Remonter à la question en exposant le débat impliqué dans cette affirmation.
   b) Préciser la nature du problème.

Exercice 4.5 *Réponse à la question inaugurale du chapitre*

En suivant les étapes énumérées ci-dessous, répondez à la question inaugurale du chapitre: «L'être humain peut-il dépasser l'opinion et appréhender la vérité?»

1. Conceptualisation des notions de la question en fonction du contexte.

2. Problématisation de la question en fonction du contexte.

3. Formulation d'une argumentation pertinente et crédible pour répondre à la question.

4. Explication du lien entre les arguments et la thèse.

5. Utilisation d'une source crédible pour appuyer votre argumentation.

---

45. Aristote, *Métaphysique*, 5, 1009a-1011a, trad. par J. Tricot, Vrin, 1991, p. 217-222.

La *Recherche* d'un *critère* de *vérité*

ou *La lutte du scepticisme contre le dogmatisme*

Si tu combats toutes les sensations, tu ne disposeras plus du point de référence qui te permet de discerner exactement celles que tu considères comme fausses.

ÉPICURE, *Maxime capitale XXIII.*

Chapitre 5

5.1 Présentation de la question

La mort d'Alexandre le Grand, en ~323, inaugura une nouvelle ère de la civilisation grecque, tout comme celle d'Aristote (~322) marqua de nouveaux développements dans la recherche de la vérité. Les œuvres d'Aristote et de Platon avaient défendu et illustré l'idée d'une raison puissante, sans toutefois parvenir à surmonter des difficultés qui semblaient liées à des limites de la raison. Nous l'avons vu, l'élévation platonicienne vers la vérité s'accompagnait d'un retour au mythe pour faire admettre la croyance en un monde intelligible séparé du monde sensible ainsi que l'immortalité de l'âme. Aristote, qui s'était fait le critique de l'idéalisme désincarné de Platon, affirmait que la recherche de la vérité devait se faire dans les limites du monde sensible. Mais, ici encore, la raison se heurta à ses limites : toutes les sciences, constata Aristote, reposent sur des principes indémontrables. Même en physique, la science du monde sensible, Aristote dut recourir à une hypothèse qui transcendait le monde physique (celle du Premier Moteur immobile) afin d'éviter la régression à l'infini dans l'explication des causes des phénomènes.

Ces impasses de la raison amenèrent les philosophes qui suivirent à élaborer une autre science de la nature, une physique qui saurait expliquer pleinement la nature, *tout en tirant sa justification de la nature elle-même*. Mais, pour se guider dans un monde purement matériel et changeant, peut-il exister une mesure qui « ne cloche en rien », selon le souhait d'Épicure ? En d'autres termes, **existe-t-il un critère qui nous permettrait de reconnaître que le vrai est atteint ?** La recherche d'un tel critère apparut aux philosophes de l'**époque hellénistique** comme une nécessité tant théorique que pratique : théorique, parce que la vérité a besoin de la certitude ; pratique, parce qu'on ne saurait bien vivre en demeurant dans l'erreur.

époque hellénistique

Période qui va de la mort d'Alexandre le Grand en ~323 à la mort de Cléopâtre en ~30. Celle-ci fut la dernière représentante des monarques grecs qui régnèrent sur le monde antique. Elle succomba à la conquête de l'Égypte par les Romains.

5.2 Le contexte historique : L'époque hellénistique

5.2.1 Un monde nouveau : les royaumes hellénistiques

Comme on l'a vu au chapitre précédent, la mort prématurée d'Alexandre le Grand laissait un empire organisé, mais encore mal unifié, qu'allaient se disputer ses principaux compagnons d'armes. Ceux-ci ne voulurent pas remettre en question tout de suite la vision d'un empire unique héritée du grand conquérant ; il n'était pas encore question pour eux de démembrer ce qu'Alexandre avait construit, d'autant plus que chacun rêvait d'en revendiquer le titre de roi pour lui-même. Malgré l'existence de deux héritiers potentiels, les principaux généraux d'Alexandre s'attribuèrent des morceaux de l'empire, lesquels, espéraient-ils, leur serviraient bientôt de tremplin pour la conquête de l'ensemble. Et, de fait, de ~323 à ~281, les clans et les alliances se sont faits et défaits au gré des victoires et des défaites de chacun. Chaque fois qu'un successeur éventuel au trône devenait trop puissant, les autres se liguaient et lançaient contre lui des expéditions militaires. L'immense empire d'Alexandre fut finalement divisé en trois grands royaumes : celui de Macédoine alla aux descendants d'Antigonos, celui d'Égypte, à la descendance de Ptolémée, et celui de Mésopotamie, à la famille de Séleucos. Les familles de ces trois grands généraux macédoniens y installeront des monarchies qui régneront près de trois siècles.

La disparition du régime démocratique de la cité-État au profit de ces grands royaumes priva bien sûr le citoyen de l'influence directe qu'il pouvait exercer sur la vie commune. Depuis le jour où les cités étaient passées sous la domination du roi de Macédoine (en ~338), le centre des décisions s'était déplacé vers le nord de la Grèce. Pour ses entreprises et sa survie, l'individu de l'époque hellénistique *ne comptait avant tout que sur lui-même.* En contrepartie de l'incertitude que ces bouleversements avaient créée, le monde s'ouvrit devant lui grâce au développement d'un certain « libéralisme » économique : les royaumes étaient maintenant dirigés par des Grecs ; les routes, construites par les Perses, offraient la possibilité de commercer jusqu'en Inde ; le grenier à blé qu'était l'Égypte était devenu pour certains Grecs une source inépuisable d'exportation. Les riches, qui avaient pu profiter du pillage de l'or des Perses[1] virent s'étendre leurs domaines au détriment des petits propriétaires. Ainsi, la nouvelle économie accentuait les inégalités de l'époque précédente. À l'exemple d'Alexandre, qui avait fondé des dizaines d'Alexandrie, les Grecs fonderont des villes dans ces immenses territoires et procéderont, grâce leur esprit d'entreprise et à une main-d'œuvre soumise, à de gigantesques travaux d'aménagement des territoires conquis. Le royaume d'Égypte en est l'exemple le plus réussi.

5.2.2 Une capitale nouvelle : Alexandrie d'Égypte

Bien qu'au ~IIIe siècle Athènes fût demeurée une ville de prestige, le centre de l'économie s'était déplacé vers Alexandrie d'Égypte. Athènes attirait toujours les philosophes (car c'est là que se créeront les écoles philosophiques de la période hellénistique), mais Alexandrie se gagnait l'estime des savants et des commerçants.

C'est là que Ptolémée Ier, général et ami d'enfance d'Alexandre, fonda une dynastie qui allait durer près de trois cents ans, la dynastie des Lagides. Sous son impulsion et celle de ses fils, une ville cosmopolite se déploiera. Ptolémée II fit construire, sur l'île de Pharos, ce que l'Antiquité considérait comme une des sept merveilles du monde : le premier phare de l'histoire, une tour haute de plus de 100 mètres, au sommet de laquelle brûlait un feu qui guidait les bateaux vers le port. Évidemment,

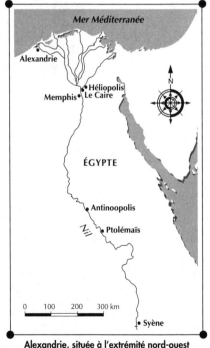

Alexandrie, située à l'extrémité nord-ouest du delta du Nil.

---

1. Des tonnes d'or furent introduites dans le marché, peut-être l'équivalent de ce que les Espagnols rapportèrent d'Amérique au XVIe siècle !

une telle innovation technique accrut le commerce au port d'Alexandrie, qui supplanta peu à peu le Pirée d'Athènes au titre du plus grand port de toute la Méditerranée.

Maquette d'une reconstitution projetée du phare d'Alexandrie.

Puis les Lagides érigèrent un musée[2] qui allait attirer les intellectuels du monde entier, notamment parce que ceux-ci pouvaient y travailler en toute sécurité sous la protection des dirigeants. Il comprenait un jardin zoologique qui ressemblait à celui du Lycée d'Aristote, un observatoire pour les astronomes, des classes pour la formation des élèves ainsi que des chambres servant de résidence aux professeurs. Selon certains historiens, il y eu jusqu'à 70 maîtres qui y professèrent en même temps. C'est là que le judaïsme fit son entrée en Occident, lorsque Ptolémée Ier invita 72 rabbins juifs à traduire la Bible en grec. Sous l'instigation de Démétrios de Phalère, élève d'Aristote et dictateur déchu d'Athènes, on fonda la célèbre bibliothèque d'Alexandrie, qui finit par contenir, à une époque plus tardive, jusqu'à un million de livres. Si on considère l'ensemble formé par le musée et la bibliothèque, on peut légitimement parler d'une université telle que nous la connaissons aujourd'hui, c'est-à-dire réunissant professeurs résidants et invités,

---

2. Un musée au sens ancien du terme grec, c'est-à-dire un centre d'études savantes.

résidence pour les élèves, lieux réservés aux conférences, instruments d'observation astronomiques fournis par le musée, ouvrages sur tous les sujets disponibles à la bibliothèque. Élément plus essentiel encore, l'ancienne école, dirigée par un maître, est ici remplacée pour la première fois par une institution financée par l'État.

Toutes ces conditions étant réunies, il n'est pas étonnant que les sciences connurent un développement fulgurant à Alexandrie, particulièrement les mathématiques, la géométrie et l'astronomie. C'est à Alexandrie qu'Archimède (~287-212) envoyait ses manuscrits sur la mécanique et la géométrie, pour les soumettre aux célèbres mathématiciens de l'endroit. Ératosthène (~276-194), troisième bibliothécaire et étudiant de l'école stoïcienne, mesura de façon assez précise la circonférence de la Terre. Aristarque de Samos (~310-230), un ancien étudiant du Lycée d'Aristote, fut le premier à supposer que le Soleil était au centre de l'Univers et que la Terre tournait sur son axe. Alliant l'observation, la géométrie et les mathématiques, il mesura également la distance de la Terre à la Lune et au Soleil avec assez de précision.

Archimède (~287-212).

5.2.3 Une philosophie nouvelle: vivre en accord avec la nature

Les philosophes avaient participé activement à l'éclosion de ce monde nouveau en se trouvant mêlés à l'entreprise conquérante d'Alexandre le Grand. Comme celui-ci entendait répandre la culture grecque dans l'ensemble de son empire, il s'était entouré d'une équipe d'intellectuels, tant pour le conseiller que pour consigner ses exploits.

Il y avait là ce que la culture grecque offrait de meilleur: des ingénieurs et des géographes, mais aussi des poètes, des historiens et des philosophes. Du côté des philosophes, il y eut d'abord Anaxarque, que le roi qualifia de «plus précieux de tous mes amis». Puis Pyrrhon, disciple d'Anaxarque, un peintre qu'on disait sans grand talent, qui le rejoignit une fois la campagne commencée. Il se fit remarquer en rédigeant un poème à la gloire d'Alexandre, qui le récompensa d'une forte somme en or. C'est lui qui, à son retour, allait lancer le *mouvement sceptique*. Il y eut aussi Callisthène, le neveu d'Aristote, qui assurait la communication entre le roi et le philosophe demeuré à son Lycée; il défendit, auprès d'Alexandre, l'opinion politique d'Aristote selon laquelle il fallait séparer radicalement Grecs et Barbares. Dans cette optique, Callisthène s'opposa vivement à la politique d'Alexandre, qui laissait souvent la direction d'une région conquise à des représentants du peuple conquis. Il y eut encore Nausiphanès, futur maître d'Épicure.

L'*école cynique*, quant à elle, était représentée par Onésicrite, un disciple de Diogène, qui dirigeait le vaisseau du roi; c'est à lui qu'Alexandre ordonna de faire enquête sur les gymnosophistes indiens, ces sages qui se promenaient nus et se montraient indifférents à tout. Onésicrite en convainquit un, du nom de Calanos, de suivre l'expédition des Grecs; c'est ce Calanos qui impressionna tout le monde en s'immolant par le feu, montrant aux Occidentaux la supériorité de sa philosophie du détachement et de l'indifférence vis-à-vis toutes choses, y compris sa propre vie. Ce sont les cyniques qui se reconnurent le plus aisément dans ce contact avec l'Orient. On a vu au chapitre précédent comment leur maître Diogène, vivant dans un tonneau et dans le dénuement le plus total, aspirait lui aussi à une sagesse du détachement. Fidèle au message de Socrate sur le point de mourir («l'essentiel n'est pas de vivre mais de *bien vivre*[3]»), Diogène avait élaboré une doctrine du salut immédiat de l'individu reposant sur l'exercice d'une liberté débarrassée de toutes les formes de conventions, qu'elles fussent politiques, sociales ou morales. Pour lui, il ne fallait plus suivre les lois de la cité, qui sont relatives et changeantes, mais plutôt *vivre conformément à la nature, dont les lois sont universelles et permanentes*. En suivant les lois de la nature et non celles de la cité, l'individu devenait entièrement responsable de son mode de vie et de son bonheur, sans dépendre des autres. Mais, pour agir conformément aux lois de la nature, encore fallait-il les connaître. Malheureusement, les cyniques n'étaient pas en possession d'une telle science de la nature pour les guider vers l'*autarcie*, cette capacité de vivre totalement par soi-même. Voilà la tâche que se donna la philosophie hellénistique: assurer le salut de l'individu en lui proposant une doctrine naturaliste du bonheur et, pour ce faire, élaborer un modèle de science naturelle.

5.2.4 Des écoles nouvelles

C'est dans ce contexte que naquirent de nouvelles écoles philosophiques à Athènes. Toutes présentèrent leur doctrine comme une «médecine» de l'âme, capable de guérir le mal de l'époque, l'angoisse de l'individu devant un monde en changement:

> Dans le grand État centralisé dont il est sujet, le citoyen de l'ancienne petite cité s'interroge sur l'attitude à prendre; il se sent dépaysé et comme égaré. Il se replie alors sur lui-même; il pense à son salut intérieur; il demande qu'on lui dise le but de la vie, qu'on lui propose un idéal, dans la poursuite duquel il retrouverait, pour son propre bonheur, la liberté perdue. Cet idéal pourra varier avec chaque école: ce sera toujours du moins l'idéal du *Sage*, qui n'est d'aucun pays ni d'aucun temps; toutes le concevront dans le même esprit résolument pragmatique[4].

Deux écoles principales naquirent de ce renouveau: l'épicurisme, fondé par Épicure (~341-270), et le stoïcisme, fondé par Zénon de Citium (~335-264). Leurs orientations fondamentales étaient similaires. Pour l'épicurisme comme pour le stoïcisme, la recette du bonheur consiste à «vivre en accord avec la nature».

---

3. Platon, *Criton*, trad. par Alain Jacques, Montréal, Beauchemin, 1996, p. 12.
4. Léon Robin, *La pensée grecque et les origines de l'esprit scientifique*, Paris, Albin Michel, coll. «L'évolution de l'humanité», 1963 et 1973, p. 353-354.

Ces deux philosophies sont aussi d'accord pour affirmer que la nature est faite d'une seule substance : la matière. En ce sens, toutes deux sont *matérialistes*. À partir de cette base matérialiste, elles affirment que la connaissance se fait exclusivement par l'intermédiaire des sens, qui sont les seuls outils matériels nous donnant accès à un monde lui-même matériel ; toutes deux sont donc aussi *sensualistes*. Enfin, elles soutiennent que les sens, parce qu'ils nous donnent une prise directe sur le monde, peuvent nous fournir une image exacte du monde ; en ce sens, elles sont *dogmatiques*, parce qu'elles prétendent posséder un critère de vérité.

Épicure (~341-270).

Zénon de Citium (~335-264).

5.3 Le débat : Existe-t-il un critère de vérité ?

Comme le débat qui nous intéresse couvre plus de quatre siècles (du IIIᵉ siècle avant J.-C. au Iᵉʳ siècle après J.-C.), nous ne pourrons pas aborder dans le cadre de cet ouvrage les positions de tous les auteurs, ni même celles de toutes les écoles. Bien que l'école stoïcienne ait joué un rôle considérable dans le débat sur le critère de vérité, ses positions sont trop complexes pour être exposées de façon satisfaisante dans ces pages. On ne retiendra donc que l'école épicurienne à titre de représentante du *courant dogmatique*. Épicure et son école affirmaient l'existence d'un critère de vérité, et donc la possibilité d'un discours vrai. Les représentants du *courant sceptique,* eux, prétendaient soit que ce critère est insaisissable, soit qu'il est impossible de se prononcer sur son existence. Ces deux dernières perspectives donnèrent naissance à deux écoles : celle des académiciens et celle des pyrrhoniens. Chacune procéda de manière différente dans sa lutte contre le dogmatisme, comme nous le verrons dans les sections 5.3.2 et 5.3.3.

5.3.1 La position dogmatique : l'école épicurienne

Physique épicurienne et vérité

> *Si nous n'étions pas troublés par les phénomènes célestes et la crainte*
> *de la mort, inquiets à la pensée que cette dernière pourrait intéresser*
> *notre être, et ignorants des limites assignées aux douleurs et aux*
> *désirs, nous n'aurions pas besoin d'étudier la nature.*
>
> ÉPICURE, *Maxime capitale XI.*

Conformément à la tendance de l'époque hellénistique, Épicure assigna à la philosophie le rôle de procurer la paix de l'âme à l'humanité. Pour lui, on ne pouvait obtenir cette paix, cette « absence de trouble », qu'en vivant « conformément à la nature ». C'est pourquoi il s'assura de faire reposer sa doctrine du bonheur sur une explication de la nature, autrement dit sur une physique.

Épicure trouva celle-ci dans les leçons de son maître Nausiphanès, qui enseignait l'atomisme de Démocrite (v. ~460-v. 370), un penseur présocratique contemporain des sophistes. Cette doctrine se voulait une réponse à la controverse qui opposait Parménide et Héraclite à propos de la permanence et du changement. Selon l'atomisme de Démocrite, l'être est *à la fois* substance et apparence, *à la fois* permanent et changeant. Il existe bel et bien des corps, et ce que nous en percevons est réel. Mais ces corps ne constituent pas la substance des êtres, car ils sont appelés à disparaître un jour. Il doit subsister quelque chose des corps pour que toutes choses ne s'abîment pas dans le néant à plus ou moins longue échéance. Ce quelque chose, cette substance indestructible, ce sont les *atomes*, infimes particules dont est construit l'univers. La vieille opposition de la permanence et du changement est ainsi résolue : l'être est permanent dans ses particules, mais changeant dans la façon dont celles-ci sont structurées. Ces particules indestructibles existent, selon Démocrite, parce que *quelque chose ne peut venir de rien*. Tout ce qui naît dans le monde naît de quelque chose selon son espèce, et donc les atomes ont toujours existé. Pour l'atomisme, tout être est en fait un composé de ces éléments qui se sépareront à sa mort, mais qui ne disparaîtront pas dans le néant. Existant de toute éternité, les atomes sont en nombre infini et forment une infinité d'êtres et d'univers qui se détruiront tous un jour pour en former de nouveaux.

Comment donc les changements se produisent-ils ? Tout simplement au hasard des rencontres d'atomes, qui s'accrochent ou non entre eux. Pour rendre possibles les changements, il doit cependant exister un espace dans lequel les atomes puissent se mouvoir : cet espace, c'est le vide. Voilà de quoi est fait l'univers : d'atomes et de vide.

Même l'âme est formée de ces atomes et est matérielle ; elle est matérielle, car elle sent les choses et fait mouvoir le corps ; or seule une chose matérielle peut agir sur une autre. L'âme matérielle est donc appelée à disparaître à la mort du corps. Finalement, les dieux aussi sont faits d'atomes, mais d'atomes infiniment subtils. Ils vivraient hors de notre monde et seraient parfaitement heureux et indifférents aux problèmes de l'humanité.

Comme on le constate, cette physique est bien différente de celle d'Aristote. On n'y trouve pas de finalité dans le mouvement, celui des atomes se faisant au hasard ; ni de cause formelle des êtres, puisqu'ils sont des assemblages de particules ; ni de Premier Moteur, puisque les atomes se meuvent de toute éternité par le poids qui les entraîne dans le vide.

Le critère de vérité selon l'épicurisme

Épicure considérait que cette physique lui fournissait les éléments nécessaires à la découverte d'un critère de vérité. Voyons comment.

S'il n'existe que des atomes et du vide, ce que nous connaissons de la réalité nous vient du contact avec les atomes. Et le seul moyen que nous ayons pour nous assurer de ce contact, ce sont nos sens : dans un monde matériel, tout passe par les sens.

Le monde étant fait d'atomes et de vide, et ce dernier étant par nature inaccessible aux sens, seuls les atomes peuvent être une source de connaissance, et seuls les sens peuvent être en contact avec eux. Rappelons-nous que, pour Épicure, l'âme aussi est un corps qui reçoit ses informations du monde matériel. Quant à la raison, elle provient elle-même des sensations, elle n'existe que grâce à la mémoire que nous avons des sensations répétées et que nous comparons. Qu'est-ce donc qui pourrait contredire une sensation ? se demande Épicure. Absolument rien, puisque tout en dépend. Voilà donc, selon Épicure, le critère même de la Vérité. De façon habile, Épicure montre que, si l'on *enlève* de nos connaissances tout ce qui provient des sens, *il ne reste rien d'exact* :

> Si tu combats toutes les sensations, tu ne disposeras plus du point de référence qui te permet de discerner *exactement* celles que tu considères comme fausses[5].

Pour convaincre ceux qui doutent que les sens puissent être un critère garant de la vérité, Épicure fait valoir que, dans la perception, les sens sont parfaitement neutres. Les sens, précise-t-il, sont « *a-logos* », sans intelligence. Purs instruments récepteurs, ils ne retranchent ni n'ajoutent rien à ce qu'ils reçoivent du monde sensible. Mais comme ce n'est pas l'objet lui-même qui vient frapper nos sens, que reçoivent ceux-ci au juste du monde extérieur ? Ici, Épicure invoque une théorie pour justifier la neutralité des sens : la *théorie des simulacres*. À cause de la vibration interne intense des atomes, les choses émettent des images d'elles-mêmes. Ces enveloppes extrêmement fines, nommées « simulacres », voyagent très vite, à une vitesse égale à celle de la pensée. Ainsi, selon cette théorie, les sens reçoivent des images des choses elles-mêmes qui sont exactement conformes à ces choses. C'est en ce sens que les sensations peuvent être considérées comme toujours vraies.

Mais alors, d'où viennent les erreurs ? De notre empressement à juger des impressions que nous recevons du monde extérieur. Ce sont les *opinions* à propos des

---

5. Épicure, « Maxime capitale XXII », dans *L'art de vivre*, trad. par G. Leroux et J. Auberger, Montréal, C.E.C., 1998, p. 181. C'est nous qui soulignons.

sensations qui peuvent être dites vraies ou fausses. Il faut donc, préconise Épicure, maintenir l'opinion constamment en rapport avec les sensations afin de s'assurer que chaque opinion ne déforme pas ce qui est reçu dans la sensation.

C'est dans cette optique qu'Épicure élabora une méthode de vérification de l'opinion qui n'était pas à proprement parler une méthode expérimentale, mais que nous pourrions appeler *méthode empirico-logique de vérification*. Nous nous trouvons ici devant un exemple d'utilisation exhaustive du critère de la vérité. En effet, Épicure mit au point une grille de lecture qui permettait l'application du critère de la sensation dans toutes les situations envisageables :

— les situations où les objets sont discernables ;

— les situations où les objets sont discernables, mais hors d'atteinte ;

— les situations où les objets sont indiscernables.

Dans le domaine des *objets discernables,* si l'opinion est vérifiée ou n'est pas contredite par la sensation, elle sera vraie. Si au contraire, elle n'est pas vérifiée ou si elle est contredite, elle sera fausse. Je vois une forme humaine au loin et j'affirme : « C'est Platon. » En m'approchant, je vérifie mon opinion et comme il s'agit bien de Platon, mon opinion est vérifiée, elle est jugée « vraie ».

Dans le domaine des *objets discernables mais hors d'atteinte,* des jugements différents pourront être considérés vrais si aucun n'est contredit par la sensation. Ici, Épicure, constatant les limites physiques de sa méthode dans ce domaine, prétend que des opinions différentes peuvent être vraies en même temps, pourvu qu'elles ne soient pas contredites par les sensations du même ordre que nous pouvons observer près de nous :

> Les phénomènes qui se manifestent près de nous, et que nous pouvons réellement observer, nous donnent des indications sur la façon dont se déroulent les phénomènes des régions supérieures[6].

Prenons l'exemple des éclipses de Lune. Il se peut que ce soit la Terre qui passe entre le Soleil et la Lune et qui lui fasse ombrage. Nous pouvons constater ce fait lorsque nous interposons un corps entre la source lumineuse et l'objet qu'elle éclaire. Il se peut aussi que la Lune soit un feu qui s'éteigne et se rallume par lui-même, comme nous voyons une braise se rallumer subitement après s'être éteinte un certain temps. Ces deux opinions pourront donc être considérées « vraies » en attendant leur confirmation, car elles ne sont contredites par aucune sensation.

Dans le domaine des *objets indiscernables,* si l'opinion n'est pas infirmée par la sensation, elle sera jugée vraie, et elle sera jugée fausse si elle est infirmée par la sensation. Par exemple, le vide est par essence indiscernable. L'opinion « le vide n'existe pas » sera jugée fausse, car elle est infirmée par l'existence du mouvement ; en effet, sans vide, le mouvement est impossible ; or le mouvement existe, donc le vide existe.

---

6. Jean Bollack et André Laks, *Cahiers de philologie 3 : Épicure à Pythoclès,* Lille, Presses de l'Université de Lille, 1976.

Les limites de cette méthode apparaissent lorsque l'on considère les cas extrêmes de la connaissance des objets: dans l'extrêmement petit, les atomes, par nature invisibles, ne peuvent être perçus; de même, dans l'extrêmement lointain, les phénomènes célestes ne peuvent, du moins à cette époque, être observés directement. Malgré cela, Épicure maintient que les sensations sont la mesure directe ou indirecte de toutes choses, et qu'il vaut mieux se contenter d'approximations temporaires que de permettre à l'incertitude de s'emparer de la connaissance et de notre vie. Si les sens étaient trompeurs, comment la vie même serait-elle possible? Comment vivre dans une réalité qui nous trompe sans cesse? Comment survivre dans une nature où la différence entre nourriture et poison serait insaisissable?

C'est pourquoi Épicure, de peur de voir le scepticisme gagner la philosophie et la superstition (la religion) gagner la vie, affirme que la sensation est le critère de vérité, quitte à laisser temporairement certains phénomènes inexpliqués. Selon lui, si une seule impression sensible se révélait fausse, tout l'édifice de la connaissance s'écroulerait. Lucrèce (~98-55), disciple romain d'Épicure, écrira deux siècles plus tard:

> Et si la raison est incapable de déterminer la véritable cause pour laquelle, par exemple, un objet carré de près semble rond de loin, il vaut mieux, dans l'impuissance de notre raison, donner une explication fautive du phénomène que de laisser échapper de nos mains des vérités manifestes [...] et de ruiner les bases sur lesquelles repose notre vie et notre salut. Considérons donc comme un vain amas de paroles l'ensemble des arguments dirigés et dressés contre les sens[7].

Cette position *défensive* de l'épicurisme, tout en lui assurant la possession d'un critère de vérité, indiquait en même temps au camp sceptique le lieu où porter son attaque. Ce qu'il fera avec acharnement.

5.3.2 Les objections sceptiques et les répliques du dogmatisme

Comme nous vous l'avons mentionné plus haut, il y eut deux écoles sceptiques dans l'Antiquité gréco-romaine. La première fut fondée par des dirigeants de l'Académie de Platon. Ceux-ci décidèrent d'engager le débat avec les écoles stoïcienne et épicurienne à propos du critère de vérité. C'était une option périlleuse, car elle les obligeait à argumenter, à faire des objections, à répliquer, ce qui donnait l'impression qu'ils prenaient position; or cela pouvait facilement paraître contradictoire avec leur volonté de suspendre leur jugement à propos de l'existence d'un critère de vérité. La deuxième école, qui s'inspirait d'un retour à l'attitude du fondateur Pyrrhon, semblait plus authentiquement sceptique: elle préconisait de ne pas entrer dans le débat et de simplement «faire voir» aux dogmatiques l'impossibilité de leurs affirmations. Dans ce but, les «pyrrhoniens» utilisaient des expressions comme «il me semble» ou «pas plus ceci que cela», tout en remplaçant l'argumentation dialectique des académiciens par des «modes»,

---

7. Lucrèce, *De la nature,* livre IV, vers 500 et suivants, trad. par Alfred Ernoud, Paris, Les belles lettres, 1947, p. 165.

c'est-à-dire des façons d'enchaîner des énoncés de telle sorte qu'il soit impossible de se prononcer sur la vérité de l'un ou de l'autre.

L'Académie «nouvelle», dite sceptique

La popularité grandissante des écoles dogmatiques, qui présentaient aux Grecs leur médecine de l'âme comme la pure vérité, avait de quoi indisposer les dirigeants de l'Académie. Pourtant, ce n'est que tardivement, sous Arcésilas (vers ~264), puis sous Carnéade (vers ~165), que l'Académie prit part vraiment au débat sur le critère de vérité. Conformément à la pratique socratique, leur enseignement fut strictement oral et consacré à ruiner les positions de leurs adversaires dogmatiques. Leur procédé, que l'on pourrait qualifier de «dialectique», consistait à reprendre les arguments mêmes de leurs adversaires, puis à les faire aboutir à la conclusion contraire. Finalement, devant l'équivalence des conclusions opposées, ils concluaient qu'il fallait «suspendre» son jugement. À ceux qui se scandalisaient de voir des platoniciens pencher vers le scepticisme, ils répondaient que Socrate n'avait jamais conclu et que Platon rejetait toute possibilité d'une science dans un monde sensible. Ils ajoutaient que ceux qui soutenaient la matérialité même de la raison et de l'âme ne pouvaient prétendre à une science stable et définitive.

Dans leurs objections aux épicuriens, les académiciens firent valoir que les sens sont autant une source d'erreur qu'une source de vérité et que, pour cette raison, ils ne pouvaient être utilisés comme cette mesure infaillible que réclamait Épicure. Comme la doctrine épicurienne affirmait que *toutes* les sensations étaient vraies, il suffisait de démontrer le caractère mensonger d'une seule sensation pour invalider ce critère. Les académiciens argumentèrent d'abord à propos des illusions sensorielles: par exemple, le cou du pigeon qui change constamment de couleur lorsqu'il marche, la rame plongée dans l'eau qui apparaît brisée à la surface de l'eau, la tour carrée qui apparaît ronde de loin. On rapporte qu'ils s'amusaient parfois aux dépens des épicuriens en leur demandant de loucher en regardant un flambeau, puis de dire s'ils voyaient une ou deux flammes! Plus sérieusement, ils reprochaient aux épicuriens leur ignorance en matière de science lorsqu'ils affirmaient que le Soleil a plus ou moins la même dimension que celle qu'on lui voit. Conformément à son principe voulant que la sensation soit le critère de la vérité, Épicure prétendait que le Soleil ne pouvait être ni si éloigné ni si grand que le disaient les savants de l'époque, puisque sa lumière et sa chaleur étaient très intenses. Il contestait ainsi les calculs des mathématiciens et géomètres grecs, notamment Aristarque de Samos, qui avait calculé que le diamètre du soleil était environ de sept fois supérieur à celui de la terre[8].

Soulignant également les faiblesses que peut connaître une âme matérielle liée aux sensations, les académiciens montrèrent la difficulté qu'il y a à trancher entre le normal et l'anormal dans les cas de folie, de rêve et d'ivresse. N'est-ce pas la même âme normale qui se modifie insensiblement dans l'ivresse et se met tout

---

8. Nous savons aujourd'hui que le diamètre du Soleil est en réalité d'environ 100 fois supérieur à celui de la Terre.

à coup à voir des choses qui n'existent pas? Et le fou, dans sa folie, n'est-il pas aussi certain de ce qu'il est que la personne dite normale? Toutes ces représentations mentales anormales, faisaient-ils valoir, semblent aussi vraies aux personnes qui les éprouvent que ne le semblent les représentations des personnes dites normales. Ils suggéraient donc aux épicuriens d'abandonner leur critère de vérité fondé sur la sensation.

Les répliques des dogmatiques aux objections sceptiques

Les dogmatiques durent répliquer à ces objections et ils le firent de deux façons. D'abord, *d'un point de vue théorique*, ils demandèrent aux sceptiques comment ils pouvaient affirmer qu'il est impossible de distinguer une sensation vraie d'une sensation fausse, s'ils n'avaient d'abord eu l'idée de ce qu'est le vrai et le faux:

> [...] mais je leur demanderai à mon tour comment, n'ayant jamais rencontré la vérité, ils savent ce qu'est savoir et ne pas savoir? d'où leur vient la notion du vrai et du faux? comment sont-ils parvenus à distinguer le certain de l'incertain[9]?

Ensuite, *d'un point de vue pratique,* les dogmatiques firent valoir que le sceptique ruinait le principe de la vie heureuse et même celui de la vie tout court. Car la vie exige l'action, et l'action demande sans cesse de faire des choix. Un authentique sceptique, précisaient-ils, ne pourrait même pas agir du tout, car au moindre geste qu'il poserait il contredirait lui-même sa propre doctrine. S'il affirme que rien ne peut être connu et qu'il agit quand même, il se trouve par le fait même à considérer que telle réalité est bien ce qu'elle est et non le contraire. C'est pourquoi Lucrèce, ce grand disciple romain d'Épicure, affirmait qu'il refusait de discuter avec des gens qui pensent marcher la tête en bas.

L'Académie nuance sa position

Arcésilas et Carnéade élaborèrent une réplique qui leur permit de nuancer leur pensée. Il n'est pas nécessaire de posséder un critère de vérité pour pouvoir vivre, et même vivre sagement, disaient-ils en substance. Arcésilas avança l'idée de représentations qui seraient plus «raisonnables» que d'autres et qui permettraient d'agir sans qu'il soit nécessaire que l'on ait établi le bien-fondé de l'action entreprise. Par exemple, il est plus raisonnable de penser que demain je serai vivant que de penser que je serai mort. Rien ne me dit qu'il s'agit là d'une vérité absolue, car il est tout à fait possible que je meure demain. Mais l'expérience répétée de mon réveil me dit qu'il serait raisonnable de vivre en pensant le contraire.

Carnéade, lui, soutenait qu'il est possible de vivre correctement tout en étant authentiquement sceptique, si on admet l'existence de représentations «probables», c'est-à-dire de représentations qui sont plus susceptibles d'être vraies que d'autres. Carnéade élabora

Carnéade de Cyrène (~215-129).

9. Lucrèce, *op. cit.,* v. 472.

une méthode que certains ont appelée « probabilisme » : rejetons disait-il les illusions les plus évidentes, puis tout ce qui est contradictoire, et vérifions minutieusement si ce que l'on dit correspond à ce que l'on voit. C'est alors que nous aboutirons à des opinions « probables », qui nous autorisent à philosopher, même en l'absence de critère de vérité.

Qu'il s'agisse du « raisonnabilisme » d'Arcésilas ou du « probabilisme » de Carnéade, nous trouvons dans les deux cas une position sceptique qui tente de concilier l'absence d'un critère de vérité avec la possibilité de philosopher, et donc, par ricochet, avec la possibilité de mener une vie sage.

5.3.3 Le néo-pyrrhonisme et les « modes » sceptiques

Vers la fin du ~Ier siècle, Ænésidème, un élève de l'Académie, trouva que ces doctrines du probable et du raisonnable étaient encore trop affirmatives pour qui se prétendait sceptique. Il quitta donc l'Académie et effectua un retour à la doctrine de Pyrrhon, dans le but de « libérer » le scepticisme de toutes ces discussions avec les écoles dogmatiques. Nous avons vu que Pyrrhon est cet artiste aventurier qui avait rejoint l'expédition d'Alexandre et qui s'était rendu célèbre pour avoir rédigé un poème faisant l'éloge du conquérant (voir p. 135) ; nous savons aussi qu'il avait fui cette célébrité et avait fini ses jours paisiblement sur une ferme près de sa ville natale. Mais qui est-il donc en tant que philosophe ?

Par certains côtés, Pyrrhon n'est pas sans rappeler Socrate. Comme lui, il n'a rien écrit et est devenu par la suite une figure mythique pour ses successeurs. Par d'autres côtés, il ressemble à un Socrate en négatif. Au contraire de celui-ci, qui proposait la *poursuite* de la recherche de la vérité, Pyrrhon en proposait *l'abandon*. Précisons qu'il ne s'agissait pas d'un abandon paresseux, mais d'un abandon motivé philosophiquement ! À la manière des sages orientaux (les gymnosophistes) qu'il avait côtoyés durant la campagne d'Asie, il proclamait la vanité des discours et promettait la sérénité à celui qui cessait de chercher et se taisait. Pour Pyrrhon comme pour eux, le monde dans lequel nous vivons est apparence et illusion, et les choses « *ne sont pas plus ceci que cela*[10] ». Les choses et le monde étant faits d'apparences, il ne sert à rien de chercher à les saisir ou à les comprendre. Autant essayer de saisir des fantômes ! Selon son disciple Timon, la révélation philosophique de Pyrrhon se résume en trois points. Premièrement, il faut savoir quelle est la nature des choses ; deuxièmement, il faut savoir quelle attitude adopter vis-à-vis ces choses ; troisièmement, il faut savoir ce qui en résultera pour celui qui adopte cette attitude. Relativement au premier point, nous l'avons dit, Pyrrhon soutenait que les choses « ne sont pas plus ceci que cela », autrement dit qu'elles sont de simples *apparences* ; nos jugements portant sur ces apparences ne sont donc ni vrais ni faux. Quant au deuxième point, il découle du premier : le sage sera celui qui ne se prononcera pas, qui n'affirmera pas plus qu'il ne niera. Comme il n'existe ni de Juste ni d'Injuste, le sage suivra la loi et la coutume,

---

10. Victor Brochard, *Les sceptiques grecs*, 2ᵉ édition, Paris, Vrin, 1959, p. 58.

il suivra l'opinion et n'aura aucune croyance. Pour chaque affirmation, il fera valoir qu'il existe des arguments en faveur et des arguments contraires d'une égale valeur. Pour celui qui adoptera une telle attitude — et c'est le troisième point de la doctrine pyrrhonienne —, il s'ensuivra spontanément un état de paix durable. On raconte qu'un jour le bateau sur lequel Pyrrhon se trouvait fut pris dans une tempête; Pyrrhon désigna aux passagers effrayés un cochon qui mangeait paisiblement; il y voyait l'exemple même de la tranquillité d'âme obtenue par le sage dans les tempêtes de la vie: il se tait et «suit la vie». Assuré que les choses sont insaisissables, Pyrrhon opta pour le silence.

Retournant donc au «pas plus ceci que cela» de Pyrrhon, Ænésidème élabora une simple énumération des «modes» ou moyens par lesquels il est possible de piéger le philosophe dogmatique. Il visait ainsi à enfermer le dogmatique dans un *état de relativité* tel qu'il lui serait impossible de dire si les choses sont telles qu'il l'affirme. Mais c'est à Agrippa, un obscur philosophe du Ier siècle, que nous devons le raffinement le plus poussé du scepticisme. Voulant renforcer les dix modes d'Ænésidème, qui étaient sans liens entre eux, il les ramena à cinq, mais en leur imprimant une dynamique toute nouvelle. Ainsi, ses cinq modes n'étaient plus une simple énumération des situations conduisant au doute, mais bien une sorte de labyrinthe logique dont les passages s'enchaînaient méthodiquement.

À l'intérieur du labyrinthe, où le dogmatique est invité à entrer, chaque passage conduit à un choix entre deux portes: la première porte mène à la suspension du jugement, l'autre au mode suivant; à son tour, ce deuxième mode mène soit à la position sceptique (la suspension du jugement), soit au mode suivant. Voyez plutôt ce drôle de manège.

Les cinq modes sceptiques selon Agrippa

1. *Le désaccord.* Ce mode de suspension du jugement est habituellement présenté en premier lieu par les néo-pyrrhoniens; et pour cause, c'est la porte d'entrée de leur labyrinthe! Il consiste à faire constater la multiplicité des positions contradictoires sur un sujet donné et à forcer le dogmatique à en *choisir* une. S'il refuse de choisir, le voilà sceptique! Mais s'il en choisit une, il doit faire face au prochain mode.

2. *La régression à l'infini.* Maintenant que le dogmatique a pris position, le sceptique lui demande de se justifier théoriquement. Et comme cette justification prend appui sur d'autres bases, il devra également justifier celles-ci, et ainsi de suite... à l'infini.

3. *Le cercle vicieux.* Il peut arriver aussi que le dogmatique tente de justifier ce qu'il avance sur une partie de ce qui est à justifier. Ainsi, s'il veut fonder le sensible sur l'intelligible, mais que cet intelligible a besoin du sensible pour être fondé, il tourne en rond dans un diallèle, ou cercle vicieux. Évidemment, celui qui veut fonder l'intelligible sur un autre intelligible ou le sensible sur un autre sensible retombe dans le mode de la régression à l'infini.

4. *L'hypothèse ou postulat.* Refusant de justifier ce qui lui semble « évident » et de régresser à l'infini, le dogmatique décide de faire reposer sa position sur un postulat, c'est-à-dire un principe indémontrable. Mais le sceptique lui fait remarquer alors qu'on peut admettre d'autres postulats sur la même question ; on se retrouve donc face à un désaccord fondamental, et le dogmatique est renvoyé au premier mode.

5. *Le relatif.* Ayant parcouru tous ces modes, le dogmatique se rendra compte, dit le sceptique, que toute connaissance est dans sa nature même une relation à une autre qu'elle-même et n'atteint jamais son objet tel qu'il est. Le dogmatique est donc amené à suspendre son jugement, c'est-à-dire à devenir sceptique.

La relativité, un dessin de M. C. Escher. On peut y voir une illustration
du labyrinthe logique d'Agrippa.

Comment le sceptique lui-même s'y prend-il pour défendre sa propre position sceptique ? Comment peut-il faire pour ne rien affirmer ? Ne se contredira-t-il pas s'il prétend que tout est égal ou relatif ? Non, le sceptique néo-pyrrhonien n'est là que pour « faire voir » :

> Le scepticisme est la faculté de mettre face à face les choses qui apparaissent aussi bien que celles qui sont pensées, de quelque manière que ce soit, capacité par laquelle, *du fait de la force égale qu'il y a dans les objets et les raisonnements opposés,* nous arrivons d'abord à la suspension de l'assentiment, et après cela à la tranquillité[11].

N'est-ce pas là affirmer une position, de dire qu'il y a une « force égale » dans « les objets et les raisonnements opposés » ? Non plus, car le sceptique dira seulement

---

11. Sextus Empiricus, *Esquisses pyrrhoniennes,* trad. par Pierre Pellegrin, Paris, Seuil, 1997, livre I, 4 (8), p. 57. C'est nous qui soulignons.

«qu'il lui semble» que les arguments sont égaux. Il se contentera donc des expressions comme «pas plus ceci que cela», «peut-être», «il est possible» :

> Il faut également savoir que nous énonçons l'expression «pas plus» sans assurer qu'elle est elle-même en tout cas vraie et sûre, mais en parlant, à son propos aussi, selon ce qui nous apparaît[12].

Finalement, le sceptique néo-pyrrhonien se limite à dire comment les choses lui apparaissent, et toute chose, tout sujet lui apparaît toujours affecté de relativité. Tout au plus peut-il affirmer :

> Je suis affecté de manière telle que je ne pose ni ne rejette dogmatiquement aucune des choses qui ont été mises dans le champ de cette recherche[13].

5.4 Retour sur la question

À la fin de l'Antiquité gréco-romaine, le discours philosophique se trouve dans une sérieuse impasse qu'il lui faudra surmonter. À travers le scepticisme, il se formule à lui-même des objections qui feront apparaître le besoin d'établir de nouveaux fondements à la philosophie. Les objections sceptiques n'ont pas cassé la croyance qu'ont les écoles dogmatiques de posséder le critère de la vérité, mais elles ont inscrit le doute au cœur même de l'activité philosophique. Ce faisant, elles ont poussé l'esprit critique à une extrémité où il se trouve paralysé. Le discours philosophique apparaît donc, à cette époque, profondément divisé entre sa tendance doctrinale, c'est-à-dire sa volonté de répondre aux questions de sens qui se posent à l'humanité, et sa tendance critique, c'est-à-dire sa volonté de remettre en cause toutes les certitudes, *y compris les siennes*.

La question controversée présentée au début de ce chapitre (*Existe-t-il un critère qui nous permettrait de reconnaître que le vrai est atteint ?*) a donc reçu une réponse contradictoire de la part des écoles philosophiques de l'époque hellénistique. Certaines, les dogmatiques, ont prétendu que oui et se sont montrées très confiantes dans la capacité des sens de «saisir» le monde tel qu'il est. Les autres, sceptiques devant la discordance entre les écoles dogmatiques, ont remis en cause cette confiance. Elles se sont déclarées incapables de décider si oui ou non on peut saisir le monde tel qu'il est, préférant suspendre indéfiniment leur jugement sur cette question. Ce moment sceptique dans la recherche de la vérité a placé le discours philosophique dans une impasse et soulevé une série de questions fondamentales. Sans critère de vérité, le discours philosophique peut-il poursuivre la recherche de la vérité ou bien doit-il la suspendre ? La philosophie peut-elle se satisfaire d'affirmations *probables* au lieu de certitudes ? N'est-ce pas là «retomber» dans le domaine de l'opinion d'où Platon et Aristote prétendaient avoir sorti la philosophie ? Dans l'éventualité où ni la raison ni la sensation ne pourraient constituer des fondements de la vérité, devrait-on chercher un critère qui serait extérieur à l'être humain, comme dans la religion ?

---

12. *Ibid.,* livre I, 19 (191), p. 159.
13. *Ibid.,* livre I, 22 (197), p. 163.

L'objection
une habileté à développer

Nous nous sommes attardés dans ce chapitre à la période dite « hellénistique » de la philosophie, une période qui se démarque par l'intensité des échanges et des débats entre écoles rivales, par la pratique systématique de l'objection. Cette pratique n'était pas vraiment une nouveauté : Socrate et Platon avaient contesté la valeur des arguments des sophistes ; Aristote aussi avait attaqué le relativisme, mais surtout il avait osé attaquer la doctrine des Idées de son maître Platon. Mais, à l'époque hellénistique, la pratique de l'objection prit une ampleur inédite. La contestation des thèses et des arguments des autres se systématisa. Pendant trois siècles, on s'ingénia à contester, à ébranler et même à démolir les positions adverses, ce qui, forcément, eut des effets profonds sur l'évolution des doctrines. Par exemple, certaines doctrines évoluèrent en fonction des objections qu'elles ne pouvaient rejeter. Elles durent concéder ce qu'elles ne pouvaient réfuter. Souvenez-vous de l'objection formulée par le camp dogmatique contre les académiciens à propos de la paralysie de l'action à laquelle mèneraient les principes de ceux-ci. Face à cette objection, les académiciens durent répliquer.

Pratiquement, comment élabore-t-on des objections ? Comment vous y prendrez-vous ? Dans le cadre d'une argumentation, faire une objection c'est opposer un argument à un argument ou à une thèse de la partie adverse. C'est expliquer au moyen d'une argumentation pourquoi l'argument ou la thèse de la personne qui tient une position contraire à la vôtre n'est pas acceptable ou l'est peu ; c'est remettre en cause sa pertinence ou sa crédibilité. L'objection n'est donc pas une activité nouvelle en tant que telle : vous savez construire des arguments (chapitre 2) et vous savez comment les évaluer (chapitre 3). La nouveauté, ici, c'est que vous devez faire porter vos efforts sur la recherche des faiblesses de la position adverse plutôt que sur le renforcement de votre propre position. Dans cet effort de critique, vous devez vous efforcer d'estimer si les arguments de votre adversaire sont totalement ou partiellement inacceptables. Si vous les jugez totalement inacceptables, vous devrez les réfuter. S'ils sont partiellement acceptables, c'est-à-dire s'ils comportent des lacunes, vous devrez leur concéder leur valeur, tout en soulignant leurs faiblesses.

Il existe des formules appropriées aux débats. Par exemple, si vous voulez signifier votre intention de réfuter, vous pouvez employer une formule comme « Pas du tout… » ou comme « Il est totalement faux que… », etc. Si vous voulez plutôt signifier votre intention de concéder, vous aurez recours alors à des formules comme « Oui, mais… » ou comme « Il est vrai que…, mais… », ou encore comme « Je concède que…, mais… ». La personne à qui s'adresse votre objection est bien sûr tenue d'y répondre, d'y répliquer. Sa réplique est elle aussi un argument, qui se présente comme une objection à l'objection. Lorsque votre objection est une réfutation, la réplique est absolument nécessaire pour la défense de votre adversaire, car s'il y renonce il se trouve par le fait même à admettre que sa position est intenable ; si votre objection est au contraire une concession, votre adversaire cherchera à en minimiser la valeur ; autrement dit, il tentera de montrer que votre objection manque de pertinence ou de crédibilité afin de renforcer sa propre position.

L'objection est souvent mal comprise ou mal employée. Les débats prennent souvent l'allure de conflits parce que les parties adverses manquent d'écoute ou se sentent menacées par les objections qui leur sont faites. Alors que la formulation d'objections et de répliques peut être au contraire un processus constructif au cours duquel chacun peut voir sa position évaluée par la partie adverse. Les répliques que chaque partie est forcée d'élaborer ne font que renforcer la solidité de l'argumentation : chacune d'elles devrait donc voir dans l'objection qui lui est faite une occasion de rendre sa propre argumentation plus rigoureuse.

Lorsque vous serez devenu habile dans le maniement de l'objection, vous pourrez passer à un niveau supérieur et vous exercer à *vous adresser à vous-même des objections* ! Avec un peu de détermination et d'imagination, vous serez capable de dénicher les faiblesses de votre position, de vous adresser mentalement des objections et d'y répliquer. Vous feriez alors là une belle démonstration d'esprit critique, car il est extrêmement difficile de se percevoir avec les yeux de nos opposants. Pensez aux débats inutiles qui pourraient être évités si les gens procédaient de la sorte !

Questions *et exercices*

Questions de compréhension

1. Quelles ont été les répercussions sur l'individu de la disparition de la démocratie au profit des grands royaumes issus de l'empire d'Alexandre le Grand?

2. Pour quelles raisons les sciences connurent-elles un développement fulgurant à Alexandrie au ~IIIᵉ siècle?

3. Quelle est la principale caractéristique des nouvelles écoles philosophiques de l'époque hellénistique?

4. En quoi la philosophie de l'école épicurienne est-elle matérialiste, sensualiste et dogmatique?

5. Quelles sont les différences entre le scepticisme de la nouvelle Académie et le scepticisme du néo-pyrrhonisme?

6. Pourquoi dit-on que, dans les débats, la formulation d'objections doit être considérée comme un processus constructif?

Exercice 5.1 *Objecter et répliquer*

Rappel (voir la section précédente, «L'objection: une habileté à développer»):

- Dans le cadre d'une argumentation, faire une objection c'est opposer un argument à un argument ou à une thèse de la partie adverse. C'est expliquer au moyen d'une argumentation pourquoi l'argument ou la thèse de la personne qui tient une position contraire à la vôtre n'est pas acceptable ou l'est peu; c'est remettre en cause sa pertinence ou sa crédibilité. Comme l'objection, la *réplique* est elle aussi un argument; elle est en quelque sorte une objection à l'objection.

- Lorsque vous faites une objection ou une réplique, vous pouvez procéder de deux façons: soit que vous jugez qu'un argument ou une thèse est totalement inacceptable, et alors vous la *réfutez*; soit que vous jugez qu'un argument ou une thèse est partiellement acceptable, et alors vous lui *concédez* de la valeur, tout en soulignant ses faiblesses.

À l'aide du chapitre 5, reconstituez une partie de la controverse entre les épicuriens et les académiciens à propos du critère de vérité:

1) Formulez une argumentation qui justifie la thèse épicurienne suivante: « Toutes nos sensations sont vraies. »

2) Formulez une objection des académiciens à l'argumentation (thèse ou argument) des épicuriens.

3) *Formulez une réplique des épicuriens à l'objection précédente des académiciens.*
4) *Formulez une réplique des académiciens à la réplique précédente des épicuriens.*

Précisez si les objections et les répliques de chaque camp sont des réfutations ou bien si elles comportent des concessions.

Exercice 5.2 *Produire une objection et une réplique*

Prenez une argumentation que vous avez déjà produite et

1. formulez une objection à l'un de vos arguments;
2. formulez une réplique à cette objection.

Exercice 5.3 *Réponse à la question inaugurale du chapitre*

En suivant les étapes énumérées ci-dessous, répondez à la question inaugurale du chapitre: «Existe-t-il un critère qui nous permettrait de reconnaître que le vrai est atteint?»

1. Conceptualisation des notions de la question.

2. Problématisation de la question.

3. Formulation d'une argumentation pertinente et crédible pour répondre à la question.

4. Explication de l'argumentation.

5. Utilisation d'une source crédible pour appuyer votre argumentation.

6. Formulation d'une objection à un argument.

7. Formulation d'une réplique à l'objection.

 **onclusion**

Qu'est-ce que la philosophie?

> *La nature confond les pyrrhoniens (et les académiciens) et la raison confond les dogmatiques. Que deviendrez-vous donc, ô homme qui cherchez quelle est votre véritable condition par votre raison naturelle, vous ne pouvez fuir une de ces trois sectes ni subsister dans aucune.*
>
> PASCAL, *Pensées* (fragment 122).

> *La philosophie n'est pas une doctrine mais une activité.*
>
> LUDWIG WITTGENSTEIN, *Tractatus logico-philosophicus.*

Vous arrivez maintenant au terme du cours d'initiation à la philosophie. En parcourant ce manuel, vous avez commencé à pratiquer la philosophie. Comment au juste? En assistant aux débats de philosophes de l'Antiquité grecque à propos de la vérité, en cherchant à répondre aux questions fondamentales posées au début de chaque chapitre et en acquérant des habiletés philosophiques. Comme nous l'indiquions dans l'avant-propos, c'est à l'aide de tout ce bagage que nous allons maintenant réfléchir à la définition de la philosophie. Pour qu'une définition de la philosophie soit signifiante pour vous, il est préférable, avons-nous dit, que ce soit vous qui l'élaboriez. Pour ce faire, vous devez cerner les caractéristiques de ce discours particulier. Pour vous aider dans cette tâche, nous allons caractériser la philosophie en considérant son histoire et nous allons la distinguer des autres modes d'expression de la pensée avec lesquels on pourrait la confondre.

La philosophie est une réflexion critique

La petite histoire de la philosophie que nous avons donnée dans ce manuel révèle qu'en philosophie les systèmes succèdent aux systèmes et qu'en aucun moment on est tenu d'adhérer à l'un d'eux. Ce qui s'impose au-delà de la multiplication des systèmes, c'est l'idée qu'il faut développer l'autonomie de la pensée.

Comme vous l'avez vu dans le chapitre 2, la philosophie n'est pas apparue spontanément dans l'histoire du développement de la pensée humaine. Fille des réformes démocratiques qui ont gagné progressivement les cités-États grecques, elle s'est constituée parallèlement à une remise en question du discours mythico-religieux. Apparemment, personne avant les penseurs ioniens n'avait encore osé critiquer ce que les Grecs considéraient comme leur héritage le plus sacré: les récits mythiques. Ce que les penseurs ioniens remirent en question, c'est le caractère souvent incohérent ou contradictoire des aventures des dieux. De plus, les échanges réguliers que les colonies ioniennes entretenaient avec les grandes civilisations d'Orient les confrontaient avec le caractère bien relatif de leur religion. Les présocratiques abandonnèrent donc le discours mythique au profit d'une pensée plus apte à justifier *rationnellement* leur prétention à comprendre et à expliquer le monde et ses phénomènes. Mais ce ne sont pas les nouvelles connaissances qui ont été à l'origine de la philosophie, c'est plutôt la manière de les découvrir. Nous avons vu que les présocratiques ont été les critiques les uns des autres. Chacun s'est penché sur les explications de ses prédécesseurs et y a réfléchi en se servant de sa propre raison. La philosophie apparaît à cette époque comme l'expression d'une insatisfaction fondamentale à l'égard des connaissances existantes ; dans ce sens, elle est davantage une réflexion critique que la possession d'un savoir. La philosophie ne s'est donc pas constituée comme une doctrine ou une théorie ; elle s'est plutôt révélée comme la marque et le résultat de la pensée autonome.

Socrate allait faire de l'activité critique de la pensée autonome le modèle même de l'activité philosophique. C'est ainsi qu'il a attiré tout un pan de la jeunesse athénienne. Il pratiquait une remise en question radicale non seulement du savoir des autres, mais aussi du sien propre, affirmant que sa sagesse était de savoir qu'il ne savait rien. Critiquant les sophistes pour leur prétention au savoir dans tous les domaines et à la vérité à partir de simples opinions, Socrate inaugura une réflexion critique sur les fondements du savoir. Au relativisme des opinions, il opposa la recherche de l'universel dans le domaine des opinions et imposa cette recherche comme un devoir pour quiconque se prétendait rationnel.

Cette recherche de l'universel fut envisagée de façon bien différente par les successeurs de Socrate. Platon la poussa à l'extrême limite de la rationalité, là où l'absolu rencontre le mythe. Aristote reprocha à son maître Platon d'avoir ainsi fait une concession à la pensée mythique. Pour sa part, il proposa une philosophie du langage comme guide de la réflexion critique et rationnelle. À son tour, Épicure critiqua sans ménagement ses prédécesseurs et proposa de faire de la vérification une exigence de la pensée critique. Mais ce furent les sceptiques qui osèrent pousser la réflexion critique à son extrême limite, en remettant en question ce qu'Aristote avait déclaré être les principes *indémontrables* de la raison. Quelle vision incroyable que celle d'une rationalité qui se force elle-même à justifier ses fondements ! Ce faisant, les sceptiques imposèrent le doute comme un passage obligé de l'acte philosophique. La suspension sceptique du jugement, si elle n'interrompt pas la réflexion philosophique, pose à la Raison humaine de sérieuses questions quant à sa prétention à la Vérité.

Il est vrai que le doute n'est pas l'apanage de la philosophie ; la science le connaît elle aussi et même n'existerait pas sans lui (nous reviendrons sur ce sujet). Le doute, qui se manifeste souvent sous la forme d'un étonnement face à l'étrangeté du monde, a été et demeure le moteur de la pensée rationnelle et critique. Il est fondateur de certains savoir-faire indispensables à la réflexion rationnelle.

Notre petite histoire de la philosophie nous a fait réaliser que l'amour de la sagesse (*philosophia*) est un amour inquiet qui ne cesse de se remettre en question et qu'il ne faut pas confondre avec l'amour des certitudes.

La philosophie est une réflexion rationnelle

En tant que **réflexion**, la philosophie est une connaissance du second degré. Pour qu'elle soit qualifiée de rationnelle, la réflexion doit d'abord permettre d'établir une juste compréhension des choses. Elle doit également permettre d'examiner les éléments de manière à mettre en évidence le problème ou la question en jeu. Il faut, pour être rationnel, avoir une conscience claire du problème discuté. Pour éviter toute confusion et toute forme de dérapage logique, il faut aussi conceptualiser les notions importantes en cause et s'en tenir aux définitions qui en résultent. C'est la cohérence du discours qui est ici en cause. La réflexion rationnelle suppose encore la capacité de faire valoir un point de vue, c'est-à-dire de le justifier dans le respect des règles du raisonnement et des principes de la raison. Les règles du raisonnement logique, le principe d'identité et le principe de non-contradiction sont les bases indispensables de la réflexion rationnelle. En résumé, l'action de philosopher passe par la *problématisation,* la *conceptualisation* et la *justification rationnelle.*

réflexion

Retour de la pensée sur elle-même en vue d'examiner plus à fond une idée, une situation, un problème (*Le Petit Robert*).

aporie

Difficulté d'ordre rationnel paraissant sans issue (*Le Petit Robert*).

La philosophie est une démarche d'appropriation du sens

En tant qu'appropriation par une personne d'un ensemble de justifications et d'explications, la philosophie donne un sens aux choses, et cela même si la réflexion aboutit à une **aporie**. Les apories soulèvent de nouvelles questions qui, à leur tour, engendrent une réflexion qui donne un sens à ce qu'on cherche à comprendre : le monde, soi et les autres. La réflexion philosophique, même si elle est à la limite la conscience d'une situation paradoxale, permet d'orienter l'action. Elle n'est pas pour autant une morale, elle donne un sens aux choses et à la vie, mais elle n'est pas un système de règles de conduite ; elle doit être et rester un discours critique et, par ricochet, donner un sens et orienter l'action.

La *philo-sophia* — étymologiquement, « amour de la sagesse » — n'est pas la sagesse. Parce qu'elle aboutit, comme le croyait Socrate, à des situations aporétiques (pensons à la quête de la vérité ou à la recherche du bonheur), la philosophie est davantage une recherche qu'une sagesse acquise. Les différents systèmes philosophiques qui ont cherché à donner des réponses précises aux grandes questions ne sont pas à l'abri des critiques. Paradoxalement, chaque système philosophique qui propose une explication révèle en même temps tout ce qu'il ignore, ce qui entraîne de nouveaux problèmes. La critique des savoirs et le développement des habiletés philosophiques devraient permettre à ceux qui pratiquent la philosophie d'éclairer le tissu de signification qui les lie au monde et aux autres. C'est dans ce sens que la philosophie est une recherche qui n'a pas de fin. En comparaison, la sagesse apparaît plus comme un moyen de vivre en paix avec soi-même malgré un monde qui échappe à nos efforts pour en saisir le sens ; à cet égard, elle convient plus au discours religieux (nous y reviendrons) qu'au discours philosophique. Dans son rapport à la philosophie, la sagesse est un peu comme le bonheur ou la vérité, un objectif vers lequel on tend, sans jamais véritablement l'atteindre.

Ce que vous venez de lire à propos de la philosophie ne constitue pas à proprement parler une définition de la philosophie, mais, à y regarder de près, vous avez là tout ce qu'il faut pour élaborer une définition acceptable de la philosophie. Étant donné que les philosophes, les historiens de la philosophie et même les professeurs de philosophie se disputent toujours à propos de la définition de la philosophie, vous pouvez très bien formuler la vôtre en toute quiétude, à la condition d'y faire entrer un certain nombre de caractéristiques propres au discours philosophique. Mais, avant de passer à l'action, voici quelques remarques pour vous éviter certains pièges.

La philosophie n'est pas l'opinion

On vient de voir que la philosophie est, d'une certaine manière, l'expression d'une pensée autonome et personnelle, et pour cette raison on peut avoir tendance à la confondre avec l'opinion. Pourtant, il s'agit là de deux modes bien distincts d'expression de la pensée personnelle. Donner son opinion, c'est dire ce que l'on pense ; ce qui importe le plus quand on « opine », c'est de faire connaître notre adhésion à certaines idées. C'est l'affirmation de notre subjectivité qui importe ici et non la recherche de la vérité. Les convictions peuvent être l'expression d'idées spontanées (perceptions, impressions, sentiments), d'idées reçues du milieu, de préjugés partagés par le groupe auquel on appartient ; bref, il s'agit d'idées auxquelles adhère une personne sans examen critique. Tout en restant dans le domaine de la pensée personnelle, la philosophie est loin d'être l'expression d'une subjectivité spontanée. Nous l'avons déjà dit, la philosophie est une *réflexion*, c'est-à-dire un retour de la pensée sur elle-même en vue d'examiner plus à fond une idée, un problème, une action. La philosophie cherche à fonder, à légitimer rationnellement la pensée avancée ; en d'autres termes, elle est l'expression du pourquoi on pense ce qu'on pense.

La philosophie n'est pas la science

La philosophie n'a pas d'objet d'étude en propre, comme les sciences en ont un. La zoologie a pour objet d'étude les animaux, la botanique s'intéresse aux plantes, la physique étudie les phénomènes matériels, l'histoire scrute le passé, etc. Aucun sujet précis ne limite l'activité philosophique. On peut philosopher tout aussi bien sur le sens de la vie que sur la politique, sur le droit ou les arts, sur la connaissance ou les valeurs, sur l'amour ou la vérité, etc. Bien qu'elle n'ait aucun objet d'étude en particulier, la philosophie s'intéresse à tous les objets d'étude. En philosophie, on n'apprend peut-être rien dans le sens où on apprend des choses en science, mais on réfléchit sur tout, puisque tout est légitimement objet de réflexion critique et rationnelle.

Toutefois, la science et la philosophie ont en commun l'esprit critique. Le doute est le principe d'une pensée autonome capable de se libérer de toute forme d'autorité, celle de la tradition, celle des autres et du milieu, celle des croyances et des valeurs, celle de l'expérience sensible, etc. De par leur dimension critique, philosophie et science se distancient des données immédiates de la perception et de la conscience. La science partage aussi avec la philosophie un goût inconditionnel pour la rationalité : rigueur du raisonnement, respect des principes de la raison et conceptualisation des notions importantes sont autant de caractéristiques de la pensée scientifique et de la réflexion philosophique. Toutefois, la science et la philosophie se distinguent par les questions qu'elles posent. En science, ce sont les *questions de fait* qui importent ; en philosophie, ce sont les *questions de sens*. Mais ni les questions philosophiques ni les questions scientifiques ne naissent de la spontanéité ; elles viennent plutôt des problèmes qui poussent à la recherche. La différence profonde entre ces deux domaines du savoir concerne la formulation des problèmes et des questions.

Dans son effort pour connaître le monde réel, la science ne se contente pas d'accumuler des observations immédiates du monde. Elle transforme les données immédiates de la perception en énoncés scientifiques. Il n'y a de science que de l'universel, disait Aristote. Dans ce sens, mon crayon qui tombe par terre n'intéresse pas la science ; c'est le phénomène général de la chute des corps qui l'intéresse. Le médecin de l'Antiquité qui cherchait à comprendre une maladie étudiait les rapports entre des symptômes, les rapports entre l'ingestion d'aliments ou de liquides et ces symptômes. Le disciple d'Aristote étudiait le comportement des animaux déjà répertoriés et classés selon des critères morphologiques, écologiques, etc. Aristote qui disséquait un chat pour en comprendre l'anatomie savait qu'il s'agissait d'un mammifère ; il n'était donc pas surpris de trouver des similitudes entre le système reproducteur du chat et celui du chien ou même de l'être humain. Bref, ce sont les phénomènes qui intéressent la science et non le cas particulier qui se produit dans un lieu et un moment précis (un crayon en particulier qui tombe). Ce que la science cherche à comprendre, ce sont les relations objectives qui se produisent dans certains phénomènes.

Certaines questions expriment la recherche du pourquoi des choses, de leur finalité. Par exemple, pourquoi y a-t-il de la vie ? La vie a-t-elle un sens ? La science et la philosophie s'interrogent toutes les deux sur la vie ; la première veut savoir *comment* elle est et la seconde, *pourquoi* elle est. Mais, dans l'Antiquité, ces deux branches du savoir étaient intimement liées. Ce n'est que très lentement et beaucoup plus tard, au XVIIe siècle, que la science s'est clairement détachée de la philosophie. Il n'est pas question ici de faire l'histoire de ce long détachement ; nous allons nous en tenir à présenter la démarche moderne de la science dans le but d'éviter de la confondre avec la démarche philosophique.

Depuis l'époque moderne, on parle de la science en termes de *méthode expérimentale*. Ici, il ne faut pas se laisser abuser par les mots en croyant qu'il s'agit d'un retour à l'expérience sensible vécue par une personne. L'observation est une étape importante de la démarche scientifique, mais elle ne constitue pas une expérience scientifique. Il serait trop simpliste de dire que la nouveauté de la science moderne par rapport à l'ancienne consiste dans le remplacement du raisonnement par l'expérience : « Le changement consiste dans une nouvelle manière d'associer raisonnement et expérience : une nouvelle manière de raisonner au sujet des faits d'expérience, une nouvelle manière d'interroger l'expérience pour à la fois la soumettre au raisonnement et lui permettre de le contrôler[1]. » Robert Blanché, que nous venons de citer, ramène à trois les nouvelles caractéristiques de cette méthode : l'usage du raisonnement hypothético-déductif, le traitement mathématique de l'expérience et l'appel à l'expérimentation.

---

1. Robert Blanché, *La méthode expérimentale et la philosophie de la physique*, Paris, A. Collin, coll. « U2 », 1969, p. 11.

Dans le *raisonnement hypothético-déductif,* l'hypothèse vient d'abord, la déduction ensuite. Mais d'où vient l'hypothèse? Toute connaissance commence par l'expérience sensible, disait Aristote. Nous percevons le monde qui nous entoure, nous jugeons à partir de ces perceptions, nous élaborons des opinions, nous les confrontons avec les opinions des autres; bref, c'est ce premier brassage d'idées qui suscite chez certaines personnes curieuses la formulation d'idées nouvelles. En science, on parle d'hypothèse et non de thèse comme nous l'avons fait tout au long de ce manuel. Pourquoi? Une thèse n'est ni plus ni moins qu'une opinion que l'on considère comme vraie et à partir de laquelle on raisonne, tandis qu'une hypothèse est une supposition, c'est-à-dire un énoncé qui sert de point de départ au raisonnement et dont on ne sait pas encore s'il est vrai ou faux. La vérité de l'énoncé viendra plus tard, parce qu'il faut préalablement soumettre l'hypothèse au raisonnement déductif. Pour ce faire, les sciences modernes ont tendance à quitter le langage de tous les jours pour traduire les phénomènes dans le langage abstrait des nombres, des valeurs numériques, des tableaux, etc. La déduction mathématique bien faite permet d'aboutir à une conclusion logique et cohérente, mais la vérité de la conclusion n'est pas assurée pour autant. La science moderne sait que des raisonnements bien faits peuvent conduire à des conclusions erronées, et qu'inversement des conclusions vraies peuvent être issues de raisonnements non valides.

D'où l'appel à l'expérimentation. Il ne s'agit pas de trouver dans le monde concret un cas permettant de vérifier la conclusion; il faut au contraire construire, inventer de toutes pièces une situation de contrôle. Le contrôle expérimental de la conclusion mène à l'une de ces deux issues : soit une discordance entre la conclusion et le résultat de l'expérience, ce qui mène au rejet de l'hypothèse, soit la concordance entre la conclusion et le résultat de l'expérience, ce qui mène à l'acceptation de l'hypothèse. Ce n'est que dans ce dernier cas qu'on cessera de parler d'hypothèse. Le discours scientifique repose donc sur le processus suivant : l'observation des phénomènes suggère des idées qui sont d'abord considérées comme des hypothèses et qui, après avoir été étayées rationnellement, doivent subir l'épreuve de la confrontation avec les faits de l'expérience. C'est le résultat de cette confrontation qui permet de décider si l'hypothèse initiale doit être acceptée, rejetée ou encore modifiée.

Cependant, ce ne sont pas toutes les sciences modernes qui sont de nature expérimentale. Plusieurs questions de fait ne peuvent pas être soumises au contrôle de l'expérience, par exemple les questions relatives à l'histoire des sociétés ou à l'anthropologie. Par contre, d'autres méthodes se sont développées pour donner de la valeur aux hypothèses avancées dans ces domaines.

La philosophie n'est pas la religion

Nous avons dit précédemment que la philosophie et la religion cherchent à donner un sens aux choses et à la vie et qu'elles côtoient chacune à sa façon la sagesse. Il importe donc d'éviter de les confondre. En quoi la religion se distingue-t-elle de la philosophie?

Nous avons vu dans ce livre que le développement de la philosophie a mené, en quelques siècles, au scepticisme radical (la suspension du jugement du néo-pyrrhonisme) relativement à la possibilité de connaître véritablement le monde et ses phénomènes. Mais la conscience d'être ignorant peut aussi mener à deux autres attitudes : le *doute* et la *croyance*.

Le *doute* est le moteur de la réflexion critique et il est, par le fait même, au centre de l'interrogation philosophique et de la démarche scientifique. En philosophie, tout comme en science, le doute n'est pas envisagé comme un obstacle ; il est au contraire le principe, l'agent ou l'instigateur de la réflexion. Sans le doute, pas de philosophie ni de science ; sans le doute, on serait obligé de se contenter des impressions, des intuitions et des sentiments sur les phénomènes. Si on accepte le doute comme principe et attitude, on doit en accepter la conséquence : vivre dans l'ignorance de l'absolu.

Du côté de la religion, ce n'est pas le doute, mais bien la *croyance* qui est au cœur de l'attitude de ses adeptes. La religion tente d'une certaine manière de réconcilier le fait que rien dans ce monde ne dure avec le désir qui habite chaque être humain de se sentir en harmonie avec ce qui ne change pas. Il peut être inquiétant, voire angoissant, de toujours être en porte-à-faux avec le monde changeant qu'on habite. La religion se veut un baume pour calmer l'inquiétude causée par la non-permanence du monde et la finitude de la vie. L'attitude religieuse consiste à *croire* que l'être humain a le pouvoir de dépasser « l'illusion du changement[2] » pour mieux se concentrer sur le sentiment du permanent qui nous habite et du même coup combattre l'angoisse et faire s'éclipser le doute. La religion est donc un changement de perspective qui vise à mettre un terme à l'incertitude. Elle concède au scepticisme que la vérité n'est pas à la portée de la raison humaine ; et elle ajoute qu'il est préférable d'écouter la voie du cœur pour connaître la vérité. C'est donc en dedans de nous qu'il faut regarder si on veut trouver la vérité et la paix tant désirées. Que pouvons-nous trouver au fond de nous ? Une certitude. Celle qui consiste à croire que les choses, le monde et la vie doivent avoir un sens. C'est un sentiment universellement partagé. Et c'est ce sens qui, selon la religion, fait naître en chacun de nous ce sentiment de permanence. Bien sûr, il n'y a pas de preuve de l'existence de la permanence, mais ceux qui accordent une grande valeur à ce sentiment se demandent comment on peut ne pas y croire. Dans cette optique, la vérité serait plus une affaire de cœur que de raison. La religion serait une réflexion sur le monde basée sur une conviction profonde, à savoir qu'il existe une force spirituelle qui nous dépasse et qui donne *un sens* aux choses et à la vie. La religion serait plus qu'une réflexion, elle serait aussi une proposition de vie qui suppose de la part du croyant suffisamment d'humilité pour faire confiance et même se soumettre à cette force spirituelle qui est conçue comme *la voie, la vérité* et *le principe même de la vie.*

La différence fondamentale entre la philosophie et la religion tient donc dans l'attitude face au doute. La philosophie est une *recherche incessante* de la vérité tandis que la religion se présente comme une voie capable de révéler la vérité et de mettre fin au doute afin de procurer la paix intérieure. Que faut-il choisir ? Le doute philosophique ou la certitude religieuse ? Socrate avait-il raison de prétendre que la sagesse réside dans la capacité d'accepter notre ignorance insurmontable à l'égard des grandes questions de l'existence ?

---

2. L'expression est de Parménide.

ℬibliographie

AUBENQUE, P., « *Aristote et le Lycée* », dans Brice PARAIN (dir.), *Histoire de la philosophie I,* vol. 1 : *Orient — Antiquité,* Paris, Gallimard, coll. « Folio Essais », 1999.

AUBENQUE, P., « Aristote », dans *Dictionnaire des Philosophes,* Paris, Albin Michel, coll. « Encyclopædia Universalis », 1998.

ARISTOTE, *Constitution d'Athènes,* Paris, Gallimard, coll. « Tel », 1996.

ARISTOTE, *La Métaphysique,* trad. par J. Barthélemy-Saint-Hilaire, Paris, Pocket, coll. « Agora Les Classiques », 1995.

ARISTOTE, *Organon III — Les premières analytiques,* trad. par J. Tricot, Paris, Vrin, coll. « Bibliothèque des textes philosophiques », 1992.

ARISTOTE, *Éthique de Nicomaque,* Paris, Garnier-Flammarion, coll. « Texte intégral », 1965.

BARNES, J., « Les penseurs préplatoniciens », dans M. Canto-Sperber (dir.), *Philosophie grecque,* Paris, P. U. F., coll. « Premier cycle », 1997.

BLACKBURN, Pierre, *Logique de l'argumentation,* 2ᵉ édition, Saint-Laurent, ERPI, 1994.

BOISVERT, Jacques, *Pensée critique et enseignement,* Québec, Regroupement des Collèges Performa, 1997.

BOLLACK, Jean et André LAKS, *Cahiers de philologie 3 : Épicure à Pythoclès,* Lille, Presses de l'Université de Lille, 1976.

BONNET, C., *Athènes, des origines à 338 av. J.-C.,* Paris, P. U. F., coll. « Que Sais-je ? », 1997.

BROCHARD, Victor, *Les sceptiques grecs,* 2ᵉ édition, Paris, Vrin, 1959.

BRÛLÉ, P., *Périclès, l'apogée d'Athènes,* Paris, Gallimard, coll. « Découvertes », 1994.

BRUN, Jean, *Épicure et les épicuriens,* Paris, P.U.F., 1964.

BRUNSCHWIG, J., « Socrate », dans *Dictionnaire des philosophes,* Paris, Encyclopædia Universalis/Albin Michel, 1998.

CABANES, P., *Introduction à l'histoire de l'Antiquité,* Paris, A. Colin, 1992.

CANTO-SPERBER, M. (dir.), *Philosophie grecque,* Paris, P.U.F., coll. « Premier cycle », 1997.

CHÂTELET, François, *Périclès et son siècle,* Bruxelles, Complexe, 1990.

CONCHE, Marcel, *Pyrrhon ou l'apparence,* Paris, P.U.F. 1994.

COULOUBARITSIS, L., *Aux origines de la philosophie européenne. De la pensée archaïque au néoplatonisme,* Bruxelles, De Boeck Université, coll. «Le point philosophique», 1992.

COULOUBARITSIS, L., *Histoire de la philosophie ancienne et médiévale,* Paris, Grasset, 1994.

DÉTIENNE, M., *L'invention de la mythologie,* Paris, Gallimard, 1981.

DE ROMILLY, J., *Les grands sophistes dans l'Athènes de Périclès,* Paris, De Fallois, 1988.

DIXSAUT, M., «Platon», dans *Dictionnaire des Philosophes,* Paris, Albin Michel, coll. «Encyclopædia Universalis», 1998.

DOYON, G. et P. TALBOT, *La logique du raisonnement. Théorie du syllogisme et applications,* Québec, Le Griffon d'argile, coll. «Philosophie», 1985.

DUMONT, J.-P., *Les écoles présocratiques,* Paris, Gallimard, coll. «Folio essais», 1992.

DUMONT, J.-P., *La philosophie antique,* Paris, P.U.F., coll. «Que sais-je?», 1965.

FARRINGTON, B., *La science dans l'Antiquité,* Paris, Payot, coll. P. B. P., 1967.

FINLEY, Moses, *Les anciens Grecs,* Paris, Seuil, coll. «Essais», 1993.

FOLSCHEID, D., *Les grandes dates de la philosophie antique et médiévale,* Paris, P.U.F., coll. «Que sais-je?», 1996.

GAARDER, J., *Le monde de Sophie,* Paris, Seuil, 1995.

GLOTZ, G., *Histoire de la Grèce,* tome III: *La Grèce au IVe siècle: la lutte pour l'hégémonie (404-336),* Paris, P.U.F., 1941.

GRIMBERG, Carl, *La Grèce et les origines de la pensée romaine,* Paris, Marabout université, coll. «Histoire universelle», 1963.

JEANNIÈRE, A., *Platon,* Paris, Seuil, coll. «Écrivains de toujours», 1994.

KUNZMANN, P., F. P. BURKARD et F. WEIDMANN, *Atlas de la philosophie,* Paris, Livre de poche, coll. «La Pochothèque», 1993.

LALANDE, André, *Vocabulaire technique et critique de la philosophie,* Paris, P.U.F., 1968.

LÉVI-STRAUSS, Claude, *La pensée sauvage,* Paris, Plon, 1962.

LOUIS, P., *Vie d'Aristote,* Paris, Hermann, coll. «Savoir», 1990.

LUCRÈCE, *De la nature,* trad. par Alfred Ernoud, Paris, Les belles lettres, 1947.

MOSSÉ, C., *Le procès de Socrate,* Bruxelles, Complexe, 1987.

PARIS, Claude et Yves BASTARACHE, *Philosopher, pensée critique et argumentation,* Québec, Éd. C.G., 1995.

PAQUET, Léonce, *Les cyniques grecs : fragments et témoignages,* Ottawa, Presses de l'Université d'Ottawa, 1988.

PERELMAN, Chaïm et Lucie OLBRECHTS-TYTECA, *Traité de l'argumentation,* Bruxelles, Éditions de l'Université de Bruxelles, 1988.

PICHOT, A., *La naissance de la science,* tome 2 : *Grèce présocratique,* Paris, Gallimard, coll. « Folio-Essai », 1991.

PLATON, *Œuvres complètes,* tome 1, trad. par Léon Robin, Paris, Gallimard, coll. « Bibliothèque de la Pléiade », 1950.

REVEL, J. F., *Histoire de la philosophie occidentale,* Paris, Nil, 1994.

ROBIN, L., *La pensée grecque et les origines de l'esprit scientifique,* Paris, Albin Michel, coll. « L'évolution de l'humanité », 1963 et 1973.

ROMEYER DHERBEY, G., *Les Sophistes,* Paris, P.U.F., coll. « Que sais-je ? », 1985.

SCHUHL, P.-M. (dir.), *Les stoïciens,* Paris, Gallimard, coll. « Tel », 1997.

SEXTUS EMPIRICUS, *Esquisses pyrrhoniennes,* trad. par Pierre Pellegrin, Paris, Seuil, 1997.

VERNANT, Jean-Pierre, *Mythe et tragédie en Grèce ancienne,* Paris, Maspero, 1973.

VERNANT, Jean-Pierre, « Les origines de la philosophie », dans C. DELACAMPAGNE et R. MAGGIORI (dir.), *Philosopher,* tome 2, Paris, Presses Pocket, 1991.

VLASTOS, G., *Socrate, ironie et philosophie morale,* trad. par Catherine Dalimer, Paris, Aubier, 1994.

VOILQUIN, J., *Les penseurs grecs avant Socrate. De Thalès de Milet à Prodicos,* Paris, Garnier-Flammarion, 1964.

$\mathcal{S}$ources des photographies

Page couverture: Superstock.

L'École d'Athènes, de Raphaël: pages XIII, 19 (détail), 45 (détail), 91 (détail), 131 (détail): Édimédia/Publiphoto.

Chapitre 1

Page 1: *Le jugement dernier* (détail), œuvre de Giotto di Bondone, Superstock. Page 5: *Homère,* Édimédia/Publiphoto; *Hésiode,* Topham Picturepoint/Ponopresse. Page 9: *Pandore,* AFP/Corbis/Magma Photo News; en bas, œuvre tirée de l'ouvrage *Légendes du cœur du Québec,* de Jean-Claude Dupont, Éditions Dupont. Page 10: Arthist Archives/Publiphoto. Page 12: *Guevara,* Édimédia/Publiphoto; *Marlboro:* Fred Prouser/Sipa Press/Ponopresse.

Chapitre 2

Page 21: Scala/Art Resource, NY. Page 24: Scala/Art Resource, NY. Page 28: SPL/Publiphoto. Page 30: Réunion des musées nationaux/Art Resource, NY. Page 33: Alinari/Giraudon/Ponopresse. Page 36: Mimmo Jodice/Corbis/Magma Photo News.

Chapitre 3

Page 48: *en haut:* M. Pridgen/The Trireme Trust; *en bas:* Collections de l'Université Laval. Page 49: Édimédia/Publiphoto. Page 50: Frilet/Sipa Press/Ponopresse. Page 53: Edimedia/Publiphoto. Page 58: Édimédia/Publiphoto.

Chapitre 4

Page 97: Édimédia/Publiphoto. Page 98: Alinari/Giraudon/Ponopresse. Page 100: Giraudon/Ponopresse. Page 108: Tiré de l'*Atlas de la philosophie,* reproduit avec l'autorisation du Livre de Poche.

Chapitre 5

Page 134: J.-Claude Aunos/Gamma/Ponopresse. Page 135: SPL/Publiphoto. Page 137: *Épicure:* Mary Evans/Explorer/Publiphoto; *Zénon de Citium:* Giraudon/ Ponopresse. Page 143: Copie d'après un buste v. 150 av. J.-C., h. 35 cm; Antikenmuseum Basel und Sammlung Ludwig, inv. no Kä 201; photo de D. Widmer. Page 146: ©2000 Cordon Art B.V.-Baarn-Hollande. Tous droits réservés. Topham Picturepoint/Ponopresse.

$\mathcal{I}$ndex

chez Platon, 102-103, 110, 111

diallèle, 145

dialogue, 103

Dieu, 114

dieux, 61, 138
    crainte des, 61

DIOGÈNE DE SINOPE, 96-97, 135, 136

DION, 99

discours
    argumentatif, 107
    mythique, 2, 3
        auteurs du, 4-5
        et vérité, 6-14
    persuasif, 63
    religieux, 2, 155, *voir aussi* religion

dogmatisme, 137
    voir aussi écoles dogmatiques

domination macédonienne, 92-95

doute, VII, VIII, 67, 147, 154, 156, 159

doxographes, 28

DRACON, 24
    réforme de, 24

E

eau (principe), 28, 29

ecclésia, 25, 93, 98
    voir aussi assemblée

école(s)
    cynique, 135-136, *voir aussi* cynisme
    des académiciens, 137
    des pyrrhoniens, 137
    dogmatiques, 147, *voir aussi* dogmatisme
    épicurienne, 138-141, 143, *voir aussi*
        épicurisme
    sceptiques, 141, *voir aussi* scepticisme
    stoïcienne, 141, *voir aussi* stoïcisme

écriture, 3, 4, 22
    des lois, 27
    des mythes, 20
    phonétique, 4, 23
    symbolique, 3

éducation, 56
    à la philosophie, 110
    de la raison, 104-105
    des citoyens, 104

élément primordial, 31, 33

émerveillement, 26

EMPÉDOCLE, 35

énoncé(s)
    scientifiques, 157
    universel, 66

ÉPHIALTE, 48, 49

ÉPICURE, 135, 136, 137, 138-141, 154

épicurisme, 136-137
    voir aussi école épicurienne

époque hellénistique, 132-137, 148

ÉRATOSTHÈNE, 135

ESCHER (M. C.), 146

esprit critique, 149, 156

étonnement, 26

être, 37

évaluer une argumentation (habileté), 69-76

examen critique, 103

expansion grecque en mer Égée (carte), 22

expérience, 46
    scientifique, 157
        traitement mathématique de l', 157

expérimentation, 157, 158

explication, 42, 74
    physique du monde, 35

F

faussetés, 68

feu (principe), 33

finalité, 139, 157
    voir aussi cause finale

G

génè, 23

généralisation, 118

gouvernements oligarchiques, 23

Grèce classique (carte), 47

guerre(s), 96
    de Troie, 22 (note)
    du Péloponnèse, 50
    médiques, 48

GUEVARA (Ernesto « Che »), 12

gymnosophistes, 135, 144

H

harmonie (du tout), 34

Héliée, 53, 55
    serment des juges de l', 53 (note)

HÉRACLITE, **33-35**, 36, 37, 59, 68, 113, 125, 138

HERMIAS, 100

héros, 11

HÉSIODE, 5, 8

hiéroglyphes, 3

Histoire des animaux (Aristote), 101

HOMÈRE, 5

société(s)
de chasseurs-cueilleurs, 3
démocratique, 25
de tradition écrite, 4
de tradition orale, 4
idéale, 97
juste(s), 27, 98
SOCRATE, VII, 26, 47, 51, **52-58**, **64-67**, 68, 69, 70, 75, 92, 102, 111, 122, 136, 142, 144, 148, 154, 159
procès de, 54-58, 98
SOLON, 24, 25
réforme de, 24-25
sophismes, 76-77
sophiste(s), 47, 52, 58, 62, 63, 66, 68, 111, 148, 154
Sparte, 50
spécialiste(s), VII, 56, 69, 74, 75
SPEUSIPPE, 100
stoïcisme, 136-137
voir aussi école stoïcienne
subjectivité, 156
substance(s), 114, 115, 118
superstition, 141
syllogisme(s), 116, 120
démonstratif, 116, 119, 120-121
dialectique, 116, 119
règles de construction et de validité du, 117
rhétorique, 116, 119
synthèse, 103

T

temps
originaire, 10
sacré, 10
THALÈS, 28-30, 59
Thèbes, 93, 94, 101
Théétète (Platon), 59, 62, 74
THÉMISTOCLE, 47
Théogonie (Hésiode), 5
théorie
de la connaissance (de Platon), 106
des simulacres, 139
thèse, 41, 70, 148, 158
thesmothètes, 23
THRASYMAQUE, 62, 75
tradition, 156

écrite, 3-4
orale, 3-4
transformation(s), 28, 32, 34, 35, 36, 68
trière, 48
TYLOR (E. B.), 7
tyrannie, 62, 99
des Trente, 50, 53, 56 (note), 98

U

universalité, 27, 120
universel, 47, 58, 64, 70, 111, 119, 157
définition de l', 67
recherche de l', 27, 114, 154

V

valeur(s), 156
collectives, 8-12
vérité(s), 2, 35, 46, 47, 52, 56, 64, 67, 68, 92, 105, 110, 117, 118, 120, 121, 125, 132, 154, 159
absolue, 102
critère(s) de, 62, 132, 137-147
des idées, 40
désir de, 107
du mythe, 12-14
langagière, 102
recherche de la , 40, 59, 92, 144, 155, 156, 159
universelle, 46, 59
vertu(s), 64, 66
vide, 138, 139, 140
vie
ascétique, 99
but de la, 136
voix intérieure, 56
volonté hégémonique, 94

WYZ

WHITEHEAD (ALFRED N.), 92
XÉNOCRATE, 101
XÉNOPHANE, 13, 36
XÉNOPHON, 55, 56, 64
XERXÈS, 47
ZÉNON DE CITIUM, 136, 137
ZÉNON D'ÉLÉE, 37